AT!TACK

KUNST UND KRIEG IN DEN ZEITEN DER MEDIEN

Kunsthalle Wien | Gabriele Mackert | Gerald Matt | Thomas Mießgang
Ausstellung der Kunsthalle Wien 23. Mai – 21. September 2003

STEIDL | KUNSTHALLE wien

INHALT:

DANK:

Unser Dank gilt allen Leihgebern und Leihgeberinnen, ohne deren vertrauensvolle Zusammenarbeit die Ausstellung nicht zustande gekommen wäre:

303 Gallery, New York | American Fine Arts, New York | Dejan Andjelković, Belgrad | Galerie Andréhn-Schiptjenko, Stockholm | association APSOLUTNO, Novi Sad | Galleria Astuni, Pietrasanta | Galerie Böttcher, Berlin | Nin Brudermann, New York | Galerie Daniel Buchholz, Köln | Sammlung Ioannis Christoforakos, Athen | Uroš Djurić, Belgrad | Dvir Gallery, Tel Aviv | Les Films du Jeudi, Paris | Gyula Fodor, Wien | Collection FRAC Bourgogne, Frankreich | Frith Street Gallery, London | Karola Grässlin, Braunschweig | Galerie Erna Hécey, Luxemburg | I-20 Gallery, New York | Galerie Johnen & Schöttle, Köln | Priska Juschka Gallery, New York | Galerie Christine König, Wien | kuda.org, Novi Sad | Sigalit Landau, Tel Aviv | Robert Lebeck, Berlin | Collezione Meneguzzo | Sammlung Messner, Graz | Galerie Meyer Riegger, Karlsruhe | Hans Werner Mohm, Wadern-Rathen | Gianni Motti | Galerie Christian Nagel, Köln | Neue Galerie, Graz | ORF, Wien | Sammlung Roberto Ohrt, Hamburg | Klaus Pobitzer, Wien | El Projecto, New York | Prometeo Associazione Culturale per l'Arte Contemporanea, Lucca | Jelica Radovanović, Belgrad | Oliver Ressler, Wien | Ursula Rosarius, Köln | Erasmus Schröter, Leipzig | Galerie Schweins, Köln | Galerie Senn, Wien | Sammlung Sigg, Schweiz | Sprengel Museum, Hannover | Herwig Steiner, Wien | Mario Testino, London | Galerie Barbara Thumm, Berlin | Galerie Torch, Amsterdam | Massimo & Mariapia Vallotto, Italien | Galerie Voss, Düsseldorf | Steven Wharton, New York und Privatsammlungen, die nicht genannt werden möchten.

Dank den Künstlern, Leihgebern, Autoren und

Cilène Andréhn | Evelyn Appinger | Dieter Auracher | Sharon Avery-Fahlström | Pierre Bal-Blanc | Stefan Bidner | Dunja Blazević | Ingrid Bobolecki | Claudine Bohnenberger | Walter Cassidy | Larré Celya | Gudrun Danzer | Bodo von Dewitz | Anja Dorn | Dietmar Elger | James Elliott | Brigitte Felderer | Franz Feldgrill | Giovanni Garcia-Fenech | Bernd Michael Fincke | Virginia Friedländer | Lucas Gehrmann | Yves Gevaert | Laurent Godin | Sarah Green | Marianne Heller | Pierre Huber | Georg Kargl | Jonas Kecskemethy | Michael Kerkmann | Ekkehard Knörer | Ulrike Kramer | Markus Lüttgen | Ann Marcus | Michel Maseur | Christine Mayer | Jochen Meyer | Christopher Müller | Ida Pisani | Susanne Prinz | Thomas Riegger | Jérôme Sans | Elisabeth Schwartz | Lisa Spellman | Brigitte Winkler | Mechthild Widrich

Bomben auf Bagdad: Das war die reale Seite des Krieges, der im Frühjahr 2003 die ganze Welt in Atem hielt. Doch es gab auch einen virtuellen Aspekt – wie zuvor schon beim ersten Golfkrieg und bei den Konflikten auf dem Balkan: eine Schlacht der Bilder, die vor allem auf Fernsehschirmen und Internetdisplays ausgetragen wurde. Eine Auseinandersetzung, bei der es um die militärische Kontrolle des visuellen Sektors ging, um systematische Desinformationspolitik und um die Übertragung der Ereignisse vom Schlachtfeld in Echtzeit. Die »vierte Front«, wie Paul Virilio den Bilderstreit in der medialen Zone nennt, ist mit ihren permanenten Pressekonferenzen und Innovationen wie den *embedded journalists* endgültig zu einem zentralen Faktor der Strategie geworden.

Ob es sich um einen archetypischen High-Tech-Krieg wie die Schlacht gegen Saddam handelt oder um einen jener *low intensity conflicts*, die nach Meinung führender Militärtheoretiker zur dominierenden Form der militärischen Auseinandersetzung geworden sind und vor allem in den weniger entwickelten Teilen der Welt stattfinden – Medien spielen in beiden Formen des bewaffneten Konfliktes eine wichtige Rolle, als Mittel der Kriegsführung wie als Dispositiv der Berichterstattung. In den *low intensity conflicts* sind es eben nicht ständig aktualisierte GPS-Bilder und computervernetzte Einsatzzentralen, sondern Handys und das Internet. »In einem virtuellen Krieg bleiben die Kanäle offen«, schreibt Michael Ignatieff. »Man spricht mit seinem Feind, während man ihn bekämpft.«

Die Medien haben dazu beigetragen, dass der Krieg heute nicht mehr im Sinne von Clausewitz als Aktivität in einem begrenzten Handlungsraum und »Fortsetzung der Politik mit anderen Mitteln« gesehen wird, sondern als visuelles Spektakel, das an die Emotionen der Bürger des globalen Dorfes appelliert – auch wenn sie Tausende Kilometer vom Schlachtfeld entfernt sein sollten.

Die Ausstellung *Attack!* setzt dort an, wo die Grenzen zwischen Krieg und Frieden durchlässig werden und die Bilder aus den beiden Bereichen in einer diffusen »Mediasphäre« zusammenwachsen.

Gewaltimages, die von der Filmindustrie *(Terminator, Universal Soldier)* oder der Popszene (Madonnas *American Life*) geschaffen wurden, wirken stilbildend auf die Performance der Kombattanten auf den realen Schlachtfeldern. Umgekehrt hat das militärische Zeichenrepertoire Computerspiele, Musikvideos und Modedesign erobert. Die globale Gesellschaft, so die These, ist osmotisch geworden. Krieg und Frieden lassen sich in ihren visuellen Repräsentationen nicht mehr trennscharf voneinander abgrenzen. Die Bilder sind dabei, die Wirklichkeit zu absorbieren und ein neues virtuelles Deutungsparadigma aufzustellen.

Attack! möchte zeigen, wie zeitgenössische Künstler mit dem Krieg, seinen medialen Spiegelbildern und seiner Ikonografie umgehen. Wobei der Begriff »Medien« bewusst weit gefasst wurde. So sind etwa jene Teppiche aus Afghanistan und benachbarten Ländern, in die Panzer- und Feuerwaffenmotive eingewoben wurden, ebenso Kommunikationsplattformen wie die Satellitenbilder, die von Nachrichtensendern weltweit verbreitet werden. Sie zeigen aber, dass die »Tyrannei der Echtzeit« nur von jenen ausgeübt werden kann, die über entsprechende technische und ökonomische Infrastrukturen verfügen, und dass jenseits der »digitalen Kluft« auch heute noch archaische Formen des Meinungsaustausches gepflegt werden.

Andere Medien, die in *Attack!* durch die individuelle Sensibilität der Künstler gefiltert in Erscheinung treten, sind Zeitschriftencover, digitale Repräsentationen von Zielobjekten in den Cockpits von Kampfflugzeugen oder Landkarten, die die Basis zur Definition neuer geopolitischer Szenarien darstellen, in denen Kriege oft nicht mehr um Territorialgewinne geführt werden, sondern um Ressourcen, unternehmerische Vorteile und symbolische Übermacht.

Geschichte wird gemacht – in den Zeiten der Medien mehr denn je. *Attack!* versucht den Krieg unter zeitgenössischen Kommunikationsbedingungen zu begreifen und in seiner visuellen Vielfalt darzustellen. Es geht auch um die grundsätzliche Frage, was Kunst in Zeiten der globalisierten Ökonomie an Gegenbildern und kritischem Potential aufbieten kann; wie sie traumatische Folgen und zerstörerische Effekte des Krieges analysieren und das lückenlose Kontinuum gewaltgeladener Chiffren ihren Zwecken nutzbar machen kann.

Attack! wagt eine Gratwanderung zwischen Grauen, Faszination und Paralyse. Denn »der Krieg als solcher«, schreibt der Militärhistoriker Martin van Creveld, »erfreut sich bester Gesundheit und steht kurz vor dem Eintritt in eine neue Epoche«.

Mein Dank gilt den Kuratoren Gabriele Mackert und Thomas Mießgang, die eine schlüssige und konzise Präsentation des schwierigen Themas erarbeitet haben, und Siegfried Mattl, der als Konsulent wertvolle Literaturhinweise gab und das theoretische Rahmenwerk von *Attack!* mitformulierte. Weiters danke ich den Ausstellungsarchitekten Walter Kirpicsenko und Alexander Klose, dem Team der Kunsthalle Wien, im Besonderen Sigrid Mittersteiner (Assistenz) und Martina Berger (Produktion), und allen Leihgebern, ohne deren Kooperationsbereitschaft das Projekt in dieser Qualität nicht möglich gewesen wäre.

Gerald Matt
Direktor der Kunsthalle Wien

THOMAS MIESSGANG: Pixelparade in der Feuerwüste

Krieg in den Zeiten der Medien: Über die strategische Besetzung der Bildschirme, die Schlacht an der vierten Front der Information und die Produktion des Bildes als Ereignis in der visuellen Prozession des Bedeutungslosen

DER SCHAUDER DES REALEN

Wir sind wieder vor dem Fernseher gesessen. Wir haben die Bilder gesehen, die Kommentare gehört, die Laufbänder am unteren Rand des TV-Schirms dechiffriert. Wir waren Teil des Krieges, wie schon 1991, und doch unendlich weit davon entfernt. Haben die Bilder unseren Erkenntnisstand vergrößert oder nur einen Kokon aus Ereignisflimmern und kontingentem Aktivismus produziert? Man sah in schlechter Auflösung ruckelnd vorrückende Panzerverbände, schwarze Rauchwolken über schwer beschädigten Gebäuden, Lichtblitze in einer Niemandsstadt der schwach konturierten Silhouetten, weinende Kinder mit verbundenen Gliedern auf ärmlichen Pritschen, Soldaten in voller Kampfausrüstung, die unter infernalischem Geschrei Türen eintraten. Dann aber gab es auch Gegenbilder: US-Marines, die irakische Jugendliche mit drolligen Liedern zu animieren versuchten, ein Fußballmatch einer lokalen Auswahl aus Basra mit britischen Einheiten. Kampf um die Herzen, Endsieg des Gefühls?

Wenige dieser Bilder und Newsflashes waren zeitlich und geografisch lokalisierbar. Oft begegneten einem beim Switchen auf anderen Kanälen die gleichen Sujets mit anderem Kommentar, vermeintliche Echtzeitübertragung vermischte sich mit Replays: eine endlose Pixelparade, deren eigentlicher Zweck vor allem ihre Kontinuität zu sein schien. Lückenlose Übertragung von einem Schlachtfeld, das sich erst in der Montage diskontinuierlicher visueller Elemente zu einem »erlebbaren« Environment formte. Der Krieg als vermeintliche Reality-Show, die ihrerseits wieder aus einem Stakkato schnell geschnittener Detailaufnahmen und atemloser Kommentare von *embedded journalists* und den hilflosen Distanzierungen der Fernsehmoderatoren von den Quellen ihrer Bilder komponiert wurde – das ist die neueste Entwicklung an der »vierten Front« der Information, von der Paul Virilio spricht: »Als erster totaler elektronischer Weltkrieg entscheidet sich der Golfkrieg nicht allein an der Kampflinie eines geografischen Horizonts«, schrieb der Theoretiker 1991, »sondern vor allem auf den Monitoren, den Kontrollbildschirmen und den Fernsehgeräten in der ganzen Welt. Die Perspektive des Schlachtfeldes ist nicht mehr die des Fluchtpunktes, sondern vielmehr die gleichzeitige Flucht aller Punkte, die der Pixel, aus denen das Bild der anzuvisierenden Ziele zusammengesetzt ist, durch deren Zerstörung der Feind vernichtet werden kann.«[1]

Die strategische Besetzung der Bildschirme – jener der Fernseher oder jener der Computer – ist unter Begriffen wie »Information Warfare«, »Netzkrieg« oder »Cyberwar« längst auch in die Selbstbeschreibungslogik des militärischen Komplexes eingegangen. Während Virilio beim TV-Krieg von der »Atombombe der Bilder«[2] spricht, die jeden, ob er wolle oder nicht, in die Gräuel des Krieges verwickle, sehen die Strategen darin vor allem die Aktualisierung herkömmlicher Aufklärungs- und Desinformationsstrategien unter Echtzeitbedingungen: Im Irakkrieg 2003 mischten sich Bilder vom Schauplatz, die nichts oder fast nichts zeigten, mit Pressekonferenzen des Generalstabs, bei denen nichts oder fast nichts gesagt wurde. Die entscheidende Komponente dabei ist, dass die Sicherung des ununterbrochenen (Des-)Informationstransfers die Deutungshegemonie über den Verlauf des Krieges garantiert. Wer, wie die Iraker, mit dem Ausfall von Sendekapazitäten konfrontiert wird, verliert die Schlacht um die Proliferation der visuellen Chiffren, die den »Schauder des Realen« (Jean Baudrillard) hervorrufen. Es geht also nicht in erster Linie darum, was übertragen wird, sondern dass übertragen wird. »Der Sieger des nächsten Krieges wird derjenige sein, der es am besten versteht, das elektromagnetische Spektrum auszunutzen«, hat der sowjetische Admiral i. R. Sergej G. Gorschkow einmal gesagt.

DER TELETOPISCHE KRIEG

Die technologisch-mediale Durchdringung des Krieges hat in den letzten 15 Jahren ein Ausmaß erreicht, das einem Paradigmenwechsel gleichkommt. Sie gliedert sich in zwei kategorial getrennte *battlefields*: zum einen die oben beschriebene Propagandaschlacht, bei der es darum geht, die militärisch zensierten Bilddaten in die elektronischen Blutbahnen des globalen Wohnzimmers zu injizieren und unmittelbare Gefühlsreaktionen hervorzurufen, zum anderen die zunehmende Virtualisierung des realen Kampfgeschehens durch Kontrollbildschirme, digitale Simulationen oder »intelligente« Fernlenkwaffensysteme.[3]

Längst wurden alle Informationsparameter zu einem integrierten elektronischen Gefechtsstand vernetzt. Beim Krieg der Nato-Truppen gegen Serbien habe der oberste Befehlshaber der Alliierten in Europa, Wesley Clark, einen eher virtuellen als unmittelbaren Kontakt zum Krieg gehabt, berichtet Michael Ignatieff: »Die beiden Fixpunkte seines Krieges waren die Videokonferenzen, die jeden Vormittag in den sicheren Räumen des Nato-Hauptquartiers für Europa stattfanden. Diese Kommandozentralen erwecken eher den Eindruck von Unternehmenszentralen als von militärischen Einrichtungen. Die Räume sind niedrig, mit zwei Tischreihen für die Berater, die das Kontrollpult des Obersten Befehlshabers gegenüber dem riesigen Videoschirm flankieren.«[4]

De facto hat, wie Paul Virilio schon vor zwölf Jahren konstatierte, eine Verdoppelung des Kriegsschauplatzes stattgefunden: auf der einen Seite der unmittelbare Anblick des realen Raumes, der sich den Akteuren darbietet, auf der anderen Seite die elektronischen Bilder der Echtzeit. Der Krieg manifestiert sich doppelgesichtig als lokal begrenzte Ereignisparzelle und als globale Repräsentation.

War die digitale Mimesis des Schlachtfeldes in der Frühzeit der Aufklärungssatelliten noch lückenhaft und unscharf – ein Bilderzittern an der Peripherie des bewussten Gewahrens –, ist mittlerweile die Nachbildung des Realen so weit fortgeschritten, dass man von einem neuen wahrnehmungslogistischen Hyperrealismus sprechen könnte. Unter der Leitung des National Reconnaissance Office verfügen die USA heute über das Aufklärungspotential von sechs Satelliten, die innerhalb der militärischen Kaste als »ultimativer digitaler Feldherrnhügel« bezeichnet werden: Drei zählen zur Flotte der »Advanced Keyholes« (Advanced KH-11), drei weitere zur Gattung Onyx. Im Zusammenspiel können diese Präzisionsinstrumente der Observation aus Höhen zwischen 300 und 1000

Kilometern Ziele auch durch Wolken und Staub hindurch beobachten und im günstigsten Fall Gegenstände von der Größe einer Untertasse ausmachen. »Ihnen entgeht im Infrarotspektrum nicht einmal das Grillfeuer von Laubenpiepern«, schreibt der *Spiegel*.[5]

Man muss das exponential gewachsene investigative Potential der zeitgenössischen Technokriegslogistik aus der richtigen Perspektive sehen, um seine Bedeutung für die Entscheidung über Sieg und Niederlage in Echtzeitbataillen ermessen zu können. »Noch Mitte der achtziger Jahre waren Live-Berichte von den roten Khmer in Kambodscha technisch [...] ein Ding der Unmöglichkeit«, schreibt Hans Christoph Buch, der Reporter von den Rändern der Weltwahrnehmung. »Als ich in der Botschaft der ehemaligen DDR in Buenos Aires das vorsintflutliche Telexgerät sah, zu dem nur Stasi-Mitarbeiter Zugang gehabt hatten, begriff ich, warum der Warschauer Pakt den Kalten Krieg verloren hatte.«[6]

DIE TYRANNEI DER ECHTZEIT

In dem integrierten System, das an der Beschleunigung der kriegerischen Aktionen arbeitet, gibt es allerdings einen Faktor X, der – neben der Wetterlage – zunehmend für Kurzschlüsse in den Schaltkreisen sorgt: der Mensch. Die teletopische Auseinandersetzung, bei der sich das Lokale mit dem Globalen vermischt, lässt Entscheidungszeiträume schrumpfen. Auch die Handlungsabläufe selbst ordnen sich immer stärker dem Faktor Geschwindigkeit unter. In diesem Zusammenhang spielt der Tarnkappenbomber F 117 eine besondere Rolle: Indem man die Oberfläche für die Rückstrahlung der Radarwellen zum Verschwinden bringt, ist dieses Flugzeug nicht zu orten. Es repräsentiert also eine elektromagnetische Leerstelle und in seinem Anflug eine zeitliche Nulldimension. Als aktuelle Erscheinung ist der F 117 immer »schon da«, ohne dass er als virtuelle »erkannt« werden könnte. Mit dem Tarnkappenbomber gelingt also die Simulation einer (undenkbaren) Beschleunigung der Kriegsführung über die Grenze der Lichtgeschwindigkeit hinaus. Denn, wie Paul Virilio sagt: »Das, was gesehen wird, ist schon verloren.«[7] Die zeitliche Kontraktion, die auf der Rechenleistung komplexer Computersysteme beruht, interagiert aber auf allen Ebenen mit den Verarbeitungskapazitäten biologischer Organismen, die nur begrenzt beschleunigbar sind. Das unzulängliche Allzumenschliche ist jenes retardierende Moment, das die Illusion eines perfekten »Krieges der Sterne« immer wieder konterkariert. Wird ein durchschnittlicher General mit der Gleichzeitigkeit von Wahrnehmung, Entscheidung und Exekution konfrontiert, besteht die Gefahr, dass seine Handlungsanweisungen kontingent werden. Man darf spekulieren, dass die erheblichen (Selbst-)Zerstörungen der US-Truppen im Irakkrieg durch *friendly fire* jener Tyrannei der Echtzeit geschuldet waren, die den Schwerpunkt der kriegerischen Aktionen in einen Bereich verlagert, der jenseits des Aufnahme- und Reaktionsvermögens eines beschränkten biologischen Organismus liegt.[8]

Es gibt bereits Science-Fiction-Konzepte, die die momentanen Gegebenheiten teleologisch zu Ende denken: Unter Titeln wie *Information Terrorism*, *Semantic Attack* und *Simula Warfare* werden Gedankenspiele veranstaltet, die sich zwischen dem Füttern von Systemen mit »schlechten Daten« und der umfassenden Substitution des realen Schlachtfeldes durch sein digitales Spiegelbild beschäftigen.

Die konsequenteste Umwälzung der herkömmlichen logistischen Dispositive aber nennt sich *Gibson Warfare* – in ehrerbietiger Verneigung vor dem Cyberpunkautor William Gibson. Hier schlagen autonom agierende Computer und virtuelle Krieger Schlachten ohne menschliche Beteiligung – der fatale Faktor X ist somit ausgeschaltet. »Wäre so etwas möglich?«, schreibt Martin Libicki auf der Website des Institute for National Strategic Studies. »Aber ja. Ist es relevant für die nationale Sicherheit? Vorerst nicht.«

DIE NEUEN SOLDATEN

Die »vierte Front« und die Technologik im zeitgenössischen militärischen Denken und Handeln haben sich zu einem Zeitpunkt etabliert, wo nach der Meinung führender Theoretiker zwei wesentliche Typen der Kriegsführung unterschieden werden können. Zum einen jene Auseinandersetzungen, die Mary Kaldor als »Spektakelkriege« bezeichnet: groß angelegte zwischenstaatliche Auseinandersetzungen, bei denen das ganze Arsenal von Tötungsmaschinen aus den Research-and-Development-Katakomben des militärisch-industriellen Komplexes zum Einsatz gebracht wird. »Shock and Awe«, die Formel, mit der die USA in den Irakkrieg gezogen sind, soll das numinose Erschauern vor den Exzessen des Heidegger'schen Gestells, die existentielle Erschütterung vor dem Geist aus der Maschine metaphorisch einkleiden.

Zum anderen aber jene »Neuen Kriege« (Kaldor), die auch unter dem Begriff »Konflikte geringer Intensität« in den diversen Diskursen auftauchen. Es handelt sich dabei um Bataillen, in denen nicht die Streitkräfte zweier Staaten aufeinander treffen, sondern in denen Milizen und paramilitärische Einheiten – späte und korrupte Abkömmlinge der Guerillaarmeen antikolonialer Kriege – meist auf eigene Faust und im eigenen Interesse agieren – auch wenn es etwa in Bosnien-Herzegowina Absprachen zwischen Warlords wie Arkan und der jugoslawischen Bundesarmee gab. »Künftig werden keine Streitkräfte Krieg führen«, schreibt der Militärhistoriker Martin van Creveld, »sondern Gruppierungen, die wir heute Terroristen, Guerillas, Banditen und Räuber nennen. Sie selbst finden aber mit Sicherheit wohlklingendere Namen für ihre Organisationen. Sie stützen sich vermutlich stärker auf das Charisma eines Anführers als auf eine Institution, und ihr Ansporn ist weniger eine ›Professionalität‹ als eine fanatische, ideologisch untermauerte Loyalität.«[9]

Van Creveld benennt einige wesentliche Charakteristika, die die *low intensity conflicts* von den herkömmlichen Kriegen unterscheiden:

1. Sie brechen meist in den »weniger entwickelten« Teilen der Welt aus.
2. In den wenigsten Fällen sind auf beiden Seiten reguläre Streitkräfte daran beteiligt, allerdings kämpfen häufig reguläre Truppen auf der einen Seite gegen Guerillas, Terroristen und sogar Zivilisten, auch Frauen und Kinder, auf der anderen.
3. In den *low intensity conflicts* (LIC) werden nicht in erster Linie die hoch entwickelten Kollektivwaffen eingesetzt, die der ganze Stolz jeder modernen Streitkraft sind. »All die Flugzeuge und Panzer, die Raketen und schweren Geschütze und die vielen anderen Waffensysteme, die so kompliziert sind, dass sie lediglich unter ihren Akronymen bekannt sind, spielen bei einem Low Intensity War keine Rolle.«[10]

4. »Neue Kriege« sind nicht mehr im herkömmlichen Sinn verhandelbar; sie schwelen, stagnieren und brechen unvermittelt wieder aus; siehe Somalia, Tschetschenien, Sierra Leone, Liberia etc. Definierte strategische Ziele werden im Verlauf der Auseinandersetzungen zunehmend unwichtig, die Plünderungen, Vergewaltigungen, Misshandlungen der Zivilbevölkerung in einem länger andauernden LIC erinnern, wie Herfried Münkler anmerkt, an Formen der Kriegsführung, die dem trinitarischen Modell von Clausewitz chronologisch vorgelagert sind: »Das Neue ist die Wiederkehr des ganz Alten. Wir treten in Verhältnisse ein, die dem Dreißigjährigen Krieg nicht unähnlich sind.«[11]

5. Auch die Kombattanten entsprechen häufig nicht mehr dem herkömmlichen Bild vom Soldaten. Vor allem in afrikanischen Konflikten entstanden so genannte »Kinderarmeen«, die ihren Rekruten nicht nur Zugang zu knappen Gütern wie Wasser und Nahrungsmitteln bieten, sondern oftmals den einzigen vorstellbaren Weg zu sozialer Anerkennung. Die Kämpfer dieser Armeen sind schon aufgrund ihrer Physis nicht in der Lage, schweres militärisches Gerät zu bedienen. Deshalb kommen bei diesen Konflikten meist Handfeuerwaffen wie die Uzi-Maschinenpistole zum Einsatz. Die Befehlsstrukturen sind instabil, die strategischen Konzepte skizzenhaft – »weniger die Schlacht als vielmehr das Massaker tritt in den Vordergrund«[12].

Van Creveld räumt ein, dass es noch zu früh ist, um ein Grablied auf den »klassischen« zwischenstaatlichen Krieg anzustimmen, doch er sieht die Zukunft der bewaffneten Auseinandersetzungen auf dem Terrain der neuen militärischen Unübersichtlichkeit. Denn die Staaten oder Interessengruppen, die keine Nutznießer jener »Revolution in militärischen Angelegenheiten« sind, die auf Informationstechnologie, Kommunikationsinfrastruktur und raumgestützter Navigation und Aufklärung beruht – unterliegen einer Asymmetrie nach dem Muster »Teppichmesser gegen Kampfbomber«. Um dieses Ungleichgewicht wenigstens ansatzweise auszubalancieren, dürfen die neuen Krieger/Warlords sich dem Gegner nicht zu seinen Bedingungen stellen, sondern müssen versuchen, ihm ihren eigenen Stil aufzuzwingen – durch Rückzug in städtische Agglomerationen und die Benutzung der Zivilbevölkerung als Schutzschild. »Die Überlegenheit westlicher Technologie wird im urbanen Raum dann aufgehoben, wenn aus dem Luftkrieg ein Bodenkrieg wird«, schreibt Krystian Woznicki in der Netzzeitschrift *Telepolis*. US-Soldaten nannten den Häuserkampf als bevorzugte Guerillastrategie im urbanen Raum »dreidimensionale Kriegführung« – denn man kann von allen Seiten getroffen werden.

Hier kommt das von den US-Marines entwickelte Konzept des »strategischen Unteroffiziers« ins Spiel, der eine Art Relais zwischen *high* und *low* darstellt, »mit genügend operationaler Autonomie und Kommunikationsmöglichkeiten, um mit einem Handzeichen einen Luftschlag anzuordnen«[13]. Es gibt mittlerweile auf US-amerikanischer Seite unter den Namen Urban Warrior, Metropolis und MOUT (Military Operations on Urbanized Terrain) eine Reihe von Projekten, die an der Vervollkommnung des neuen Soldatentypus arbeiten, der im Dickicht der Städte aktiv werden soll und per Satellitenverbindung stets wichtige Daten aus kritischen Zonen funken kann. Neu ist das Center for Joint Urban Operations. Es untersteht dem U.S. Joint Forces Command und arbeitet daran, den Militärs dort Durchblick zu verschaffen, wo es bislang keine Transparenz gab: im topografischen Chaos urbaner Widerstandsnester, wo die digitale Repräsentation nur begrenzt funktioniert. Abhilfe soll das neueste Akronymmonster aus den Elfenbeintürmen einer immer hermetischer werdenden militärstrategischen Debatte bringen: C4ISR. Dieses System arbeitet an der Echtzeittransformation der Kapazitäten von Kommando, Kontrolle, Kommunikation, Computer, Intelligenz, Überwachung und Erkennung durch neue Technologien. Ziele der Makrointegration sind ein weiterer Beschleunigungsschritt in der Verbindung zwischen den Kommandozentralen und den Kämpfern im Feld, sowie die Herstellung von präzisen Satellitenbildern aus den engen, verwinkelten Räumen von Großstädten.

Der *Urban Warrior* – Einzelkämpfer im Systemverbund, gleichermaßen autonom wie *connected* – mag eine moderne Figur sein, doch er hat einen ideengeschichtlichen Schatten. Die »ikonische Rambo-Figur« (Tom Holert und Mark Terkessidis) wirkt wie die digitale Überarbeitung jenes »neuen Soldaten«, den Ernst Jünger nach dem Ersten Weltkrieg literarisch skizziert hat: ein anpassungsfähiger Einzelkämpfer, bei dem es vor allem auf den richtigen »Geist«, »raffinierte Camouflage« und »indianerhaften Spürsinn« ankommt. Ein »Opfergänger, der in den großen Feuerwüsten die Lasten trägt und der als guter, einender Geist nicht allein innerhalb der Völker, sondern auch zwischen ihnen beschworen wird«[14].

ALLE KANÄLE OFFEN

Der Irakkrieg 2003 hat gezeigt, dass auch in einem geradezu idealtypischen *high intensity conflict* Elemente intensitätsarmer Auseinandersetzungen auftauchen können: wenn etwa Luftbombardements keine Entscheidung herbeiführen und stattdessen Bodentruppen in guerillaähnliche Scharmützel verwickelt werden, oder wenn ein Gegner, der als Staat in den Krieg eingetreten ist, im Verlauf der Kampfhandlungen in ethnische und religiöse Gruppen und partikulare Interessenskommunitäten zerfällt.

Die beiden zentralen Typen der modernen Kriegführung treten selten in reiner Form auf, sondern eher in verschiedenen Mischverhältnissen – das ist eine der Lehren, die aus dem Szenario »Bomben auf Bagdad« gezogen werden können.

Wenn auch die Kombattanten neuer Kriege nicht über eine *high level architecture* verfügen, die räumlich getrennte Simulationskomponenten für das Training über Datennetze verbindet, lässt sich daraus keineswegs die Schlussfolgerung ziehen, dass mediale Vernetzungen in den LIC keine Rolle spielen. Es sind eben nicht die *advanced capabilities technologies*, die zum Einsatz kommen, sondern profane Geräte wie Laptops und Mobiltelefone[15] und das gute alte Fax – Interoperabilität auf niedrigem Niveau. Sie schaffen eine »Mediasphäre«, in der »die Kommunikationskanäle zur anderen Seite über die gesamte Dauer des Krieges hinweg geöffnet bleiben« (Ignatieff).

Konflikte geringer Intensität, die fälschlicherweise oft als lokale Scharmützel abgetan werden, sind meist, so Mary Kaldor, »in ein kaum überschaubares Geflecht transnationaler Verbindungen eingebunden, so dass sich nicht eindeutig zwischen innen und außen, zwischen Aggression (dem Angriff eines anderen Staates) und Repression (Gewaltanwendung innerhalb eines Landes) oder auch nur zwischen lokal und global unterscheiden lässt.«[16]

Auch die jeweilige Diaspora habe durch die Steigerung der Kommunikationsgeschwindigkeit bessere Möglichkeiten, in laufende Prozesse zu intervenieren und sich aus exterritorialer Position zumindest kommunikativ ins Zentrum der Ereignisse zu projizieren.[17]

Durch die »offenen Kanäle« erodieren nicht nur Grenzziehungen, die im virtuellen Bereich der Telekommunikation keine Rolle spielen, sondern auch die *firewalls* zwischen zivilen und militärischen Schauplätzen.[18]

Der Krieg ist osmotisch geworden: Auf der Ebene der digitalen Repräsentation dringen die Monstrositäten aus den Konfliktzonen in die Bilderkreisläufe der Kommunikationsindustrien ein und infizieren sie mit dem Aroma von Gewalt und intensiv gelebtem Leben. Umgekehrt wirken die in den *fun factories* der Vergnügungskonzerne produzierten Chiffren der Aggression und der militärischen »Superpower« wiederum auf die Selbststilisierungsbedürfnisse der Kombattanten auf dem realen Schlachtfeld zurück.

Die Expansion des Visuellen in alle medialen Kanäle, die kaum mehr Ruhezonen der optischen Enthaltsamkeit zulässt, hat zu einer Verschiebung im Verhältnis von Realereignis und Abbild geführt: Karnivorisch machen sich die Bilder über alles, was der Fall ist, her und schwingen sich zu Operatoren der Affekte auf. Der Rezipient ist kaum mehr in der Lage, zu entscheiden, ob ihn das Grauen des »schändlich Unwelthaften« (Toni Negri) in seiner erregenden Ambivalenz unmittelbar touchiert oder ob seine Sinne durch die Stimulacra des zweidimensionalen Imaginären massiert werden.

Diese Unentscheidbarkeit, das Wahrnehmungsflirren im halbbewussten Bereich, ist die Signatur des osmotischen Krieges. »In unserem mediatisierten Universum steht gewöhnlich das Bild an der Stelle des Ereignisses, und der Bildkonsum ersetzt und verzehrt das Ereignis«, schreibt Jean Baudrillard. »Diese Sichtbarkeit, diese forcierte Transparenz ist die eigentliche Strategie der Information.«[19]

KRIEG DER BILDER

Bilder von den Schlachtfeldern waren schon während des gesamten 20. Jahrhunderts entscheidende Konstituenten bei der Etablierung der vierten Front. Wochenschauberichte im Zweiten Weltkrieg und Fotoreportagen aus Vietnam, die in Farbmagazinen abgedruckt wurden, unterfütterten öffentliche Debatten, die ihrerseits wieder das Handeln der Entscheidungsträger beeinflussten. Seit der Krieg osmotisch geworden ist, seit also die Zivilgesellschaft und der Einzugsbereich des »Leviathan« auf der Ebene der Repräsentation nicht mehr genau zu trennen sind, sondern einander durchdringen – ein Prozess, der seit den sechziger Jahren an Tempo gewonnen hat –, ist das Bild als imaginäre Zuflucht vor dem Ereignis hegemonial geworden. Auf verschiedenen Levels der visuellen Proliferation kommt es zu reziproken Prozessen. In Hollywood-Filmen werden Kämpfertypologien unter Chiffren wie »Rambo«, »Universal Soldier« oder »Terminator« im kollektiven Bewusstsein verankert, die ihrerseits wieder Rollenmodelle für »Amerikas Schattenkrieger«[20] der Special Operations Group liefern. Viel ist geschrieben worden über die afrikanischen Kindersoldaten, deren Performance auf den *killing fields* nach dem gestischen Repertoire US-amerikanischer Gangsterrapvideos modelliert ist. Auch die Accessoires eines »coolen« Lebensstils wie Ray-Ban-Sonnenbrillen, Hilfiger-

T-Shirts oder Nike-Schuhe werden, so erreichbar, gerne ins Zeichenregime integriert. Es spricht viel dafür, dass die Gewaltunternehmer in Drittweltkonflikten Kindersoldaten unter dem Aspekt einer lohnenden Investition betrachten – ein automatisches Gewehr und hundert Schuss Munition, keine spezifische Ausbildung – und aktiv die Implementierung von Icons der Gewalt und attraktiven Outlawimages aus dem Inventar der globalen Populärkultur vorantreiben, um die Kampfkraft zu steigern. »Jeden Morgen fuhr ein gestohlener Jeep mit dem Emblem der Weltgesundheitsorganisation die kreuz und quer durch die Stadt verlaufende Front ab«, schreibt Hans Christoph Buch über Kämpfe in der liberianischen Hauptstadt Monrovia, »und verteilte aufputschende Drogen, Porno- und Gewaltvideos an die Kämpfer der Bürgerkriegsparteien: bewaffnete Teenager, die sich selbst freedom fighters nannten, im liberianischen Volksmund aber freedom killers hießen. Auf diese Weise wurden die Kindersoldaten von Charles Taylors NPFL scharfgemacht und wie Kampfhunde zum Töten dressiert, und vielleicht erklärt dies, warum sie Kameramännern einen Heidenrespekt entgegenbrachten, während sie auf Reporter, die keine Kamera bei sich trugen, ohne Vorwarnung das Feuer eröffneten.«[21]

Dieses Szenario wirkt wie die perverse Kontrafaktur aktueller Fernsehformate wie *Starmania* oder *Deutschland sucht den Superstar*. So wie in diesen Sendungen den Teilnehmern aufmerksamkeitsökonomischer Mehrwert bei gleichzeitiger Gefahr der Eliminierung versprochen wird, garantiert die Kamera auf dem *battleground* den symbolischen Einschluss in die Weltgemeinschaft der zumindest peripher Wahrgenommenen – was in medial unterbelichteten Territorien einem ähnlichen Upgrading entspricht wie der Schritt vom Normalbürger zum »Superstar« in gut vernetzten und verkabelten Kommunikationsdorados.

Bildteppiche aus Afghanistan (Beschreibung S. 174)

WARGASM UND MILITAINMENT

Prozesse des Austausches durch die semipermeable Scheidewand zwischen Krieg und Frieden haben sich zwar in den neunziger Jahren durch den medialen Expansionismus intensiviert, sind aber schon in der Epoche des Vietnamkrieges dokumentiert. Der Journalist Michael Herr berichtet in seinem exemplarischen Vietnam-Bericht *Dispatches* von Erinnerungsfotos der US-Soldaten, die im Wesentlichen Variationen einiger weniger Motive waren: das »Schnippfeuerzeug-Foto« – mit einem Feuerzeug wird ein vietnamesisches Dorf angezündet –, das »Kopf-ab-Foto« – Bilder von sehr jungen Vietcongs, die getötet und verstümmelt wurden – und Porträts von US-Kämpfern, die zwei Ohren oder eine ganze Halskette aus Ohren in die Kamera halten.[22]

Auf bestialische Weise wird so das Inkommensurable in das Format des rituellen zivilen Bildertausches gezwängt und den Fotoalben, die ja Erinnerungsspeicher der individuellen Geschichtsschreibung sind, als irritierendes und gleichwohl die Kontinuität sicherstellendes Modul angeschlossen. Dieses Eindringen von visuellen Dokumenten des Exzesses in die eingehegten Bezirke gesellschaftlich domestizierter Kommunitäten lässt sich auch bei zahlreichen anderen Konflikten der letzten Jahrzehnte nachweisen. So berichtet Hans Christoph Buch, dass Dokumentarfilme über Kriegsgräuel im ehemaligen Jugoslawien wie Pornografie unter dem Ladentisch verkauft wurden, »nicht aus politischem Interesse am Balkankonflikt oder aus Empathie für die Opfer, ganz im Gegenteil: Die Zuschauer geilten sich an den Grausamkeiten auf.«[23]

Eine andere Form des visuellen Transfers sind die mit martialischen Motiven bestickten afghanischen Kriegsteppiche, die den Schock beschleunigter militärischer Abläufe im Medium einer jahrhundertealten Knüpfkunst verarbeiten und damit eine ›retardierte Zone‹ im Echtzeitmilieu darstellen. Implizit thematisiert diese Form von Realitätsbewältigung auch die ›digitale Kluft‹ zwischen den Dominatoren der Telekommunikation in den ökonomisch prosperierenden Ländern und jenen Ausgeschlossenen, die auf ›prädigitale‹ Austauschwege zurückgeworfen werden und zeitlich immer weiter in Verzug geraten.

Es geht bei der symbolischen Kommutation der Bilder um die Infizierung von Gegenwartsgesellschaften mit dem Virus des im Bild gebannten Nichtsymbolisierbaren. Umgekehrt produziert die *civil society* ihr eigenes visuelles Repertoire, das im Bedarfsfall als Mobilmachungsdispositiv genutzt werden kann und wie oben beschrieben wiederum den Realraum der »Feuerwüste« affektiv prägt.[24]

Viel mediale Beachtung fanden die Treffen von Pentagon-Spitzen und Hollywood-Produzenten nach dem 11. September, bei denen Modalitäten, Rahmenbedingungen und Inhalte eines möglichen »Militainment«-Komplexes ausgehandelt wurden. Doch auch auf anderen (populär)kulturellen Ebenen kommt es immer häufiger zum »Wargasm« (Simon Reynolds), einer sexuell konnotierten Aufladung der Paralleluniversen rebellionsaffiner Jugendsubkulturen mit Bild- und Klangimpulsen aus der Freihandelszone staatlich sanktionierter Gewaltanwendung. Hip-Hop-Künstler wie Method Man, Ol' Dirty Bastard und Raekwon vom Wu-Tang-Clan, Gravediggaz oder Jeru the Damaja setzen die *Skills* ihrer verbalen Delirien ein wie »flüssige Schwerter« (Genius/GZA) und performen in ihren Videos mit Schimasken und Camouflage-Wear. Auch die Lyrics lassen an Deutlichkeit nichts zu wünschen übrig: »Wu Tang's coming through with full metal jackets«. »Call me the rap assassinator«. »Merciless like a terrorist, hard to capture.«

Selbst im Mainstream sickerten sukzessive Tarnfleckenjacken, *battlefield*-Choreografien und dramatisch geschwenkte Schusswaffen in die Videos und damit ins allgemeine Bewusstsein. Zuletzt suchte Madonna die Friktion mit dem militärisch-visuellen Komplex, um dann im letzten Moment doch noch klein beizugeben und das Bildmaterial zum Song *American Life* zurückzuziehen.

FUN-GUERILLA

In seinem Text »Military Imagery in Pop Music« versucht Simon Reynolds die optische und akustische Aufrüstung der internationalen Popsubgenres mit den Interaktionsmustern der zeitgenössischen Ökonomie und Politik zusammenzudenken: »›Populäre Avantgarden‹ funktionieren wie Spiegel in der neuen kapitalistischen Realität, die die Fassade des freien Unternehmertums abgestreift hat, um dahinter den Krieg aller gegen alle zu enthüllen: Eine neo-mittelalterliche, paranoide Szenerie der Räuberbarone, Piraten-Organisationen, verdeckten Operationen und konspirativen Kabalen. Im Terrordom der kapitalistischen Anarchie können die unteren Schichten nur überleben, wenn sie die Mobilisierungstechniken und die Psychologie der Kriegführung vom Gegner übernehmen und gegen ihn wenden; und zwar indem sie Blutsbrüderschaften und Kriegerclans formieren oder auf der Ebene der Individualität das Selbst in eine Festung verwandeln, eine Ein-Mann-Armee, die ständig in Alarmbereitschaft ist.«[25]

Dieses Argument schließt an jenes romantische Freibeuterdenken an, das Rocksubkulturen seit jeher begleitet hat, greift aber zu kurz. Es konstruiert eine apriorisch gesetzte dissidente Haltung, die als Variation jener »Strategie der Affirmation«, von der Baudrillard in den achtziger Jahren gesprochen hat, in der Mimesis der Performance und Strategie des »Enemy within« Kritik artikulieren und Gegenöffentlichkeit manifestieren möchte. Schon ein kurzer Blick auf die Mode, die im Umfeld von popkulturell definierten Lebenswirklichkeiten entsteht, zeigt aber, dass die Realität vielschichtiger ist. Seit den ersten Appropriationen militärischer Dresscodes nach dem Zweiten Weltkrieg (Marlon Brandos Bomberjacke etc.) ist in jugendkulturellen Milieus eine multistilistische Aneignungswillkür zu beobachten. Eine explizite Protesthaltung war bei den Hippies zu erkennen, die ihre Militärparkas mit dem Peace-Zeichen »demobilisierten«. Ambivalenter war bereits das provokante Dérive der Punks im Weichbild der Großstädte: Militärische Accessoires wie Armeehosen, Patronengürtel und lange grüne Mäntel aus dem symbolischen Repertoire der Gestapo wurden mit offen getragenen BHs, Hundehalsbändern, Rasierklingen und (gelegentlich) einem Hakenkreuz zu multisemantischen Pastiches kombiniert, deren »Lektüre« einen offenen Deutungsraum aufschließt. Vollends unhaltbar wird Reynolds' These vom Aufstand der depravierten Massen gegen die globalisierte Wirtschaft im Hinblick auf rechtsextreme Subkulturen wie die Naziskinheads, die gern komplette Uniformen höherer Ränge oder vollständige *combat gear* verwenden[26] und deren politische Programmatik, wie undeutlich auch immer, zwar auf Nationalismus/Paganismus/Antisemitismus und eine Rückkehr zu »alten Werten« zielt, nicht unbedingt aber auf eine Abschaffung der derzeitigen ökonomischen Verhältnisse.

Wenn wir das Untersuchungsfeld auf Computerspiele ausdehnen,[27] sind wir schließlich im Bereich einer Fun-Guerilla im Dienste der internationalisierten Kapitalakkumulation, bei der selbst elaborierteste Interpretationswillkür kaum ideologiekritisches Potential wird nachweisen können.

Simon Reynolds' Interpretation symbolisch aufgerüsteter Popsubkulturen als Blutsbrüderschaften im Kampf gegen die grauen Herren des Terrordoms greift deshalb zu kurz. Ebenso die von Tom Holert und Mark Terkessidis prononcierte These vom »massenkulturellen Krieg«, der die Grenzen zwischen Kombattanten und Zivilisten verwische und an einer Verbreitung von Angst und Unsicherheit arbeite: »Die westliche Massenkultur ist zu einer Art Trainingslager für soldatische Verhaltensweisen geworden.«[28]

Hier wird insinuiert, dass diskrete Operatoren an der Instrumentierung eines postideologischen Kreuzzuges unter dem Banner der entfesselten Globalökonomie arbeiten. Und zwar, besonders perfide, durch die Verschiebung der Machtausübung auf die Individuen selbst, die sich Körperertüchtigungsprogrammen unterziehen und ihren sensorischen Apparat durch die Hyperstimulation mit den digital-dionysischen Angeboten aus der »Search & Destroy«-Zone auf jenen Beschleunigungslevel bringen, der die Fortsetzung des Krieges auf dem Schlachtfeld einer kompetitiven Wirtschaft ermöglicht.[29]

Was sowohl Reynolds wie auch Holert und Terkessidis nicht berücksichtigen, ist der transgressive Charakter, den die populäre Kultur immer schon hatte: Sie ist die Repräsentation des »eigenen Anderen« mit der Fähigkeit, das Verdrängte und Verfemte der etablierten Gesellschaft in die Öffentlichkeit zu holen, wird damit aber potentiell zur dynamisierenden Ressource einer von Implosion bedrohten hegemonialen Kultur.[30]

Dior, Herbstkollektion 2001
Valentino, Herbst- / Winterkollektion 1994/95

Dice Kayek, Herbst- / Winterkollektion 2001/02
J.P. Gaultier, Winterkollektion 2001/02

DAS BILD ALS EREIGNIS

Die zunehmende symbolische Militarisierung des zivilen Alltags und die Choreografie der kriegerischen Performance aus dem Geist der Unterhaltungsindustrie finden aber gerade nicht im Zeichen einer politisch-ökonomischen Entelechie statt. Produzenten mit unterschiedlichstem Erkenntnis- und Verwertungsinteresse speisen ihre Bilddaten an geografisch und symbolisch weit auseinander liegenden Knoten ins Netz ein. Visuelle Impulse sedimentieren auf verschiedenen Wahrnehmungsplateaus und werden in unterschiedlicher Kapazität weiterverarbeitet. Es entsteht eine »Chaosmose« (Toni Negri) der Bilder, deren Wirkungsmacht nur mehr beschränkt unter dem Aspekt einer Indienstnahme durch wie auch immer geartete politische Akteure analysiert werden kann. Die potentiell unendliche Flut zweidimensionaler Augenstimuli auf Kinoleinwänden, Fernsehschirmen, Displays im öffentlichen Raum, Computerterminals und neuerdings auch UMTS-Handys konstituiert ein Metanarrativ mit variablen erzählerischen Modulen, die sich zu einem immer wieder ähnlichen Bedeutungsmosaik arrangieren. Welthistorische Großereignisse wie der Irakkrieg mögen zwar für einen kurzen Moment zum Bedeutungszentrum – zum großen Signifikanten – avancieren, doch die prinzipielle Ordnung einer Kontinuität der visuellen Kontingenzen wird dadurch nicht außer Kraft gesetzt. Die serielle Produktion und Rezeption der Bilder annihiliert die Vorstellung von dem *einen* Sujet, das die durcheinander schießenden Bedeutungsimpulse komplexer gesellschaftlicher Verwerfungen zu bündeln imstande wäre – eine Vorstellung, die in der großen Zeit der Fotoreportage in den sechziger Jahren noch mit Verve vertreten wurde. Stattdessen entsteht durch die Fluktuation der Bilder ein semantisches Flackern, eine vielfache Überlagerung von Bedeutungspartikeln, deren Amalgamierung jenen nervösen Wahrnehmungsrhythmus imitiert, der durch die Schnitttechniken von Videos zum kommerziellen Format wurde.

Das Bild als Ereignis ist unter gegenwärtigen Medienbedingungen neutralisiert – da mögen noch so viele Wettbewerbe stattfinden, in denen das beste Reportagefoto, der schönste Schnappschuss etc. ausgezeichnet werden. Es ist nur ein Element in der Warteschleife, das sich anschickt, eine Lücke im Kontinuum der am User vorbeiziehenden optischen Permutationen zu schließen. Ein kleiner Augenreiz, der, kaum wahrgenommen, schon wieder verschwunden ist.Was könnte im Zeitalter der visuellen Metastasen ein Ereignis sein?

Es gibt nur zwei Möglichkeiten: ein Intervall der Bilderlosigkeit – eine Art optisches Zölibat – oder ein »Killerbild«, das die Kontinuität zerreißen und eine Synchronisierung der asynchron sich voranschiebenden Bilderprozession bewirken könnte. Jean Baudrillard glaubt, diese visuelle Ruptur im Bild der das World Trade Center angreifenden Flugzeuge gefunden zu haben: »Im Fall des World Trade Centers [...] findet eine wechselseitige Steigerung des Ereignisses und des Bildes statt, das Bild wird selbst ereignishaft, es wird als Bild zum Ereignis. Auf einmal ist es weder virtuell noch real, sondern Ereignis. In einem so außergewöhnlichen Ereignis findet auch eine wechselseitige Steigerung von Wirklichkeit und Fiktion statt. Kein Verlust an Realem also, sondern im Gegenteil, ein Mehr an Realem, verbunden mit einem Mehr an Fiktion.«[31]

Das Bild vom 11. September, das als virtuelle Urszene das Ereignis selbst absorbiert hat, ist kein Bild im oben beschriebenen Sinne der Reportagefotos oder visuell dramatisch zugespitzten Abzüge des Realen, sondern ein »Stopper«. Im Augenblick der höchsten Wirkungskraft gelang es ihm, als Gegenkraft auf den Lauf der Geschehnisse einzuwirken: *freeze frame* der Geschichte, Einbruch der Diskontinuität in die Permanenz der Verwertungslogik. Ein schwarzes Loch tat sich auf, wo Sprache und Logos zerfielen: »And lord knows you'll feel no pain / 'Cause I'm a million miles away / And at the same time I'm right here in your picture frame« (Jimi Hendrix).

Es wäre naiv, zu glauben, dass der terroristische Anschlag von al-Kaida nicht im Hinblick auf visuelle Wirkung verübt worden sei. Man könnte sogar noch zuspitzen: Die Ermordung der Menschen im WTC war letztlich nur ein Kollateraleffekt der explosiven Kreation des Bildes als Ereignis. In der osmotischen Phase des Krieges amalgamieren die strategischen und wahrnehmungslogistischen Programme der Kombattanten an der realen und der massenkulturellen Front häufig an derselben medientechnischen Schnittstelle: Der Krieg wird zum Katastrophenfilm, die Tatsache zur Phantasmagorie – und umgekehrt.

STOP MAKING SENSE

Die Ausstellung *Attack!* versucht eine durch die subjektiven Idiosynkrasien der Künstler gefilterte Innenansicht der hier beschriebenen »Mediasphäre«. Noch mehr Bilder, aber solche, die durch die Hybridität hindurchgegangen sind und sich in der Konfrontation mit der visuellen Abundanz entleert haben. Objets trouvés wie die Aufzeichnungen der Bordkamera eines auf dem Boden einschlagenden Flugobjekts (*Safe Distance* von kuda.org) oder die Selbstverstümmelung der israelischen Künstlerin Sigalit Landau mit einem Hula-Hoop-Reifen aus Stacheldraht *(Barbed Hula)* sind in einem nutzorientierten Environment sinnlos und somit gegen die Bedeutungsproduktion positioniert, mit der im Zeitalter der postheroischen Kapitalakkumulation fugenlose Interaktion gesichert und die Frage nach dem existentiellen Abgrund neutralisiert werden soll. »Stop making sense« heißt, die transzendentale Geborgenheit der Narrative in Frage zu stellen und sich außerhalb des *picture frame* zu stellen, der das Familienfoto der globalen Workforce einrahmt.

Nullzeichen setzen, pointierte Erzählungen durchkreuzen, die Zeitachse in umgekehrter Richtung befahren: Die Arbeiten von Korpys/Löffler *(World Trade Center)* und Stephen Vitiello *(Winds After Hurricane Floyd)*, die sich mit Architektur, Dynamik und akustischem Environment des World Trade Center befassen, wirken wie posteriore Auslöschungen der mit den beiden Türmen verknüpften symbolischen Territorialansprüche (Torretaroil statt Territorial): Überschreitung des Seins, namenloser Exzess, Grammatologie des Unsagbaren.

Die »geheimnisvollen Tore des Unmöglichen«, von denen die Futuristen sprachen, scheinen sich in dem Video *Untitled* von Dejan Andjelković/Jelica Radovanović zu öffnen: ein nackter Körper, mit Mortadella bedeckt. Hunde, die an ihren Leinen zerren. Perverse Verdrehung der Idee des Kannibalismus. Ekstase der Ambivalenz, die sich dem geschauten Entsetzen verdankt.

Die Zerrissenheit des Sinnlichen mag viele Formen, Farben und Laufgeschwindigkeiten annehmen: Wenn David Claerbout in *Vietnam, 1967* ein zerberstendes Flugzeug am Himmel fixiert und die Landschaft im verlangsamten Tagesablauf in Bewegung versetzt, schafft er ein Gegenbild zur falschen Unmittelbarkeit der Echtzeitsuggestionen. Wenn Uroš Djurić die multimedialen Erzählungen vom Nato-Angriff auf Serbien auf den Covers seiner fiktiven Zeitschrift *Hometown Boys* in die fiktive Triade Porno, Pop und Politik zerlegt, unterläuft er die Legende vom heiligen Heroismus durch das Protokoll des profanen Genusses im Ausnahmezustand: »Sex in Serbia during Wartime«.

Wenn die Weltverhältnisse in eine Dunkelzone der Ununterscheidbarkeit gleiten, kann Kunst sich nicht mit Kritik am Bestehenden zufrieden geben. Damit würde sie ein Verhältnis der Reziprozität eingehen, das die kontrafaktische Verlängerung eines imaginären Dialoges wäre. Kunst, die sich der schrecklichen Frömmigkeit des schändlich Unwelthaften entziehen möchte, ist ein heterotopisches Projekt: Zeichensetzung im unbeschrifteten Raum, irres Gelächter in der platonischen Höhle der Lichtlosigkeit, Systemabsturz nach der Aktivierung der Clean-Image-Funktion.

Attack! versucht einen bescheidenen Beitrag zu jenem »Wiederanschub der Singularitäten« zu leisten, von dem Toni Negri spricht: »Der Künstler flieht die Phantasmagorie von Frieden und Krieg und macht sich daran, deren gemeinsame Markierungen auf dem Körper der Dinge zu erfahren.«[32]

1 Paul Virilio, *Krieg und Fernsehen*, Frankfurt/M. 1997, S. 35.

2 Virilio, a.a.O., S. 79.

3 Die Militärrichter, die vor den Bildschirmen die *targets* der *smart bombs* unter kriegs- und völkerrechtlichen Aspekten auswählen, suggerieren eine totale patamilitärische Kontrollmacht über dieses neue »Weltauge«; der Rest wird als *collateral damage* definiert.

4 Michael Ignatieff, *Virtueller Krieg*, Hamburg 2001, S. 88.

5 *Der Spiegel*, Nr. 15/2003, S. 46.

6 Hans Christoph Buch, *Blut im Schuh*, Frankfurt/M. 2001, S. 17.

7 Virilio, a.a.O., S. 89.

8 Man darf aber auch die Vermutung anstellen, dass die Elemente komplexer Verbundsysteme (ständig aktualisierte GPS-Bilder, die an die Führungsstäbe weitergeleitet werden, unterschiedliche Formen der Feindaufklärung und Zielmarkierung durch *Unmanned Aerial Vehicles* (Drohnen)/Awacs-Flugzeuge/Satelliten) keineswegs immer so lückenlos und fehlerfrei interagieren, wie die militärische Propaganda glauben machen möchte.

9 Martin van Creveld, *Die Zukunft des Krieges*, München 2001, S. 288 f.

10 Van Creveld, a.a.O., S. 45.

11 Herfried Münkler und Eberhard Sens, »Postklassische Kriege«, in: *Lettre*, Nr. 59, IV/02, S. 14.

12 Münkler und Sens, a.a.O., S. 15.

13 Ignatieff, a.a.O., S. 162.

14 Ernst Jünger, *Politische Publizistik 1919–1933*, Stuttgart 2001, S. 14 ff.

15 Zum *electronic warfare* gehört deshalb auch die lokale Störung von GPS-gestützten Telefonnetzen; im Golfkrieg 2003 konzentrierten sich die USA auf den arabischen Mobilfunkbetreiber al-Thuraya; vgl. *Neue Zürcher Zeitung*, 29./30.3.2003.

16 Mary Kaldor, *Neue und alte Kriege. Organisierte Gewalt im Zeitalter der Globalisierung*, Frankfurt/M. 2000, S. 8.

17 Ein Beispiel dafür ist die Rolle der kosovarischen Migranten in der Schweiz in Finanzierung, Rekrutierung und politisch-militärischer Führung der UÇK im Kosovo-Krieg.

18 An einer Nebenfront des Golfkrieges attackierten die USA die Websites des arabischen Senders al-Dschasira. Postwendend griffen die Unix Security Guards, eine proislamische Hackergruppe, die hauptsächlich von Ägyptern und arabischen Immigranten in Europa getragen wird, hunderte Websites weltweit mit proirakischen Solidaritätsadressen an; vgl. *Neue Zürcher Zeitung*, 29./30.3.2003. Im teletopischen Raum kommt es zu einer paradoxen Koexistenz von Paralyse vor den TV-Geräten und narzissistischen Selbstermächtigungsimages der User.

19 Jean Baudrillard: »Hypothesen zum Terror«, in: *Lettre* 56 I/02, S. 17.

20 *Der Spiegel*, Nr. 10/2003, S. 100.

21 Buch, a.a.O., S. 122.

22 Vgl. Michael Herr, *Dispatches*, London 1978, S. 217 f.

23 Buch, a.a.O., S. 123.

24 »Viele der G.I.s [in Vietnam] erlebten nach eigenen Aussagen den Krieg aus der Distanz – als Panorama von Eindrücken. Viele fühlten sich, als spielten sie in einem Film. Die jungen G.I.s stammten aus der ersten Generation, die durch Film und vor allem Fernsehen sozialisiert wurde, wodurch ihre Instanzen der Sinngebung und Wahrnehmungsstrukturen nachhaltig geprägt wurden.« Tom Holert und Mark Terkessidis, Entsichert, Köln 2002 , S. 29.

25 Simon Reynolds, »Wargasm: Military Imagery in Pop Music«, in: *The Red Feather Journal of Postmodern Criminology*, Vol. 6, www.tryoung.com/journal-pomocrim/vol-6-virtual/wargasm.html.

26 Sie unterscheiden sich darin von den der Linken zugeordneten Gruppen mit ihrer Lust am Partikularen und an der Kombinatorik.

27 Neben der Kreation einschlägiger Combat-Ikonen wie Tank Girl oder Lara Croft ist auch die Werbelinie ganz auf »Uzi Poetry« abgestellt. Das Spiel *Zoop* wird etwa mit folgendem Slogan angepriesen: »America's largest killer ... of time«. »[Die] Computerspiele, entwickelt auf der Blaupause des legendären Doom, das 1993 auf den Markt kam, folgen einem denkbar schlich-

ten Prinzip. Per Tastendruck oder Joystick bewegt sich der Spieler (statistisch gesehen zumeist männlich) in einem Labyrinth der unterschiedlichsten physischen, technischen und logistischen Widerstände voran. Der Lauf einer Waffe mit Fadenkreuz wird dabei zum optischen Anhaltspunkt der subjektiven Perspektive. Die Vorwärtsbewegung ist gebunden an das Erschießen plötzlich auftauchender ›Feinde‹. Sie zu eliminieren obliegt dem Elitesoldaten eines Sonderkommandos, dem High-Tech-Söldner, der auf eigene Rechnung kämpft, oder dem versprengten Mitglied einer Friedenstruppe – Rollen, in die der Spieler schlüpft, um sich zum Highscore vorzukämpfen, über den nicht zuletzt der Bodycount entscheidet, die Anzahl der ›getöteten‹ Gegner.« Holert und Terkessidis, a.a.O., S. 101.

28 Holert und Terkessidis, a.a.O., S. 67 f.

29 In Anlehnung an Deleuze schreiben die Autoren: »Die innere Führung übernehmen ›Technologien des Selbst‹ (Michel Foucault). Diese Modulierung der Macht ist ein Signum des Übergangs von Disziplinargesellschaften zu Kontrollgesellschaften.« Holert und Terkessidis, a.a.O., S. 84.

30 Vgl. Peter Stallybrass und Allon White, *The Politics and Poetics of Transgression*, London 1988.

31 Baudrillard, a.a.O., S. 16.

32 Toni Negri, S. 22.

GABRIELE MACKERT: Historiker des Visuellen

Strategien der Repräsentationskritik: Künstlerische Einschreibungen in den Bilderdiskurs und die Möglichkeit eines Gegentextes

Die Musen sind Töchter des Zeus und der Mnemosyne, der Göttin des Gedächtnisses. Seit der hellenistischen Zeit wurden ihnen auch bestimmte Tätigkeitsbereiche zugeordnet. Clio, die Rühmende, ist eine von ihnen und gilt als die Muse der Geschichte sowie als Inspirationsquelle des Künstlers. Vermeer hat in seiner umfangreichen Serie der Interieurs auch ein Bild der *Malkunst* (1665/66, 100 x 120 cm, Öl auf Leinwand) gewidmet. Entsprechend dem tradierten Kanon der Ikonografie ist Clio anhand ihrer Attribute (Buch, Trompete, Lorbeerkranz) unschwer zu erkennen. Sie erhält durch die gesamte Komposition eine zentrale Stellung. Deshalb sind ihre Rolle im Bild und ihr Verhältnis zum Maler besonders interessant. Vermeers Clio macht keinerlei Anstalten, den Künstler zu beflügeln. Ganz im Gegenteil: Sie ist passiv. Vermeer überhöht sie auch nicht zur olympischen Erscheinung, sondern zeigt deutlich: »Dieses Modell ist nach meiner Anleitung in Szene gesetzt.«

Die Gegenstände auf dem Tisch vor dem Modell lassen sich anderen Musen zuordnen: das Buch der Polyhymnia (Pantomime, Gesang), die Maske der Thalia (Komödie), das Musikheft der Euterpe (Lyrik und Flötenspiel). Darüber hinaus lassen sich das Buch als Malereitraktat, die Maske als Bildhauermodell und das Heft als Skizzenheft interpretieren. Auch verweisen das Skizzenheft auf die Architektur und der Gipsabguss auf die Skulptur, womit die klassische Trias der Künste im Bild zusammengefügt wäre. Ganz offensichtlich ist es die Malerei, die im Verhältnis sowohl zu anderen Künsten als auch zu anderen Handwerkszünften die führende Rolle übernommen hat.

Denn sie setzt sich auf diesem Bild als eigengesetzliches System der Geschichtsschreibung, das heißt der Aufzeichnung und Wiedergabe der Welt und ihrer Bedeutungen in Szene, wie es die Karte der Niederlande im Hintergrund andeutet. Der Maler ist daneben selbst als Rückenakt an der Staffelei arbeitend zu sehen. Das Bild wird so zu einer Allegorie der Malkunst im doppelten Sinn: Der Maler formt aus sich daraus ein Bild der Geschichte, ohne von einer Eingebung abhängig zu sein.

BILDER-POLITIK

Die Ausstellung *Attack! Kunst und Krieg in den Zeiten der Medien* hat unter dem Eindruck des Irakkrieges 2003 eine ungewöhnliche Aktualität. Leider ist diese Aktualität eine anhaltende. Krieg wird trotz aller Erfahrungen immer noch als ein Mittel der aggressiven Konfliktlösung eingesetzt. Die Eroberung von Machtpositionen aus politischen, ökonomischen oder weltanschaulichen Motiven tobt im Großen und Kleinen, global, national oder regional. Eine Neuerung aber ist einschneidend: In den Industrienationen haben sich die Kriegserfahrungen weitestgehend in die Medien verlagert. Sie vermitteln uns den Stand der Dinge, deren Wichtigkeit und Position. So existiert Krieg als alltägliche Möglichkeit in den Abendnachrichten. Er ist ein gesellschaftliches Thema und endloses historisches Feld.[1] Seine Bewertung ist eine soziale Konstruktion, die sich aus den Sinnbedürfnissen und Bezugsrahmen der jeweiligen Gegenwart ergibt.

Geschichte ist kulturelle Schöpfung. Künstler als »visuelle Historiker« beteiligen sich an diesem Prozess der Bilderpolitik. Im Verzicht auf Belehrung und die Setzung normativer Werte unterscheiden sich zeitgenössische Werke jedoch deutlich von der Politik, aber auch von klassischer Historienmalerei oder etwa von traditionellen Denkmälern. Sie betreiben eine Politik der Repräsentation. Durch die offene semantische Struktur der Werke wird die Sinnbildung angeregt, letztlich aber dem Betrachter überantwortet. Vor Didaktik wird gewarnt. Im Falle des Themas »Krieg« geht man in Zeiten des Humanismus von einer aufgeklärten Antikriegshaltung aus.

Allerdings waren und sind auch andere Haltungen denkbar. Nicht zuletzt ist die Geschichte der Kunst auch die der heroischen Avantgarde und ihrer Rhetorik. Die Futuristen vollzogen den Bruch mit der Ästhetik des 19. Jahrhunderts und dessen klassischem Ideal der ausgeglichenen Proportion und Schönheit und des musealen Bildungsästhetizismus, unter anderem durch ihre Kriegsbegeisterung, die in eine absolute Faszination gegenüber allen Neuerungen der modernen Welt und ihrer beschleunigten Massengesellschaft eingebettet war: Geschwindigkeit, industrielle Materialien, Geometrie, Synästhesie. Ziel ist die dynamische Sensation. Marinetti wandte sich Anfang des letzten Jahrhunderts in seinem Manifest zum Futurismus gegen die Aussage, Krieg sei antiästhetisch: »Der Krieg ist schön, weil er dank der Gasmasken, der schreckenerregenden Megaphone, der Flammenwerfer und der kleinen Tanks die Herrschaft des Menschen über die unterjochte Maschine begründet. Der Krieg ist schön, weil er die erträumte Metallisierung des menschlichen Körpers inauguriert. Der Krieg ist schön, weil er eine blühende Wiese um die feurigen Orchideen der Mitrailleusen bereichert. Der Krieg ist schön, weil er das Gewehrfeuer, die Kanonaden, die Feuerpausen, die Parfums und Verwesungsgerüche zu einer Symphonie vereinigt. Der Krieg ist schön, weil er neue Architekturen wie die der großen Tanks, der geometrischen Fliegergeschwader, der Rauchspiralen aus brennenden Dörfern und vieles mehr schafft.« Sein Plädoyer schließt mit einem Aufruf: »Dichter und Künstler des Futurismus erinnert Euch dieser Grundsätze einer Ästhetik des Krieges damit Euer Ringen um eine Poesie und eine neue Plastik [...] von ihnen erleuchtet werde!«[2]

Walter Benjamin analysierte diese Haltung als Perversion der Produktivmittel, die sich der Zerstörung verschreibt, und wies darauf hin, dass alle Bemühungen der Ästhetisierung auf den Krieg hinauslaufen. Die »Selbstentfremdung [der Menschheit] hat jenen Grad erreicht, der sie ihre eigene Vernichtung als ästhetischen Genuss ersten Ranges erleben lässt. *So steht es um die Ästhetisierung der Politik, welche der Faschismus betreibt. Der Kommunismus antwortet ihm mit der Politisierung der Kunst.*«[3]

KONTEXT UND IDENTITÄT

Dieses dialektische Universum existiert so nicht mehr. An seine Stelle ist die mediale Konsensmaschine getreten. Die Zeiten des Ruhmes sind jedoch vorbei. Die Tradition des Historienbildes, jener Verbildlichung geschichtlicher Wendepunkte, die Auseinandersetzung mit der Geschichte und ihren jeweiligen Determinanten durch die bildende Kunst ist selbst ein historischer Prozess. Durchgesetzt hat sich, dass Künstler die Aufgaben der Kunst definieren. In dieser Unabhängigkeit hat sich die Kunst als privilegiertes, weil freieres, visionäres Feld der exemplarischen Verhandlung und Kritik gesellschaftlicher Themen etabliert. Vergleichbares erkennt man etwa mit Blick auf die Entstehung der griechischen Demokratie, die man als die Tradition des (gesellschaftlichen) Dialogs beschreiben kann. Philosophie etablierte sich als Alternative zur Kriegsführung. Diese Entwicklung ist eng mit der Emanzipation der Schicht der Phalanx, des bewaffneten Fußvolkes, zu freien Bürgern Athens verbunden, die nicht mehr nur kämpfen wollten. Die Kultur der Rede diente dabei der Erklärung und Meinungsbildung. Das Studium der Rhetorik führte gleichzeitig in die politische Tradition ein.

Die Kritik, Kunst neutralisiere ihre Inhalte, indem sie sie salonfähig mache, verweist auf ihren symbolischen Charakter. Dieser Diskurs des Kunstkontextes bietet eine Metaebene der Reflexion. In ihm können neue Beziehungen unter den Informationen hergestellt werden, um im Sinne einer Gegenöffentlichkeit »andere« Inhalte zu thematisieren. Ebenso werden Bilder befragt und ihre Komplexität aufgezeigt. Argumentationen, Daten und Fakten werden auf einer individuellen Ebene in den Prozess der Identitätsbildung eingebunden. Als Methoden erleben deshalb das Dokumentarische und seine Rekontextualisierung oder die Interviewform der Oral History einen augenfälligen Aufschwung.

Der Rückgriff auf Medienbilder, an wissenschaftlichen Methoden orientierte Analysen oder Formen der Reportage spiegelt dies wieder: Politische, soziale und wirtschaftliche Zusammenhänge sind in der Fotografie oder etwa in filmischen Arbeiten angesichts einschneidender Veränderungen sehr präsent – teilweise mit realen lebensweltlichen Forderungen. Als Akt der Kritik sind diese Werke in der Regel von einem kompensatorischen Ansatz des Ausgleichs marginalisierter Inhalte geprägt, so etwa wenn Chris Marker mit bosnischen Flüchtlingen im Exil und einem Blauhelm nüchterne Interviews über ihre jeweiligen Erfahrungen macht und diese als Einträge für das kollektive Gedächtnis zur Verfügung stellt. Aníbal Asdrubal López benutzt Fotos wiederum, um eine Aktion im Feld der symbolischen Sichtbarkeit zu dokumentieren, bei der er vor einer militärischen Parade Kohle auf die Straße schüttete, um gegen die Politik der »verbrannten Erde« des Regimes in Guatemala zu demonstrieren. Das Militär beseitigte in Windeseile die Kohle. Die Überreste transportierten trotzdem die Botschaft. Die Fotos werden nun im Ausland im Kunstkontext präsentiert und verkauft, um einerseits ein Bewusstsein zu schaffen und andererseits Geld für weitere Aktionen zu lukrieren.[4]

Das Verfahren der Dokumentation ist zumindest zweischneidig. Denn sie trägt das Potential der schnellen Befriedigung von Schaulust in sich. Martha Rosler verweist auf den voyeuristischen Aspekt: »Dokumentaraufnahmen belegen den Mut oder (darf man es aussprechen?) die Manipulationsgabe und die Schlauheit des Fotografen, der sich dem menschlichen Elend unmittelbar aussetzte und uns dafür den Ärger ersparte. Oder der, wie die Astronauten, zu unserer Unterhaltung beiträgt, indem er uns Schauplätze, die wir nie betreten werden, vor Augen führt. Kriegsfotografie, Slumfotografie, Kultbilder oder Bilder der ›Subkultur‹, Aufnahmen von ausgemergelten Fremden, Fotos von Menschen, die ›abweichen‹, Bilder aus der Vergangenheit [...] das sind die Sterne, die am Himmel der Dokumentarfotografie gegenwärtig am hellsten strahlen.«[5]

Um dem beschriebenen Effekt der Schaulust vorzubeugen, sind dokumentarische Darstellungsweisen oft gekoppelt an ein Nachdenken über Repräsentation: Die Abbildung des Realen spricht dabei sowohl über das Reale selbst als auch über ihre eigenen Möglichkeiten, etwa des Angemessenen, Wahren und Authentischen, und ihren Zielen. Dieser Modus ist ein suchender und fragender, auch dem eigenen Ansatz gegenüber. Es sind prozesshafte Konstruktionen von Wirklichkeit.

Oliver Ressler beschäftigt sich in seinem Video *This is what democracy looks like!* mit der ersten österreichischen Antiglobalisierungsdemonstration anlässlich des World Economic Forum 2001 in Salzburg gegen die Politik von IWF und Weltbank, die er als *low intensity warfare* charakterisiert und selbst miterlebt hat. Angelehnt an Dokumentarreportagen verfolgt er den Verlauf der Aktion, bei der rund 900 Personen über sieben Stunden von der Polizei eingekesselt wurden. Ressler hat sich entschieden, »neben eigenem Videomaterial auch jenes von anderen DemoteilnehmerInnen einzubeziehen, um verschiedene Blickwinkel und Sichtweisen, die man nie alle alleine einnehmen kann, [...] zu integrieren«. Daneben führte er Interviews mit Betroffenen und stellte dem visuellen Material deren unterschiedliche Beschreibungen, Einschätzungen und Reflexionen zur Seite. Ressler hat sich explizit gegen die Einbeziehung von Stellungnahmen von Polizei und Behörden entschieden, weil er eine Plattform für in der allgemeinen Berichterstattung marginalisierte Standpunkte bieten wollte. Dabei war es ihm wichtig, »ProtagonistInnen der jeweiligen Bewegungen als GesprächspartnerInnen zu gewinnen, mit diesen auch deren Darstellung und Auftreten im Video zu diskutieren und ein Video zu realisieren, das von den jeweiligen politischen Gruppierungen und Personen auch genutzt werden kann«. Tatsächlich wird das Video nicht nur im Kunst-, sondern auch im politischen Kontext gezeigt. Es verfolgt demnach zwei Ziele: Das Thema jenseits der öffentlich-rechtlichen Medien publik zu machen sowie Anlass zur Diskussion zu bieten und – sicher nicht zu vernachlässigen – eine bestimmte politische Haltung zu stärken.

WHO OWNS HISTORY? WHO CAN REPRESENT ITS COMPLEXITY? WHO CARES?[6]

Im Februar 2003 verhängte die UNO einen brauntonigen Wandteppich mit einem blauen Vorhang. Die Tapisserie nach Picassos Bild *Guernica* (1937) hängt am Eingang zum Sicherheitsrat der Vereinten Nationen in New York. Vor dem Teppich geben Politiker und Diplomaten normalerweise ihre Pressestatements ab. Es sei nicht angebracht, dass US-Außenminister Colin Powell vor der Darstellung des Grauens der deutschen Luftangriffe vom April 1937 und der Zerstörung der baskischen Stadt über den Krieg gegen den Irak spreche, lautete die Begründung. Damit hat sich *Guernica* erneut als eine der wenigen Ikonen der Antikriegshaltung mit Allgemeinheitsanspruch erwiesen. Angesichts der allgemeinen Beschleunigung der Bilder ist diese Nachhaltigkeit beeindruckend.[7]

Picasso verschmolz in *Guernica* auf Aufsehen erregende Weise seinen kubistischen Stil mit der dargestellten Thematik: Fragmentierte geometrische Formen und der Bruch der Perspektive evozieren Gewalt. Und er wiederholt darin Motive, z. B. den Stier oder die schreiende Frau, die in seinem Werk oft zu finden sind und einer klassisch-universalen Ikonografie angehören. Die Farben Grau, Schwarz und Weiß verleihen dem Bild einen dokumentarischen Charakter, aber auch eine Atmosphäre des Todes. Die Bombardierung einer Stadt wird man hingegen nur schwer darauf ausfindig machen. Die Zersplitterung der Formen übernimmt diese Aufgabe. Hier wird der Unterschied zwischen

Abbildung und Imagination von Gewalt deutlich und auch, wie Zweitere als ästhetische Strategie eingesetzt wird. Die Aufgabe des klassischen Historienbildes, zu repräsentieren, steht heute gerade aufgrund der Ikonenhaftigkeit des *einen* Bildes in Frage. Dieses Absolute scheitert an der Ausblendung der Komplexität der Bedeutungen historisch und gegenwärtig.

Ausgehend von ihrem Interesse an einer Arbeit Robert Smithsons, von der angeblich nur noch Fotos existieren, beschäftigte sich Renée Green mit dem Entstehungsjahr des Werkes, 1970. Anwesenheit/Abwesenheit sind dabei zentrale Themen, um die sich ein Netz von Assoziationen knüpft. In den dabei entstandenen Videos *Partially Buried* (1996), *Partially Buried Continued* (1997) und *Korean Slides (*1954/97) wird die Verknüpfung der anfänglichen Recherche mit der eigenen Vergangenheit, Sozialisation und Identität zentral. Die Kent State University in Ohio, auf deren Gelände Smithson seine Arbeit *Partially Buried Woodshed* in situ realisierte, wird zum exemplarischen Ausgangsort der Erinnerung. Im Mai 1970 wurden hier vier Studenten erschossen, die an einer Protestveranstaltung gegen die US-Invasion in Kambodscha teilnahmen. Kurz danach schrieb jemand »May 4, 1970« auf Smithsons *Partially Buried Woodshed*. Die Bedeutung der Arbeit verschob sich. Der Akt der teilweisen Zuschüttung eines Schuppens mit Erde bekam eine politische Dimension.

Green verbrachte in den siebziger Jahren ihre Jugend in Ohio. Zwei Jahrzehnte später interviewte sie ihre Mutter, die damals an der Universität gearbeitet hatte, zu den Geschehnissen. Sie beschäftigte sich mit Fotos aus ihrer Kindheit, die während des Einsatzes ihres Vaters im Koreakrieg aufgenommen worden waren. Schließlich sprach sie mit der koreanischen Künstlerin Theresa Hak Kyung Cha und fotografierte 1997 selbst in Korea, als sie zur Kwangju-Biennale eingeladen war. Ihre Untersuchung der Bilder der Vergangenheit kontrastiert sie mit Aussagen der Gegenwart. Sie befragt Menschen und Orte nach ihren Identifikationsmustern. »Wie kann es eine Beziehung zur Vergangenheit geben, in der die Erinnerung als aktiver Prozess funktioniert, der ständiges Neubewerten zulässt, anstatt eine Art von Grabstätte zu sein, mit der Archive und Museen manchmal verglichen werden?«[8]

STÖRUNG DES ZEITKONTINUUMS

Der Teppich von Bayeux (1070/80) ist heute im Heimatmuseum des Ortes, nicht weit von den Stränden der alliierten Invasion in der Normandie (1944), zu bewundern. Auf einem schmalen Streifen Leinwand, von dem ca. 68 Meter erhalten sind, reihen sich 58 farbige Bildszenen aneinander. Sie berichten, wie Wilhelm der Eroberer, Herzog der Normannen, in See sticht, um König von England zu werden. Thema sind also die Vorgeschichte und der Verlauf der berühmten Schlacht von Hastings 1066. Dabei behandelt der Teppich die historischen Ereignisse nicht viel anders als die Heldenlieder des Mittelalters ihre Stoffe: Er erzählt eine Saga in Bildern, nämlich die Geschichte zweier Helden. Ein besonderes Merkmal ist die kontinuierliche Darstellungsweise. Der Berichtszeitraum umfasst ein knappes Jahr. Durch Bäume und hohe, turmartige Architekturelemente wird die Bildererzählung gegliedert. An keiner Stelle aber stört ein abrupter Wechsel des Ortes oder ein zeitlicher Bruch den Ablauf der Ereignisse. Wo durch trennende

Bäume oder Türme ein Bild sich zu isolieren droht, werden Überleitungsfiguren platziert. Dies sind z. B. Boten, Späher, Spione oder Personen, die mit dem Finger auf die Hauptakteure zeigen, und so das Geschehen transparent machen und die Handlung weitertreiben. Über den Bildern sind Schriften angebracht. Der Teppich erscheint so wie eine Art Comicstrip. Die Tapisserie, selbst in einem langen Prozess entstanden, verlässt sich nicht auf die eine Situation, die eine Geste, sondern zeichnet die Entwicklung des Geschehens nach. Die wortstammliche Nähe von Geschichte und Geschehen sowie die Tradition der Überlieferung durch Erzählung drücken sich im Teppich von Bayeux auch formalästhetisch aus und stehen damit modellhaft der Konzentration auf ein Einzelbild gegenüber. Die Idee des Teppichs ist chronologisch und linear. Die Geschichte entfaltet sich im Abschreiten.

»Was Dichtung und Malerei miteinander verbindet, ist der eindeutige Bezug auf den Augenblickscharakter der Mimesis, der sich im ornatus bis zum Symbol ausweiten kann. [...] Doch wo der Roman erst in der Reihung und Verknüpfung der Augenblicke zur Erzählung wird, muss das Bild den Augenblick verabsolutieren, indem es verschiedene Augenblicke in einem einzigen vereint. Erzählungen werden in einer einzigen Gleichzeitigkeit verwebt.«[9]

David Claerbout thematisiert den festgehaltenen Moment, um das Transitorische zu definieren. Seine Videoinstallationen benutzen das Bild als Reflexion über andere Bilder. Er lotet das Verhältnis von Augenblick und Aktion aus, indem er Fotografien partiell in Bewegung setzt. So sind die Videos Standbild und Film zugleich. *Vietnam, 1967, Near Duc Pho* (2001) basiert auf einer historischen Schwarzweißfotografie des irrtümlichen Abschusses eines US-amerikanischen Flugzeuges durch die eigenen Truppen. Absurderweise ist gerade dieser Punkt der größten Dynamik, die Explosion, eingefroren, während die Natur ihre Erscheinung durch Wolkenbewegungen verändert. Im Dialog mit der Tradition des gemalten Dramas des glorifizierenden, pathetischen oder heroischen Historienbildes lässt Claerbout eine monströse Bildstörung im Zeitkontinuum entstehen. Dabei stützt er sich sowohl auf die Faszination des *punctums,* als fesselndes Detail, wie auf das historisch codierte Moment des *studiums,* dessen Schock im Buchstäblichen traumatisieren kann, aber keine Betroffenheit auslöst.[10]

REORGANISTAION DES NARRATIVS

Ein Blick auf die Entwicklung der Pressefotografie und des Fotojournalismus, gerade im Kontext der gedruckten Fotoreportage in Magazinen, verdeutlicht deren Organisation von Bildern in einem Narrativ. Er gibt Aufschluss darüber, welche Bilder bestimmter Geschehnisse zu einer Zeit, als illustrierte Magazine die fast einzigen aktuellen Bildinformationen lieferten, verfügbar waren. Die Fotografie wurde als populäre Bildersprache immer mehr zur eigentlichen Nachricht.

Wenngleich zunächst nahezu beschauliche Dokumente im Stile einer Pfadfinderidylle – Krieg als Abenteuer der Männlichkeit – publiziert wurden, arbeitete die Pressefotografie von ihrem Beginn im Jahre 1882 an mit Schreckensbildern von Kriegen. In Deutschland galt allerdings die Einschränkung, dass Bilder von Toten nur sehr selten, solche von gefallenen deutschen Soldaten gar nicht gedruckt werden durften.

Regards, Nr. 153, 17.12.1936. (Rücktitel)

VU, Nr. 445, 23.9.1936. Fotos: Robert Capa (Foto rechts oben von Georg Reisner)

Regards, Nr. 141, 24.9.1936. Fotos: Robert Capa

Regards, Nr. 153, 17.12.1936. (Titelblatt)

Zum großen Teil fertigten die unabhängig arbeitenden Fotografen im Spanischen Bürgerkrieg ihre Aufnahmen für Agenturen, Zeitungen oder andere Institutionen an, sodass sie Fotos primär unter propagandistischen Gesichtspunkten je nach politischer oder weltanschaulicher Ausprägung lieferten. Es gibt Hinweise darauf, dass Robert Capas Fotoaufnahme des »fallenden Milizionärs«, das durch die Veröffentlichung im amerikanischen Magazin *Life* weltberühmt wurde, in den Studios eines katalanischen Propagandabüros entstand. Selbst wenn die Aufnahmen dokumentarisch waren, sorgte meist eine publizistische Aufbereitung mit Bildunterschriften oder entsprechenden Kommentaren für die propagandistische Ausrichtung. Robert Capas berühmte Fotos wurden etwa unter der Überschrift »This is War!« publiziert und ergriffen so Partei für die Internationalen Brigaden. Als Dokumentaristen reihten sich diese »Fotojäger« in die ästhetischen Avantgardebewegungen ein. Mit Hilfe ihrer Fotos bekundeten sie ihre Weltanschauung. »Sich ein Bild zu machen« bedeutete, Aufklärung für die Weltöffentlichkeit zu betreiben.

Anlässlich der Ausstellung *Die Verbrechen der Wehrmacht* des Hamburger Instituts für Sozialgeschichte wurden die Probleme des Umgangs mit Fotografien als historischen Quellen und die Möglichkeiten der Manipulation erregt diskutiert. In einer Zeit, da die Medien ihre Berichterstattung nur kommentiert und nicht mehr als absolut richtig präsentieren – »Diese Informationen erreichten uns von ...«, hieß es etwa oft am Ende einer Meldung über den Irakkrieg –, erweckt jede Kriegsberichterstattung den Verdacht der Desinformation und Propaganda. Die Bilder stehen auf dem Prüfstand. Spätestens seit dem Vietnamkrieg kontrolliert das US-Militär durch seine offizielle Bildauswahl die Berichterstattung. Die Berichte und Fotos der Korrespondenten vor Ort und die tägliche Veröffentlichung statistischer Daten über US-amerikanische Verluste ließen damals die öffentliche Meinung kippen. Der tägliche *body count* in der amerikanischen Presse hat wie wohl kaum ein anderer Faktor zur Beendigung des Krieges beigetragen. Reportagen wie die über das Massaker von My Lai[11] oder über den Einsatz des Helikopters Yankee Papa 13[12] fielen auf fruchtbaren Boden.

Durch die Ereignisse des 11. September 2001 erlebte das Foto eine Renaissance der Zeugenschaft. Für die Erinnerung, das muss vielen sofort klar gewesen sein, gilt es Andenken zu konservieren. Zahllose Aufnahmen wurden in Windeseile öffentlich. Berufsfotografen genauso wie überdurchschnittlich viele Amateure lieferten »ergreifende« Bilder. Sehr schnell wurden diese Fotos benutzt, um z. B. Vermisste zu finden oder der Trauer in Form von Altären auf den Straßen einen Ort zu geben. Feuerwehrmänner im Einsatz wurden identifiziert und zu Helden gemacht. Hauptsächlich wurden die Aufnahmen jedoch gebraucht, um dem Trauma ein anderes Bild als das des Flugzeugcrashs zu geben – gerade aufgrund der Dauerberieselung durch die immer gleichen Fernsehsequenzen. Die einstürzenden Wolkenkratzer versinnbildlichten die Verletzlichkeit eines zivilisatorischen Gemeinwesens (Alexander Kluge). Ganz New York wurde zum nationalen Symbol. Die Fotos hingegen wurden eingesetzt, um den Schock zu bannen. Die Fernsehbilder machten eine Grenze der Wahrnehmbarkeit deutlich: Es übersteigt das Vorstellungsvermögen, sich die Menschen im World Trade Center sterbend zu vergegenwärtigen. Diese Leerstelle galt es aufzufüllen.

Die Fotografie hat ihren epistemologischen Anspruch verloren. Das Faszinosum der

Life, Vol. 58, Nr. 15, 16.4.1965. Foto: Larry Burrows

Life, Vol. 58, Nr. 15, 16.4.1965. Fotos: Larry Burrows

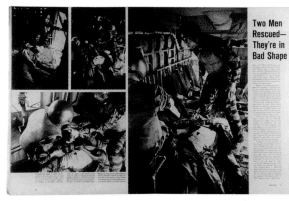

Life, Vol. 58, Nr. 15, 16.4.1965. Fotos: Larry Burrows

Life, Vol. 58, Nr. 15, 16.4.1965. Fotos: Larry Burrows

Life, Vol. 67, Nr. 5, 12.4.1969. Fotos: Ronald L. Haeberle

Life, Vol. 67, Nr. 5, 12.4.1969. Fotos: Ronald L. Haeberle

Reproduktion ist der Erkenntnis der Konstruiertheit des Dargestellten gewichen. Der hohe Stellenwert des Bildes innerhalb der derzeitigen visuellen Kultur als sinnstiftende Institution stellt seinen Status in Frage. Wir stehen ihm nicht mehr autoritätsgläubig gegenüber, sondern sind in der Position, ja aufgefordert, es zu befragen. Dieser Authentizitätsverlust wiegt schwer und macht das Medium bestenfalls zur ausschnitthaften Kopie, die auf ihre Interpretation wartet. Erst die dazugehörige Erzählung macht die oberflächliche Hülle wertvoll. In das Zentrum des Interesses rückte die Perspektive des Dargestellten. Dies ist keineswegs ein neuer Zugang. Schon Kracauer[13] oder auch Nietzsche[14] verwiesen auf die Optik oder den Horizont, die das Sichtfeld einschränken. Damit sind zwei wichtige Aspekte der fotografischen Qualität thematisiert: der Speicher und das Gedächtnis. Wo der Speicher als empirische Disziplin der Katalogisierung und bürokratischen Disziplinierung zur Verfügung steht, wird das Gedächtnis im Kontext jeweils aktualisiert. Nach Susan Sontag wird die Welt durch die Fotografie »zu einer Aneinanderreihung beziehungsloser, freischwebender Partikel, und Geschichte, vergangene wie gegenwärtige, zu einem Bündel von Anekdoten und *faits divers*.«[15] Beziehungen zwischen ihnen herzustellen stellt sich uns als Aufgabe. Der künstlerische Rückgriff auf das Reale der Fotografie lehnt sich deshalb z. B. an Methoden der Ethnografie an oder folgt dem Modell einer Mentalitätsgeschichte, die beide Details der alltäglichen Praxis exemplarisch analysieren.

Martha Rosler arrangiert in ihrer Arbeit *It Lingers* aus dem Jahre 1993 ikonische Bilder des Krieges, vor allem des Zweiten Weltkrieges, zum Teil aber auch des damaligen Krieges im ehemaligen Jugoslawien. Daneben präsentiert sie Fotos der Jubelparade zum Ende des Golfkrieges 1991 in New York und eine von ihr gemachte Aufnahme von auf dem Wiener Flohmarkt angebotenen Hitlerporträts und vor allem auch Zeitungsausschnitte, etwa »Informationsgrafiken« von Kriegszonen. Das Archiv der vorhandenen Bilder wird hier mit einer aufklärerischen Ordnung versehen, neu inventarisiert. Diese Rekontextualisierung geschieht durchaus im Bewusstsein des Scheiterns. So fragt Rosler, »ob Kriegsgegner einen von denselben Bildern getragenen Gegentext herstellen können«[16]. Darüber hinaus drängt sich die Frage auf, welche Wirksamkeit dieser im besten Fall entfalten könnte. Rosler ist sich des außerkünstlerischen Überschusses an (fotografischen) Bildern bewusst und stellt trotzdem die Frage nach der Rückkoppelung an gesellschaftliche Kontexte. Sie operiert mit ihrem Fotoarrangement vielleicht durchaus im Bereich der Fiktion. Doch gerade dieses Potential der Kunst gegenüber z. B. dem wissenschaftlichen Bereich versucht sie politisch wirksam zu machen. Ihre kulturelle Erzählung ist nicht linear, sondern sprunghaft und assoziativ. Dazu braucht sie die Fotografie und ihr Potential des Narrativen, die Geschichte der Ikonen und Informationen bildlicher Darstellung. Sie setzt sie nicht als logisches Dispositiv ein.

Doch nicht immer eignen sich die Bestandteile für eine Auswertung. Im Zuge ihrer Recherchen zum UNO-Hauptquartier in New York kundschafteten Korpys/Löffler eine Unmenge an Informationen aus. Diese Untersuchung ist Teil einer Serie über drei Machtzentren, die die beiden 1997 unter die Lupe nahmen. Die anderen zwei: das Pentagon und das World Trade Center. Instinktiv griffen Korpys/Löffler also drei Orte von weltpolitischer Bedeutung heraus. Mit einer Super-8-Kamera beobachteten sie das Geschehen rund um diese Komplexe der Entscheidungen. Das Filmmaterial verbreitet ebenso die konspirative Atmosphäre eines Spionageunternehmens wie die von Probeaufnahmen für einen Actionfilm. Der Aufklärungsbedarf der Betrachter wird jedenfalls nur teilweise gedeckt. Wohin führen diese Bilder?

Auf den dazugehörigen großformatigen, multiperspektivischen Risszeichnungen spielen Korpys/Löffler mit Mythen, Verschwörungstheorien und Fakten. Statt einer Annäherung verzweigt sich das angesammelte Wissen jedoch labyrinthisch. Die Künstler bringen die gewohnte kausale Relation ins Schwanken und provozieren eine unüberschaubare Vielfalt an Bedeutungen. Die verwirrenden Einzelphänomene verstärken die Angst vor dem Kontrollverlust solch riesiger Strukturen, die als Kehrseite des Fortschritts immer virulent ist. Das Wissen um die Ereignisse im September 2001 provoziert Fragen nach der Vorhersehbarkeit des Geschehenen. Gab es Hinweise darauf? Haben wir in der Fülle etwas übersehen?

DER MILITÄRTECHNOLOGISCHE KOMPLEX

Die Geschichte der Krieges ist eng mit der Entwicklung der Technologie verbunden. Überlegenheit dank besserer Ausrüstung bringt entscheidende Vorteile. Während des Golfkriegs 1991 wurden zum ersten Mal Filme aus der Perspektive so genannter *smart bombs* der USA publiziert. Man sah Luftaufnahmen mit einem Fadenkreuz im Zentrum und ein Projektil auf das Ziel zufliegen. Mit der Detonation und der Zerstörung der Kamera riss der Film ab. Diese Bilder sind eigentlich nicht für die Öffentlichkeit bestimmt. Ohne Farbe, ohne Ton, ohne Menschen unterscheiden sie sich von früheren Kriegsdokumenten oder Berichterstattung. Diese operativen Bilder sind Propaganda in Reinform: Ohne journalistischen Filter demonstrieren sie Überlegenheit, indem sie den Mythos verbreiten, dass *smart bombs* immer exakt treffen. Die Filme aus der Perspektive der einschlagenden Bombe, die die US Air Force während des Krieges in Exjugoslawien ins Internet stellte und die z. B. das Bombardement einer Donaubrücke in Novi Sad zeigten, provozierten gar die Vorstellung ihrer absoluten, das heißt inhumanen Ferngesteuertheit und Präzision. Während diese Bilder inflationär gezeigt wurden, unterliegen die intelligenten Fernlenkwaffen noch immer der Geheimhaltung. So werben die Aufnahmen gleichzeitig für den nächsten Rationalisierungsschub der Armee.

Neue Bild- und Kommunikationstechniken – wie im jetzigen Irakkrieg der Hinweis auf die Bedeutung der Satellitenkapazitäten für die GPS-Steuerung der US-Einsätze – erweitern die Möglichkeiten. Je »besser« das vorhandene Bild von der Welt, desto größer der Glaube an den Fortschritt. Die technische Übermittlung vergrößert gleichzeitig die Distanz. Das digital hochgerüstete Informationscockpit entfernt z. B. die Piloten von ihrem Kampfziel, das ihnen dennoch exakt vor Augen geführt wird.

Kuda.org präsentieren in ihrem Video *Safe Distance* ein reales Fundstück: ein digitales Video der Aufzeichnungen eines US-amerikanischen Kampfjets, der bei einem Einsatz in der Region Novi Sad abstürzte. Hier begegnen wir einem Hightechdisplay, radikal reduziert auf eine Informationsgrafik der notwendigen Koordinaten. Schwarzweiß. Im Video kommt allerdings eine ungewohnte menschliche Komponente ins Spiel. Wir hören nicht nur den Funkkontakt der vier Flieger, sondern vor allem auch das Atmen des Piloten, und wie es schneller wird, als technische Probleme auftreten, und wie es lauter wird kurz vor dem Absturz. Und wie es abbricht. Hier steht die Panik des Piloten in krassem Gegensatz zur Anmutung der Bilder – oder ist es nur ganz normaler Stress angesichts einer oft geübten Standardsituation »Notfalllandung«?

Renata Salecl gibt in diesem Zusammenhang noch einen wichtigen Hinweis auf die Bildlichkeit: »Einerseits präsentierte man [den Krieg in Jugoslawien] schlicht als Computerspiel, in dem der Pilot, der die Bomben abwirft, von der Realität auf dem Boden völlig losgelöst ist, andererseits erreichten uns Bilder von den Opfern des Krieges, von zerstörten Dörfern, unzähligen Toten und Verwundeten usw. In diesem Konflikt konnte die Welt also das unsägliche Leid der betroffenen Menschen bis ins kleinste Detail verfolgen, während die Interventionen der westlichen Kriegsmaschinerie distanziert wie ein Computerspiel wirkten. Das visuelle Überangebot auf der einen und die komplette Verschleierung auf der anderen Seite haben auch damit zu tun, dass die ökonomische und die politische Logik des Krieges in zunehmendem Maß getrennt betrachtet werden.«[17] Die Bilder des Chirurgisch-Sauberen, Distanzierten unterstützten die Einsätze, die des Grausam-Nahegehenden sorgten für Mitleid und weitere Unterstützung. Vermittelt wurde die Abscheulichkeit dieses Krieges über den Schock der Missachtung kultureller Grundwerte mitten im aufgeklärten, zivilisierten Europa. Das Grauen wurde den Zuschauern näher gebracht und neutralisiert zugleich.

KÜNSTLERISCHE KARTOGRAFIE

Krieg wird nicht nur in den Medien, auf dem Schlachtfeld oder im Cockpit geführt. Strategen verteilen Territorien auf dem Kartentisch. Grenzlinien bestimmen die Vermessung der Welt. So liegt der Raum bereit für die Eroberung und Aufteilung. Ein Kinderspiel mit Zeigestock.

In den siebziger Jahren legt Öyvind Fahlström ein Farbleitsystem für seine dicht beschriebenen Weltkarten fest, die sich mit der Geopolitik der Global Players aus Wirtschaft und Politik beschäftigen: Blau bezeichnet die USA, Violett Europa, Rot bis Gelb sozialistische Länder und Grün bis Braun die so genannte Dritte Welt. Länder im engeren Sinne existieren darauf weitestgehend nicht mehr. Souveräne Staaten sind zu Einflusszonen von weltumspannenden Konzernen oder Geheimdiensten geworden. Die CIA hat überall ihre Finger drin, unterstützt oder stürzt Diktatoren und Rebellen nach Gutdünken. Das kapitalistische System macht Profite. Mit exakter Geometrie hat das nichts mehr zu tun. Das Bild der Welt, das so lange vervollkommnet wurde, ist bei Fahlström aus den Fugen geraten. Die Ozeane sind fast bis zur Unmerklichkeit geschrumpft. Ein Fleck Ausbeutung und Unterdrückung reiht sich an den anderen. Erschütterndes über den Zustand der Welt wird freundlich-bunt veranschaulicht.

Aus historischer Sicht hat sich die Kartografie als ein Mittel zum Zweck erwiesen, die Welt zu determinieren. Mit der kartografischen Beschreibung ist bereits eine Inbesitznahme verbunden, die in eine nationalstaatliche oder transnationale Geografie der Ökonomie mündet. Peter Fend hinterfragt diese nationalstaatlich legitimierte Geografie. Seine visionären Gegenmodelle auf zerschnittenen Weltkarten drehen sich um die gerechte Verteilung von Ressourcen wie Wasser. Sie zeigen nicht mehr direkte nationale Einflusszonen, sondern transnationale ökologische Zonen der Abhängigkeit. Als ausgebildeter Historiker analysiert Fend in seinen Begleittexten außerdem die ursächlichen Verbindungen zwischen geopolitischen Konfliktherden und Wasservorkommen und -scheiden.

Solchen künstlerischen Weltprojektionen liegt ein eher systemisches, nicht machtpolitisches Denken zugrunde. Sie nutzen abstrakte Bildsprachen, Codes, und erfinden diese neu. Damit schaffen sie nicht nur wie Vermeer ihr eigenes Bild von der Welt, sondern versuchen, Zusammenhänge zu definieren. Gegenüber dem affirmativen Abbild, oder der eigenständigen Bildschöpfung bedienen sie sich anderer Methoden der Darstellung. Die Evidenz des Visuellen findet so piktorale Formen, die das Verhältnis von Konstrukt und Realem zugunsten einer theoretischen Annäherung verschieben. Sie lösen die Dichotomie von Dokument, als zunächst außerkünstlerischem Anliegen, und Fiktion, als kreativem Akt, im Modell.

1 Vgl. Michel Foucault, »Vom Lichte des Krieges zur Geburt der Geschichte«, in: Walter Seitter (Hg.), *Vom Lichte des Krieges zur Geburt der Geschichte*, Berlin 1986.

2 Filippo Tommaso Marinetti, »Manifest des Futurismus, 1909«, Le Figaro, Paris, 20. Februar 1909. zitiert nach: Walter Benjamin, »Das Kunstwerk im Zeitalter seiner technischen Reproduzierbarkeit«, in: Walter Benjamin, *Illuminationen. Ausgewählte Schriften I,* Frankfurt/M. 1977, S. 168f. Die »heroische« Zeit des Futurismus von 1909 bis 1916 findet 1913 ihrem Höhepunkt. Der Erste Weltkrieg wird zum einschneidenden Wendepunkt. Antonio Sant'Elia und Umberto Boccioni fallen im Krieg. Marinetti glorifiziert den Krieg nach 1918 allerdings weiterhin, obwohl er die Materialschlachten des Krieges selbst miterlebt hat.

3 Walter Benjamin, »Das Kunstwerk im Zeitalter seiner technischen Reproduzierbarkeit«, in: ders., *Illuminationen. Ausgewählte Schriften I,* Frankfurt/M. 1977, S. 169.

4 Chris Burden setzt den weißen Flecken im medialen oder kollektiven Gedächtnis in *America's Darker Moments* (1994) ein kleines Denkmal. In einer fünfseitigen Vitrine stellt er eine andere, nicht affirmative Traditionslinie der jüngeren US-amerikanischen Geschichte zusammen: tabuisierte Szenen der Schande. In Form von Zinnminiaturen präsentiert er neben der Erschießung von Studenten der Kent State University während einer Antivietnamkriegsdemo in Ohio (1970) den Abwurf der ersten amerikanischen Atombombe über Hiroshima (1945), die Ermordung John F. Kennedys (1963), das Massaker von My Lai in Vietnam (1968) und die Ermordung des 14-jährigen Schwarzen Emmett Till durch Weiße (1953).

5 Martha Rosler, »Drinnen, Drumherum und nachträgliche Gedanken (zur Dokumentarfotografie)«, in: dies., *Positionen in der Lebenswelt,* Wien, Köln 1999, S. 111 f.

6 Renée Green, Zwischentitel des Videos *Partially Buried Continued* (1997).

7 *Guernica* blickt auf eine bewegte Geschichte zurück. Nach seiner ersten Präsentation im Spanischen Pavillon der Pariser Weltausstellung von 1937, wurde es auf eine Wohltätigkeitstour für die Opfer des Spanischen Bürgerkrieges in die USA geschickt, um dort eine anhaltende Diskussion über den richtigen Ort der Präsentation auszulösen. Franco reklamierte das Bild für Spanien. Picasso betonte dessen allgemein gültigen Anspruch und entschied schließlich 1956, dass es in den USA am besten wirken könne. 1981, als Spanien sich zu einer Demokratie entwickelt hatte, kam *Guernica,* wie Picasso es gewünscht hatte, nach Madrid. 1985 erst schenkte Nelson D. Rockefeller die Wandteppichversion der UNO.

8 Renée Green in: Renée Green, *Between and Including,* Ausstellungskatalog Secession, Köln, Wien 1999, S. 66 f.

9 Michael Glasmeier, »Ästhetik der Barrikade«, in: ders., *Extreme 1–8. Vorträge zur Kunst,* Braunschweig, Köln 2001, S. 159.

10 Vgl. Roland Barthes, *Die helle Kammer. Bemerkungen zur Photographie,* Frankfurt/M. 1989.

11 »Das Massaker von My Lai«, *Life,* Vol. 67, Nr. 23, I, 5.12.1969. Fotos: Ronald L. Haeberle.

12 »Yankee Papa 13«, *Life,* Vol. 58, Nr. 15, 16.4.1965, Fotos: Larry Burrows.

13 Vgl. Siegfried Kracauer, »Die Photographie«, in: ders., *Das Ornament der Masse,* Frankfurt/M. 1977.

14 Vgl. Friedrich Nietzsche, »Vom Nutzen und Nachteil der Historie für das Leben. 2. Unzeitgemäße Betrachtung«, in: ders., *Unzeitgemäße Betrachtungen,* Frankfurt/M. 1981, S. 95-184.

15 Susan Sontag, *Über Fotografie,* Frankfurt/M. 1980, S. 28.

16 Martha Rosler, »Nachrichten und Ansichten vom Krieg«, in: *Krieg,* Ausstellungskatalog Neue Galerie Graz, Graz, 1993, S. 90.

17 Renata Salecl, »Die Künste des Krieges und der Krieg der Künste«, in: Tom Holert (Hg.), *Imagineering. Visuelle Kultur und Politik der Sichtbarkeit,* Köln 2000, S. 99.

DREHLI ROBNIK UND SIEGFRIED MATTL:

»No-one else is gonna die!«
Urban Warriors und andere Ausnahmefälle in neuen Kriegen und Blockbustern

»Unsere potenziellen Feinde haben die Operation ›Desert Storm‹ auf CNN gesehen und wissen, dass sie uns mit konventionellen Mitteln nichts anhaben können. Sie sehen Städte als Möglichkeit, die technologischen Vorteile unserer Streitkräfte gering zu halten. Sie wissen, dass Städte mit ihren engen Straßen, ihrer verwirrenden Anlage und ihrem großen Zivilbevölkerungsanteil unserer technologischen Überlegenheit und vor allem dem Einsatz unserer Feuerkraft Schranken setzen. Wir müssen Technologien entwickeln, die es uns gestatten, zu gewinnen und Kollateralschäden gleichzeitig zu minimieren.«
Col. Mark Thiffault, Director, Joint Information Bureau, Operation Urban Warrior[1]

Der Krieg zieht in die Städte. Am 16. März 1999 greifen 700 Infanteristen, unterstützt von 6000 Marines, von Polizeieinheiten und Feuerwehren, die San Francisco Bay an. Mit Helikoptern, Amphibienfahrzeugen, digitalen Aufklärungssystemen und neuen High-Tech-Waffen wird die Operation *Urban Warrior* geübt – Bekämpfung lokaler Unruhen nach einer Katastrophe und Zusammenarbeit mit den Behörden zur Wiederherstellung der Ordnung vor dem Hintergrund chemischer und bakteriologischer Verseuchung.

Die neue Doktrin heißt MOUT (Military Operations on Urbanized Terrain). Der *Urbans Warrior* wird ihr hybrides militärisch-intelligentes Instrument sein. MOUT synthetisiert die Erfahrungen von auf den ersten Blick ganz unterschiedlichen Ereignissen: die Entführung des panamesischen Präsidenten Noriega in Panama City durch ein US-Luftlandekommando wegen Verdachts auf Verwicklung in das internationale Drogengeschäft (Kämpfe mit der panamesischen Armee, Evakuierung von US-Bürgern); das Scheitern der afrikanischen Friedenstruppe ECOMOG[2] in Monrovia/Liberia 1990/91 mangels Anerkennung durch die Bürgerkriegsparteien und die Bevölkerung; die Niederschlagung der Unruhen in Los Angeles 1992; das Desaster von US-Elitesoldaten, die am 3. Oktober 1993 in der somalischen Hauptstadt Mogadischu beim Versuch, zwei Adlaten des Warlords Mohammed Aidid festzunehmen, in einen Hinterhalt geraten; das Erdbeben in Kobe 1995; die Kooperation von Polizei, Geheimdiensten und Militär anlässlich der Olympischen Spiele in Atlanta 1996; die unter Präsenz von internationalen Friedenstruppen erfolgte Mobilisierung einer überkonfessionellen Bürgerbewegung zur Unterbindung von Gewalt zwischen den ethnischen Gruppen im bosnischen Tuzla 1996; die Evakuierung von 172 Amerikanern und Bürgern von Drittstaaten durch US-Marines aus Asmara, der vom Bürgerkrieg bedrohten Hauptstadt Eritreas, im Jahr 1998. Urbane Kriegsführung definiert ein gemeinsames Feld aus Drogen- und Bandenkriegen, lokalen Bürgerkriegen, Naturkatastrophen, Terrorismus, Geiselnahmen und Entführungen, Volksaufständen bis hin zu Amokläufen in äußeren Enklaven. MOUT proklamiert einen permanenten Ausnahmezustand jenseits des klassischen Schlachtfeldes, der militärische, politische und zivile Interventionen zu einem Komplex verschmilzt. Es erfordert die Kombination militärischer Routine mit politischer Imagination, technologischer Kompetenz mit narrativer Kreativität, von »Faktionalem« und Fiktionalem. Der Krieg hat seinen – von Clausewitz »klassisch« definierten – Sinn als Fortsetzung der Politik mit anderen Mitteln abgestreift und ist von dieser ununterscheidbar geworden.

Die neue Doktrin[3] fügt sich in das politische Szenario ein, das Herfried Münkler als »das Ende der Entscheidungsschlacht« bezeichnet hat. Die »neuen Kriege« von heute sind (in ihrer Mehrzahl) poststaatliche Konflikte, initiiert von lokalen Machtgruppen, deren politisch-kulturelle Ziele sich kaum von ihrem Interesse an einem Platz in der »globalen Schattenökonomie« unterscheiden lassen.[4] Moderne Warlords suchen sich urbane Agglomerationen als Operationsfeld und benutzen die zivile Bevölkerung als Geisel und Schutzschild. MOUT steht aber auch in Zusammenhang mit dem *control space* globaler Datennetzwerke, der aus der »lokalen« Stadt ein bloßes Viertel einer unsichtbaren »globalen Metastadt«[5] hat werden lassen. Werden deren finanzielle und politische Zentren zu potenziellen Angriffspunkten (etwa terroristischer Gruppen), wird militärisch definierte Sicherheit ein beherrschendes Prinzip von architektonischen, stadtplanerischen und sozialen Regeln.[6] Deshalb können US-Militärs kein Terrain mehr aus ihrem Interessenfeld aussparen. Das Konzept urbaner Kriegsführung stützt sich auch auf die Entwicklung eines phantasmatischen »Angstraumes«, der aus dem Zerfall der Sozialität der (US-)Städte hervorgegangen ist und zur Adaptierung militärischer Taktiken durch die Polizei, zur Zonierung von *defensible spaces* geführt hat, die das Versprechen einer besseren Zukunft nicht mehr aufkommen lassen.[7]

*

Der Krieg zieht in die Städte; der Kriegsfilm zieht mit. Zu den *skills* des *Urban Warrior* zählt ein Blick/Sinn/Gespür fürs unsichere Urbane, wie er auch heutige *combat films* prägt; diese spielen im Unterschied zu früheren Kriegsfilmen selten in der Natur. Die Vietnam-Filme der siebziger und achtziger Jahre inszenierten den Ort der US-Intervention meist orientalistisch, als Dschungel der Konfrontation mit dem ethnisch-moralisch Anderen des zivilisierten Subjekts. Mit dem Schlussdrittel von *Full Metal Jacket* – *urban warfare* unter Sniperfeuer in Trümmerlandschaft – kündigten sich 1987 andere kulturelle Kriegsbilder an. Heutige, mit Medienbildern der neuen Kriege verflochtene Kriegsfilme geben der Stadt, ihrer materiellen/perzeptiven Kontingenz, Raum und Zeit; der ins Naturmystisch-Ozeanische überhöhte Orientalismus von *The Thin Red Line* (1998) ist hier ein Einzelfall. Kriegsfilmen eignet heute ein Problemurbanismus: die Stadt als Verfallszone – Showdown in Kleinstadttrümmern/*Saving Private Ryan* (1998), Schuttwüste Mogadischu/*Black Hawk Down* (2001) –, aber auch als »Tatort«, der sich zum leistungsstarken Medien-»Standort« wandelt: Stalingrad als teleskopisch medialisierter Schau-Platz/Spiel-Platz/Themenpark in der deutsch-britisch-irisch-amerikanischen Koproduktion *Enemy at the Gates – Duell* (2001).[8]

Neue Kriege neigen zu räumlich-zeitlicher Unbegrenztheit, zu unmarkierten Anfängen und Enden.[9] Dem entspricht die Auflösung der Konturen und der Orientierung von Handeln/Handlung in postklassischen Kriegsfilmen: »Zeitbilder« anstelle organischer Erzählungen – Blockierung, Trance, traumatische, »optisch-akustische Situationen« (Deleuze). Die Krise kriegerischer Aktionsbilder: Das Kino kultiviert sie heute als ein Vergehen von Hören und Sehen in erschütternden, taktilen, immersiven Bildern. Nullpunkte von Wahrnehmung und Sinn werden Angelpunkte für die Neubespielung historischer Gedächtnisorte: Normandie, Pearl Harbor, Mogadischu, Stalingrad.

Die Phänomenologie des Kontingenten in *Saving Private Ryan* ist hierfür der Modellfall. Die Omaha-Beach-Sequenz zu Beginn überträgt Dynamik, Sound und Zufälligkeiten des Krieges auf wahrnehmende Körper im Publikum. Die gebeutelten und zerfetzten Körper im Bild werden inkommensurabel mit historischer Größe, nationaler Mission o. Ä.: Für die prekäre Dauer eines kritischen Moments fällt das historische Ereignis als »mikrophysisches« aus dem Sinn gebenden Erzählrahmen. Während *Pearl Harbor* (2001) diese Sequenz in Richtung eines mimetischen Extremsporterlebens zu variieren scheint (Bungee-Jump mit der ins Ziel segelnden Bombe), lehnt sich *Enemy at the Gates* enger an Spielbergs Konzept an, vom Krisenfall des Erzählens, der Verkettung von Wahrnehmung und Aktion, auszugehen. Auch in diesem Film motivieren Einbrüche des Somatisch-Affektiven reflexive Renarrativisierungen. Wenn in neuen Kriegen die Schlacht als Entscheidungsereignis zunehmend vom Massaker abgelöst wird,[10] versucht *Enemy at the Gates*, die zunächst emphatisch als Massaker inszenierte Schlacht um Stalingrad in ein sinnvolles Bild militärischen Handelns rückzuübersetzen. Wie *Saving Private Ryan* beginnt auch dieser Film mit einer Sequenz, die früher als Klimax gedient hätte: Anhand plastischer Bilder massenweise und sinnlos im deutschen Feuer verheizter Rotarmisten beschwört er die für neue Kriege typische Asymmetrie der Gegner als Notstand der Repräsentation. Dem antwortet die narrative Umgestaltung der Schlacht zum »Duell« eines sowjetischen und eines deutschen Scharfschützen: »Stalingrad« wird wieder erzählbar als formalisiertes, symmetrisches Aktionsbild. Um Individualisierung von Massenerfahrung geht es hier, vor allem aber um Begrenzung des entgrenzten Krieges im Bild, im teleskopischen Detailblick der Scharfschützen. Die Entwicklung von auf Distanz funktionierenden Präzisionswaffen im US-Militär nach Vietnam half mit, Krieg durch Eindämmung seines Massenvernichtungscharakters weiter »führbar« zu machen; die Fadenkreuzoptik auf Stalingrad hilft mit, Krieg im rekonturierten Bild repräsentierbar zu machen.[11]

*

Die Taktik urbaner Kriegsführung ist darauf ausgerichtet, den Gegner zu paralysieren, und nicht, wie im klassischen Staatenkrieg, ihn zu Verhandlungen und zu einem Friedensschluss mit politischen Bedingungen zu zwingen.[12] Der unmittelbaren Gewaltanwendung gegen den Feind sind dabei Grenzen gesetzt durch die notwendige Rücksichtnahme auf die Zivilbevölkerung und die Minimierung physischer Zerstörung. Um eigene Verluste gering zu halten und stationäre Truppen nicht zum Ziel von Anschlägen zu machen, werden Aktionen schnell, fokussierend und unerwartet durchgeführt. Die Aktion muss so organisiert sein, dass sie dem Feind jeden Bewegungsraum nimmt und Chaos vermeidet. Militärische Operationen im urbanen Gebiet lösen die Grenzen zwischen Krieg und Politik auf. Sie erfordern die Überwachung und Kontrolle der Bewegungen der zivilen Gesellschaft (etwa von Fluchtbewegungen im und aus dem *urban sprawl*) und die Zusammenarbeit der Militärs mit institutionellen oder informellen Autoritäten, um die Unterstützung von Nichtkombattanten und die Disziplin der Bevölkerung zu sichern. Dies setzt wiederum genaue Kenntnis der sozialen, ökonomischen, kulturellen und demografischen Strukturen und der möglichen Konfliktlinien des Einsatzgebietes voraus. Urbane Kriegsführung beruht ebenso auf der Kenntnis des Stellenwerts lokaler Infrastrukturen (Schutz bzw. Zerstörung von Wasserwerken, E-Werken u. Ä.). Militärische Operationen auf urbanem Terrain müssen Polizeiaktionen einschließen, etwa gegen Plünderer und Aufständische, zudem stadtplanerische Strategien für den Wiederaufbau und Kompetenz für die Kooperation mit privaten und staatlichen Hilfsstellen. Schließlich erfordern sie präzises Wissen um die Effekte verschiedener Waffen(systeme), um mit Rücksicht auf zivile Infrastruktur, eigene Truppen und Nichtkombattanten die angemessene Feuerkraft zu bestimmen.[13]

*

Für Angehörige der US-Streitkräfte bringt das Konzept *Urban Warrior* eine Vervielfachung ihrer Rollen, die sich in Hollywoods Soldatenbild als Identitätskrise niederschlägt. Selbstreflexion, Legitimationsfragen, Wahrnehmungsstörungen: Ein permanentes »Sollen/dürfen wir schießen – und auf wen?« prägt militärisches Handeln und seine gebrochenen Aktionsbilder in Filmen über Interventionseinsätze der neunziger Jahre – Persischer Golf in *Three Kings* (1999), Balkan in *Behind Enemy Lines* (2000), Mogadischu in *Black Hawk Down*.[14] Doch auch frühere Kriege(r) sieht Hollywood heute durch die Rückprojektionsoptik des *Urban Warrior* und seiner multiplen Identität und lotet den Zweiten Weltkrieg als *good war* und Sinnressource zur Legitimierung militärischen Handelns neu aus.

Saving Private Ryan geht von der Invasion zur Rettungsmission über. Diese narrative/pragmatische/ethische Verschiebung, aber auch die in dem Film häufigen Rechtfertigungskonflikte um Erschießungen deutscher Kriegsgefangener werden in *Band of Brothers*, dem TV-Serien-Spin-off des Blockbusters, zugespitzt: Die Befreiung eines KZ durch die 101st Airborne Division gibt rückwirkend unwiderlegbare Antworten auf Legitimationsfragen sowie auf die Sinnfrage – *Why We Fight* ist der Titel dieser Episode, in Anlehnung an Frank Capras gleichnamige Propagandafilmserie; diese hatte 1943 den Krieg gegen Hitler noch als Kampf für Meinungs- und Vereinsfreiheit begründet. Als Antizipation des *Urban Warrior* auf Sinn- und Filmgenreterrains des Zweiten Weltkrieges erscheinen GIs etwa als Polizisten, die in den Ablauf von Völkermord eingreifen, als Richter, die Kriegsverbrechen beurteilen.

In der Image-, Medien- und Bündnispolitik neuer Kriege fungieren US-Soldaten auch als »Diplomaten«. Die symbolische Stellvertretung von US-Politik durch Soldaten artikulieren heutige Kriegsfilme gerade nicht im Wege organischer Repräsentation, wie sie US-Kriegsfilme der vierziger und fünfziger Jahre prägte (der GI als Teil des nationalen Ganzen, die Truppe als *melting pot*), sondern sie setzen Subjektivität und Handeln der Soldaten in reflexive Beziehung zur Großmachtpolitik. Stellvertretung wird explizit, prekär, zumal als Bruch moralisch dubioser Konventionen: Die ethische Entscheidung der *Three Kings* für die Rettung irakischer Flüchtlinge suspendiert ihren Schatzsucheregoismus ebenso wie die Kriegspolitik von George Bush senior (»*Schindler's List* im Golfkrieg«). Der über Bosnien abgeschossene Pilot in *Behind Enemy Lines* symbolisiert US-

Politik insofern, als er ihr beherztes Handeln provoziert; als narrativer Moment der Wahrheit suspendiert die Militärintervention zu seiner Rettung Rücksichten auf einen faulen Frieden und auf französische (!) Nato-Partner.

Als Interventionist und Diplomat, fähig zum Eintritt in komplexe lokale Allianzgefüge, braucht der *Urban Warrior* kontextsensitives kulturelles Wissen. Kontingenzorientierung und differenzierende *skills* inter- und transkultureller Kommunikation prägen Bild und Plot von *Three Kings* und *Behind Enemy Lines*; in Letzterem erweist sich ein bosnischer Moslem auch dadurch als Bündnispartner, dass er Fan von Elvis und Public Enemy ist. *Urban Warriors* entfalten bislang implizites/marginalisiertes kulturelles Wissen als militärisches. *Windtalkers* (2002) liefert dazu eine 1944 im Kampf um Saipan spielende Entstehungsgeschichte, die aus der Historie nationaler *victory culture* die Erfindung von militärischem *diversity management* herausarbeitet. Im klassischen US-Kriegsfilm war die Armee ein Schmelztigel, der Unterschiede integriert, diszipliniert, einebnet; John Woo, ein Hollywood-Regisseur aus Hongkong, nutzt in *Windtalkers* Armee, *combat film*-Genre und Zweiten Weltkrieg zur Performance von Identitätspolitik und sucht – nach *Mission: Impossible 2* – einmal mehr im Vorspann John Fords Monument Valley auf, diesmal, um dessen Ureinwohnern und ihrem Beitrag zum *war effort* ein Monument zu setzen. Mit *windtalkers* sind zu den Marines rekrutierte Navajos gemeint, deren Nützlichkeit gerade in ihrer irreduziblen ethnischen Differenz liegt: Ihre Sprache diente als für die Japaner nicht zu knackender Geheimcode.

*

Der Krieg im urbanen Terrain setzt das panoptische Kriegstheater außer Kraft. Seine großen Probleme liegen in der lokalen und raschen Identifizierung feindlicher Objekte, der Lokalisierung »freundlicher« und feindlicher Verbände und der Nichtkombattanten, der Abschätzung des Zerstörungspotentials der eigenen Waffen[15], der Leitung des Feuers der unterstützenden Luftwaffe und Artillerie und der Koordinierung der Truppenteile und des Nachschubs. MOUT beruht deshalb auf einem neuen Typus von Krieger – dem technologisch hoch gerüsteten, taktisch versierten, kulturell und politisch kompetenten Soldaten, der autonom vor Ort Entscheidungen über Angriff und Defensive seiner Einheit trifft, lokale informelle Machtzentren (wie Treffpunkte mafiotischer Gruppierungen) identifiziert und ausschaltet, sich aber auch das Vertrauen der Bevölkerung sichert und ihr Verhalten kontrolliert, Sanktionen gegen sich widersetzende Nichtkombattanten verhängt und die Organisation der Hilfsgüter managt. Er tut dies unter Beobachtung durch die und (zwangsweise) in Kooperation mit den Massenmedien, die aus dem Gebiet des urbanen Krieges nicht fern gehalten werden können. Der *Urban Warrior* ist Soldat, Informationsoffizier, Unterhändler und Diplomat zugleich: »In vielen Fällen wird der einzelne Marine das am meisten in die Augen springende Symbol amerikanischer Außenpolitik und möglicherweise nicht nur auf die unmittelbare taktische Situation, sondern auch auf operativer und strategischer Ebene von Einfluss sein ... er wird [...] zu einem *Strategic Corporal*.«[16]

Der Begriffshybrid des »strategischen Unteroffiziers«, der z. B. auf Basis von Wahrnehmungen vor Ort eigeninitiativ Luftschläge anfordert, formuliert das Problem der Vermittlung von taktischer, situativ involvierter Nahsicht und strategischer, geopolitisch dimensionierter Fernsicht. Das Kino kennt dieses Problem als Frage des Wechselspiels und der Heterogenität von Großaufnahme und Totale, Immersion und Distanzierung. Im postklassischen Kriegsfilm wird das Problem oft akut: *Black Hawk Down* alterniert zwischen Marines in Mogadischu, die zu nah dran, und deren Vorgesetzten vor Livevideomonitoren, die zu weit vom Schuss sind, um Feind und Stadt zu überschauen; die Vermittlung von Nahsicht und Telemedialität ist gestört; dem Kommandeur bleibt am Ende des gescheiterten Einsatzes nur, auf dem Lazarettboden Blut aufzuwischen.

Eine Sequenz aus *Behind Enemy Lines* liest sich als Allegorie erschütterten Vertrauens in die »Totalität« apparativer Wahrnehmung, in Institutionen von Staat und Heldentum: Bosnische Serben schießen einen US-Piloten auf einem Kontrollflug über dem Balkan ab; seine Flucht *behind enemy lines* verfolgen seine Vorgesetzten vom Flugzeugträger aus u. a. mit Hilfe satellitenübertragener Wärmebilder. Als die serbischen Verfolger bereits direkt neben dem Piloten stehen, wird auf dem Wärmebild zunächst nicht erkennbar, warum sie ihn nicht gefangen nehmen: Ein Schnitt zum Ort des Geschehens in Nahsicht zeigt, dass der Pilot in ein Massengrab voller Leichen gefallen ist, die aus der Distanz im doppelten Sinn unsichtbar sind – als Opfer ethnischer Säuberungen vertuscht, als Körper zu kalt für das Wärmebild. Für seine Verfolger wiederum ist der Pilot das, was Stealth-Bomber sein wollen: unsichtbar – aber eben nicht kraft technologischer Asymmetrie; vielmehr macht Mimikry bzw. ideologisch behauptete Symmetrie den Jetpiloten ununterscheidbar von unschuldigen Opfern. Hier fallen immersive Kinoästhetik und postheroische Rhetorik der Selbstviktimisierung zusammen: Aus mediatisierter Fernsicht auf den Interventionsschauplatz erscheinen Freund und Feind in schematischer, missverständlicher Konstellation; aus der Nähe, aus dem Dreck heraus gesehen, gibt es nur Opfer.

*

Das Gefechtsfeld des *Urban Warrior* ist digital. Er selbst bildet die »Plattform« eines elektronischen Netzwerks, das Luftaufklärung, Piloten, Artilleristen, Panzer, Kommandeure und Soldaten im Einsatz integriert. Die Kernelemente seiner Ausrüstung – zentrale Recheneinheit, Sender, Batterie, GPS – finden im Rucksack Platz; Kameras und Display sitzen im Helm. Orientierung im Einsatz bietet ein Monocular-Display, das es ermöglicht, Karten zu lesen, Befehle und Lageberichte entgegenzunehmen und per E-Mail permanent in Verbindung mit Vorgesetzten und der Gruppe zu bleiben.[17] Handelsübliche Sensoren und Bewegungsmelder dienen zur Markierung feindlicher Ziele, handelsübliche Handys und Monitore sind Basis der internen Kommunikation; ein multilingualer Übersetzungscomputer unterstützt Unterhandlungen mit der lokalen Bevölkerung.[18] Urbanes Terrain beeinträchtigt aber durch den Funkschatten von Gebäuden, Signalstörungen aufgrund von elektrischen Leitungen, Unterscheidungsproblemen zwischen parallel vorrückenden Einheiten u. a. m. die Kontakte von Einsatzgruppen und Kommandozentralen. »Der Kampf in den Städten ruft bei vielen Beteiligten Desorientierung hervor. Durch Gebäude und Schutt nimmt der Einzelne oft nur seine unmittelbare Umgebung wahr, was manchmal dazu führt, dass er Angst bekommt, allein gelassen zu werden.«[19] Das urbane Kampfgebiet wird zum paranoiden Raum.

Zweifach projiziert *Windtalkers* neue Kriege und *Urban Warriors* in den Zweiten Weltkrieg zurück: entlang der Wertlogik, die implizites/kulturelles Wissen als Innovationspotenzial subsumiert, und entlang der Wertlogik »postheroischer Kriegsführung«, der zufolge US-Soldaten zu wertvoll sind, um sie zu opfern; in John Woos Film müssen Navajo-GIs bzw. ihr Spezialwissen um jeden Preis geschützt werden. *Windtalkers* und *Urban Warriors* sind kostbar wie Soldaten vormoderner Kriege; ihr Tod bedeutet den Verlust von hoch qualifiziertem Humankapital. Umso obszöner der Anblick eines 1993 von Somalis durch Mogadischu geschleiften toten Marines. Zu den TV-Bildern eines *all-American bo(d)y* – seiner irreduziblen Materialität, nacktes Leben als schlichte Sterblichkeit – verhält sich *Black Hawk Down* wie die Therapie zum kollektiven Trauma. Dabei werden der »Mogadischu-Effekt« und das Fernsehbild verstörender Kontingenz nicht durch narrative Rationalisierung eingedämmt, sondern »homöopathisch« bearbeitet – durch Kinobilder, die diese nationale/mediale Opfererfahrung spektakulär und sensualistisch neu durchspielen.

Im Zeichen postheroischer Kriegskonzepte verlagern sich die Sinnangebote der Filme von handlungsmächtigen Subjektivitäten zu Identitäten, in denen Opfer-, Zeugen- und Rettererfahrung changieren (wie bei Tom Hanks in *Saving Private Ryan*). Positionen von Soldat und Publikum werden austauschbar, Opfer- und Zeugenstatus werden paradigmatisch: Kriegserleben, Kriegsfilmkonsum – beides heißt passive Empfindung heftiger Erschütterungen, schmerzvolles, problematisches Zuschauen. Hier weist die Emphase der Rettungsmission einen ethisch-pragmatischen Ausweg, im Sinn therapeutischer Intervention in die Historie sucht Hollywood Gedächtnisorte der Massenkriegsführung auf, um rückwirkend mit der Geschichte militärischer Massenvernichtung zu brechen. Aus einer postheroischen Position heraus – und der des Holocaust als Geschichtsbruch der ersten Moderne und globales Gedächtnisparadigma der zweiten[20] – »erfinden« die Filme die Rettungsmission als Ausnahme inmitten des »Verheizens« wertvollen Lebens. »This time the mission is a man«, nennt der PR-Slogan von *Saving Private Ryan* diese Singularität.

Wertvoll sind westliche Leben. »Leave no man behind!«, lautet der Slogan von *Black Hawk Down*. Die Asymmetrie neuer Kriege verläuft hier zwischen umzingelten Marines, von denen jeder kostbar und rettenswert ist, und reihum ins MG-Feuer laufenden somalischen Massen. Ein postkolonialer Rassismus zeichnet Mogadischu als *urban Vietnam*, Verfallsstadt des Mobs, und den Feind als Zerrbild des einstigen Wir – jenes fanatischen, opferbereiten Subjekts, das die Staatsmassenkriege der westlichen Nationalismen geführt hat. In einer postkolonialen Lesart von *Windtalkers* hingegen hat es gedächtnispolitische Konsequenzen, dass hier die kostbaren *Urban Warriors* Navajos sind, Angehörige einer Kultur, die in der US-(Film-)Geschichte Opfer von Massenvernichtung und Marginalisierung waren.

Im Freund-Feind-Bild von *Black Hawk Down* verkörpert sich allerdings auch eine eigentümliche Symmetrie im Kontext neuer Kriege(r) als permanente Ausnahmen vom Normalfall moderner Kriege und ihrer massenhaft drohenden Todeswahrscheinlichkeit.

Die eine Ausnahme ist der fanatisierte Fedajin oder Selbstmordattentäter, der ganz sicher im Kampf sterben wird; darin liegt seine relative Handlungsmacht. Die andere ist der US-Soldat, der »alles darf«, nur nicht sterben (»No-one else is gonna die!«, verspricht Nicolas Cage in *Windtalkers* seinen Jungs); darin liegt seine relative Handlungsohnmacht im Zeichen risikofreier, mediengerechter Kriegsführung, aber auch seine im Medium Hollywood'scher Gedächtnispolitik wiedergewonnene Definitionsmacht als eine der Opferfiguren eines zunehmend »viktimistischen« Geschichtsverständnisses.

1 www.defenselink.mil/specials/urban warrior

2 Economic Community of West African States Monitoring Group

3 Spezielle Einsatztruppen bilden auch außerhalb der USA den Angelpunkt der Heeresreformen; vgl. Erich Vad, »Transformation des Krieges«, in: *Neue Zürcher Zeitung*, 8.1.2002.

4 Vgl. Herfried Münkler, *Die neuen Kriege*, Reinbek bei Hamburg 2002, S. 30 f., 165 ff.; Mary Kaldor, *Neue und alte Kriege. Organisierte Gewalt im Zeitalter der Globalisierung*, Frankfurt/M. 2000, S. 144 ff.

5 Paul Virilio, *Information und Apokalypse. Die Strategie der Täuschung*, München–Wien 2000, S. 17 f.

6 Vgl. Martin Pawley, *Terminal Architecture*, London 1998.

7 Vgl. Mike Davis, *City of Quartz. Ausgrabungen der Zukunft in Los Angeles*, Berlin, Göttingen 1994, insb. S. 257 ff.

8 Die Dialektik von Tatort und Standort prägt laut Thomas Elsaesser die Kulturökonomie des deutschen Kinos nach 1990; vgl. »Introduction: German Cinema in the 1990s«, in: *The BFI Companion to German Cinema*, London 1999.

9 Vgl. Münkler, a.a.O., S. 27, 31.

10 Vgl. Münkler, a.a.O., S. 25, 29.

11 Zur Rolle von Präzisionswaffensystemen in der »Revolution in militärischen Angelegenheiten« nach 1970 vgl. Michael Ignatieff, *Virtueller Krieg. Kosovo und die Folgen*, Berlin 2001, S. 150 ff.

12 Vgl. Martin van Creveld, *Die Zukunft des Krieges*, München 1991, insb. S. 84 ff.

13 Vgl. Gen. Terrance R. Dake, »The City's Many Faces. Investigating the Multifold Challenges of Urban Operation«, www.rand.org/publications/CF/CF148/CF148.appg.pdf.

14 Vgl. Dominik Kamalzadeh und Michael Pekler, »Universal Soldiers«, in: *Jungle World*, Nr. 16/2002, www.nadir.org/nadir/periodika/jungle_world/_2002/16/24a.htm.

15 Erfahrungsgemäß sterben mehr Zivilisten bei der Zerstörung von Gebäuden als durch direkte Waffeneinwirkung.

16 *Marine Corps Gazette*, zit. n. Dake, a.a.O., S. 215.

17 Vgl. Stefan Kaufmann, »Batman erblasst vor Neid. ›Electronic Soldier‹ – der Infanterist der Zukunft«, in: *Neue Zürcher Zeitung*, 7.3.2002, S. 33.

18 Vgl. Col. Gary W. Anderson, »Urban Warrior and USMC Urban Operations«, www.rand.org/publications/CF/CF148.

19 »›We Band of Brothers‹. The Call for Joint Urban Operations Doctrine«, www.rand.org/publications/DB/DB270, S. 35.

20 Vgl. Daniel Levy und Natan Sznaider, *Erinnerung im globalen Zeitalter: Der Holocaust*, Frankfurt/M. 2001.

WAR DIGEST – STICHWORTE ZUM KRIEG

KLASSIK

Der Krieg ist eine bloße Fortsetzung der Politik mit anderen Mitteln. So sehen wir also, daß der Krieg nicht bloß ein politischer Akt, sondern ein wahres politisches Instrument ist, eine Fortsetzung des politischen Verkehrs, ein Durchführen desselben mit anderen Mitteln. Was dem Kriege nun noch eigentümlich bleibt, bezieht sich bloß auf die eigentümliche Natur seiner Mittel. Daß die Richtungen und Absichten der Politik mit diesen Mitteln nicht in Widerspruch treten, das kann die Kriegskunst im allgemeinen und der Feldherr in jedem einzelnen Falle fordern, und dieser Anspruch ist wahrlich nicht gering; aber wie stark er auch in einzelnen Fällen auf die politischen Absichten zurückwirft, so muß dies doch immer nur als eine Modifikation derselben gedacht werden; denn die politische Absicht ist der Zweck, der Krieg ist das Mittel, und niemals kann das Mittel ohne Zweck gedacht werden.

Carl von Clausewitz, *Vom Kriege*, Berlin 1916, S. 19

NEUE KRIEGE

Während die klassischen Staatenkriege durch Rechtsakte wie Kriegserklärung und Friedensschluss vom Zustand des Friedens getrennt waren und es in ihnen, wie Hugo Grotius in seinem großen Werk *De iure belli ac pacis* betont hat, kein Drittes zwischen Krieg und Frieden gab, haben die neuen Kriege weder einen identifizierbaren Anfang noch einen markierbaren Schluss. In den seltensten Fällen wird man datieren können, wann einer dieser Kriege begonnen hat und wann die Gewalt, nachdem sie über einige Zeit erloschen ist, wieder auflodert. Die klassischen Kriege endeten durch einen Rechtsakt, der den Menschen die Gewissheit gab, dass sie nunmehr ihr Sozialverhalten und Wirtschaftsgebaren wieder auf Friedensbedingungen umstellen konnten; die meisten der neuen Kriege hingegen sind zu Ende, wenn die überwiegende Mehrheit der Menschen sich so verhält, als sei Frieden, und dabei zugleich die Durchsetzungskraft besitzt, die verbliebene Minderheit auf Dauer zu nötigen, sich ebenso zu verhalten. Das Problem ist freilich, dass in diesen Fällen die Definitionsmacht nicht bei der Mehrheit, sondern bei einer Minderheit liegt: Wo keine Staatsmacht vorhanden ist, die mit Hilfe ihrer Exekutivorgane den Mehrheitswillen durchzusetzen vermag, bestimmen diejenigen über Krieg und Frieden, die die größte Gewaltbereitschaft haben.

Herfried Münkler, *Die neuen Kriege*, Reinbek bei Hamburg 2002, S. 27

Die neuen Kriege [...] sind vor allem durch zwei Entwicklungen gekennzeichnet, die sie zugleich deutlich von den Staatskriegen der vorangegangenen Epochen unterscheiden: Zum einen durch Privatisierung und Kommerzialisierung, also das Eindringen privater, eher von wirtschaftlichen als von politischen Motiven geleiteter Akteure in das Kriegsgeschehen, und zum anderen durch Asymmetrisierung, das heißt durch das Aufeinanderprallen prinzipiell ungleichartiger Militärstrategien und Politikrationalitäten, die sich, allen gerade in jüngster Zeit verstärkt unternommenen Anstrengungen zum Trotz, völkerrechtlichen Regulierungen und Begrenzungen zunehmend entziehen. Vieles spricht dafür, dass diese Entwicklung ihren Höhepunkt noch lange nicht erreicht hat.

Herfried Münkler, Die neuen Kriege, Reinbek bei Hamburg 2002, S. 57

REVOLUTION IN MILITÄRISCHEN ANGELEGENHEITEN

Genauso wie es drei große Zeitalter des Krieges gibt – nämlich das frühgeschichtliche taktische Zeitalter, das durch begrenzte Tumulte geprägt ist, dann das historische und im eigentlichen Sinne politische strategische Zeitalter und schließlich das gegenwärtige logistische Zeitalter, in dem Wissenschaft und Industrie eine herausragende Rolle für die Zerstörungspotentiale der Streitkräfte spielen –, genauso gibt es auch drei Waffengattungen, die sich im Laufe der Geschichte in ihrer Bedeutung ablösten: die Obstruktionswaffen (Stadtmauern, Bastionen und Harnische), die Zerstörungswaffen (Bögen, Kanonen, Raketen usw.) und die Kommunikationswaffen (unter anderem Beobachtungs- und Signaltürme, verschiedene Waffenträger, Funk, Radar, Satelliten). Mit jeder dieser »Waffengattungen« überwog jeweils eine bestimmte Kriegsführung. Der Belagerungskrieg der Obstruktionswaffen, der Bewegungskrieg der Zerstörungswaffen sowie der Blitzkrieg bzw. der totalitäre Krieg der Kommunikationswaffen.

Paul Virilio, Krieg und Fernsehen, Frankfurt/M. 1997, S. 37

Da man nun in die Lage versetzt ist, die Welt zu miniaturisieren – nachdem es gelungen ist, die in ihr enthaltenen Komponenten, die Strecken sowie die Dinge zu miniaturisieren –, ist der sogenannte konventionelle Krieg dank der Trägereigenschaften und der Geschwindigkeit der Flugkörper, die von den Streitkräften eingesetzt werden, global und weltumspannend geworden, da die Luft- und Weltraumstreitkräfte im wesentlichen die Leistungsfähigkeit elektromagnetischer Wellen nutzen. Als erstem Tarnkrieg der Geschichte ist es dem Krieg der Echtzeit gelungen, nicht nur die Unauffälligkeit seiner Mittel, seiner Angriffswaffen und ihre Einsatzstrategie auf dem Schlachtfeld im Nahen Osten zu nutzen, sondern auch die totale Kontrolle über ihre öffentliche Darstellung, und das weltweit. Damit ist das militärische Umfeld nicht mehr in erster Linie das geophysikalische Umfeld des realen Raums der (Boden-, See- oder Luft-)Schlachten, sondern vielmehr der mikrophysikalische Raum des elektromagnetischen Umfeldes der Echtzeit eingeleiteter Operationen, und das unabhängig davon, ob in Friedens- oder in Kriegszeiten. Das machte das Embargo gegen Irak deutlich, das dem Beginn der Feindseligkeiten vorausging und bei dem der wesentliche Teil der weltraum- und luftfahrttechnischen Einrichtungen installiert wurde.

Paul Virilio, Krieg und Fernsehen, Frankfurt/M. 1997, S. 114 f.

Den weitaus größten Teil der Feuerkraft stellen motorisierte, von Mannschaften bediente Waffensysteme, die auch den Löwenanteil der Kosten ausmachen. Einige heute eingesetzte Systeme feuern bis zu 6000 Schuß in der Minute ab. Andere sind so zielgenau, dass sie eine Rakete im Flug treffen, wieder andere haben eine so große Feuerkraft, dass sie praktisch jedes bewegliche Ziel in die Luft jagen können, selbst 60 Tonnen schwere Panzer mit einer mehrschichtigen Panzerung. Einige Waffensysteme fliegen mit doppelter Schallgeschwindigkeit; andere treffen den Feind noch in Dutzenden oder gar Hunderten Kilometer Entfernung. Bei solchen Geschwindigkeiten und Entfernungen sehen die Piloten und Bedienungsmannschaften dieser Systeme häufig ihre Gegner gar nicht. Vielmehr werden die Ziele von Radargeräten ausgemacht und erscheinen als Punkte auf dem Leuchtschirm. Sie werden mit Hilfe von technischen »elektronischen« Leseinstrumenten aufgespürt, anvisiert und angegriffen.

Folglich werden moderne Flugzeuge, Hubschrauber, Schiffe, Panzer, Panzerabwehrwaffen, Artillerie und Raketen aller Art in zunehmendem Ausmaß abhängig von der Elektronik. Das geht schon so weit, daß die Abhängigkeit an sich als bester Hinweis für ihre Modernität zu werten ist. Elektronische Ortungssysteme und die Computer, mit denen sie verbunden sind, reagieren aber sehr empfindlich auf umgebungsbedingte Störungen. Sie arbeiten sehr zuverlässig in einfachen Medien wie Luft, Wasser und selbst auf offenen Ebenen und Wüsten. Je vielschichtiger die Umgebung jedoch ist, desto größer werden die Schwierigkeiten. Viele Sensoren können einen Freund nur dann von einem Feind unterscheiden, wenn das Ziel mithilft und ein zuvor vereinbartes Erkennungssignal aussendet. Beispielsweise schossen die Syrer im Jahre 1973 eine Reihe eigener Flugzeuge ab und 1988 wurde eine iranische Linienmaschine im Persischen Golf heruntergeholt. Hinzu kommt noch, daß die Computer, welche die von den Sensoren gelieferten Informationen verarbeiten, nur auf ausdrücklich von ihren Programmierern vorgesehene Eventualitäten reagieren können. Komplexe Umgebungen haben häufig zur Folge, daß falsche Signale aufgenommen und weitergeleitet werden, was wiederum entweder einen falschen Alarm auslöst oder überhaupt keinen.

Sobald die Prinzipien, nach denen diese Apparate funktionieren, erst einmal erkannt sind, lassen sie sich aber leicht austricksen, überlasten oder blockieren. Häufig wird dafür lediglich ein ähnlicher Apparat benötigt, der so abgeändert wird, daß er die Sensoren irritiert. Als die Iraner beispielsweise begannen, Boden-Boden-Raketen gegen Ölanlagen in den Golfstaaten einzusetzen, wurden rasch Systeme installiert, welche die Raketen auf vor der Küste verankerte Flöße lenkten. Es ist nicht allzu schwer, einen Apparat zu bauen, der das akustische »Kennzeichen« eines U-Boots entsendet, wo in Wahrheit gar kein Boot ist (ein aktives Sonar läßt sich vermutlich nicht so leicht irreführen, funktioniert aber nicht auf so große Entfernung). Schon eine Leuchtkugel im Wert von ein paar Dollar kann eine thermisch gesteuerte Luftabwehrrakete im Wert von Zehntausenden Dollar fehlleiten und ins Leere fliegen lassen. Es gibt zahllose Möglichkeiten, und diese können selbst Länder nutzen, die nur bescheidene technische Hilfsmittel zur Verfügung haben.

Martin van Creveld, Die Zukunft des Krieges, München 1998, S. 59 f.

Präzision auf Distanz verändert das Wesen und das Ziel des Kampfeinsatzes. Anstatt mit dem Gegner direkt zu kämpfen, geht es darum, ihn über eine große Entfernung hinweg zu zerstören. Damit beschleunigt sich eine schon lange erkennbare Tendenz: Seit Jahrhunderten wird das Schlachtfeld immer leerer. So machen Militärschläge aus großer Entfernung den totalen Schutz der Streitkräfte zu einem wichtigen, wenn auch paradoxen Ziel der modernen Kriegsführung. Große Entfernungen haben auch politische Vorteile. Wenn man einen Krieg vom amerikanischen Kontinent aus führen kann, oder von einem U-Boot aus, das Tausende von Meilen von seinem Ziel entfernt kreuzt, unterliegt man nicht mehr dem Zwang, die Zustimmung seiner Bündnispartner für die Nutzung ihrer Stützpunkte einzuholen, und man setzt amerikanische Militäreinrichtungen keinem Risiko mehr aus.

Michael Ignatieff, Virtueller Krieg, Hamburg 2001, S. 156

Neue Waffensysteme könnten uns zwingen, eine grundlegende Annahme über Demokratien neu zu bewerten: dass sie nämlich seltener Krieg führen als autoritäre Regime und dass sie selten, wenn überhaupt, gegen andere Demokratien Krieg führen. Es mag durchaus sein, dass Demokratien so lange friedliebend sind, wie die Risiken eines Krieges ihren Bürgern auch wirklich vor Augen stehen. Wird Krieg hingegen virtuell, und damit risikofrei, könnten demokratische Wähler eher zum Krieg bereit sein, vor allem wenn es um eine Sache geht, die in der Sprache der Menschenrechte oder sogar der Demokratie als solcher eine gerechte Sache ist.

In dieser sich abzeichnenden Herrschaft des virtuellen Konsenses wird zwar die Öffentlichkeit konsultiert, doch die formalen Institutionen der Demokratie werden umgangen. Die neuen Kriege um die Menschenrechte finden in einer Zeit statt, in der der Einfluss repräsentativer Institutionen auf die Frage von Krieg und Frieden schwindet. Diese Institutionen überleben zwar, verlieren aber an Bedeutung. Unsere politischen Vertreter debattieren in leeren Sitzungssälen, und in den wohl wichtigsten Fragen von Krieg und Frieden übergeht die Exekutive die Volksvertreter, um die öffentliche Meinung direkt zu formen und zu manipulieren. Damit werden die Kontrollinstitutionen der konstitutionellen Regierungsform – deren zentralster Zweck es unter anderem ist, den ungezügelten und unbesonnenen Einsatz militärischer Gewalt durch die Exekutive einzuschränken – zeitweilig außer Kraft gesetzt.

Michael Ignatieff, Virtueller Krieg, Hamburg 2001, S. 169

PERMANENTER AUSNAHMEZUSTAND

In dieser Welt ohne Innen und Außen, wo »der Handel zwischen den Nationen« zugleich mit der weltweiten Zersetzung des Gemeinschaftslebens (des so genannten »inneren Friedens«) die Maske des äußeren Friedens fallen gelassen hat, geht dies weiter, bis es schließlich ist, als wären Frieden und Krieg so eng verwoben, dass sie nur noch Vorder- und Rückseite desselben über den Planeten geworfenen Tuchs bildeten. Der Frieden, anders ausgedrückt, der globale Krieg ... Das ist weniger eine Hypothese als eine Feststellung, die von allen in dieser hybriden Identität getroffen wird, die »alle Welt« in eine Metapolitik stürzt, in welcher der Frieden nur noch die Fortsetzung des Krieges mit anderen Mitteln zu sein scheint; eine völlig relative Andersheit einer fortgesetzten Polizeiaktion gegen die globalisierte polis unter der Sondergesetzgebung eines unendlichen Krieges. Frieden leitet sich daraus ab als Institution eines permanenten Ausnahmezustands.

Eric Alliez und Antonio Negri, »Frieden und Krieg«, in: Lettre, Nr. 59, IV/02, S. 20

Es geht nicht mehr darum, den Krieg vorzubereiten, um den Frieden zu sichern (dies wäre das Prinzip der Abschreckung), sondern darum, Frieden im Krieg zu machen und eine fortgesetzte Zerstörung zu bewirken (Umkehrung des »progressiven« theologischen Szenarios einer fortgesetzten Schöpfung), so dass Souveränität auf ein Ungleichgewicht des Schreckens reduziert wird. Wäre der Frieden demnach zur postmodernen Anrufung des Kriegs geworden? Ein Projekt, den Krieg in der Welt zu perpetuieren, ein Projekt eines ewigen Weltkriegs?

Eric Alliez und Antonio Negri, »Frieden und Krieg«, in: *Lettre*, Nr. 59, IV/02, S. 21

LOW INTENSITY CONFLICT UND SCHATTENÖKONOMIE

Wo dies infolge der Verfügbarkeit strategischer Rohstoffe und wertvoller Bodenschätze möglich war, wurden zu Beginn der neunziger Jahre die auf den Ost-West-Konflikt gestützten Ressourcenzuflüsse durch entsprechende Verbindungen zum Weltmarkt ersetzt. Internationale Unternehmen, von den Ölkonzernen bis zu den großen Diamantenhändlern, oder kriminelle Organisationen traten damit an die Stelle der zahlungsunfähigen Sowjetunion sowie der zunehmend zahlungsunwilligen USA. Auch wenn man den tatsächlichen politischen Einfluss, den die Supermächte auf das Kriegsgeschehen gehabt haben, nicht überschätzen sollte, so ist es doch unbestreitbar, dass die wirtschaftlichen Grundlagen der meisten Kriege damit einem politischen Zugriff durch Dritte, andere Staaten, aber auch internationale Organisationen, weitgehend entzogen wurden.

Wahrscheinlich liegt in der Errichtung offener Kriegsökonomien, die von außen politisch nicht mehr zu kontrollieren sind, die ausschlaggebende Ursache für die Verselbständigung des Kriegsgeschehens. Das heißt nicht, dass sämtliche Kriege des letzten Jahrzehnts ausschließlich durch den Anschluss an die Schattenglobalisierung finanziert worden sind – eine ganze Reihe von ihnen wird nach wie vor durch politisch kontrollierte Ressourcenzuflüsse am Fortdauern gehalten [...] Bei einer wachsenden Anzahl von Kriegen sind solche Zuwendungen durch »interessierte Dritte« jedoch nicht mehr feststellbar, und die politische Unabhängigkeit der regionalen Kriegsparteien gegenüber Unterstützungs- und Anlehnungsmächten lässt Kriege, die über die Kanäle der Schattenglobalisierung finanziert werden, für diese Kriegsparteien zunehmend attraktiv erscheinen. Wo schließlich weder Rohstoffe noch Bodenschätze zur Verfügung stehen, um die für Kriegführung erforderlichen Mittel zu erhalten, und sich auch die geographischen wie klimatischen Bedingungen für den Anbau von Mohn oder Kokapflanzen nicht eignen, da bleibt noch die Möglichkeit, in großem Stil junge Frauen zu rauben und sie in den Bordellen der OECD-Staaten zur Prostitution zu zwingen. [...] Und schließlich besteht für die Warlords und Milizenführer als Letztes noch die bereits erwähnte Möglichkeit, durch die mediale Präsentation von Hunger und Elend Hilfslieferungen internationaler Organisationen in Gang zu setzen, aus denen dann die eigenen Kämpfer als Erste mit Lebensmitteln und Medikamenten versorgt werden können. Dementsprechend gibt es heute so gut wie keine Warlordfigurationen mehr, die auf einer geschlossenen Kriegswirtschaft beruhen.

Herfried Münkler, *Die neuen Kriege*, Reinbek bei Hamburg 2002, S. 171 f.

Nach den Erfahrungen der letzten beiden Jahrzehnte werden die Visionen von einer weitreichenden, computerisierten und hochentwickelten Kriegsführung, die dem militärisch-industriellen Komplex so am Herzen liegt, niemals Realität werden. Der bewaffnete Konflikt wird von Menschen auf der Erde geführt werden und nicht von Robotern im Weltall. Er wird mehr den Kämpfen primitiver Stämme gleichen als einem großangelegten konventionellen Krieg von der Art, wie ihn die Welt wohl zum letzten Mal in den Jahren 1973 (Jom-Kippur-Krieg), 1982 (Falkland-Krieg), 1980–1988 (iranisch-irakischer Krieg) und 1991 (Golfkrieg) miterlebt hat. Da die Kämpfer sich untereinander und mit der Zivilbevölkerung vermischen werden, wird die Clausewitzsche Strategie hier nicht greifen. Die Waffen werden eher immer primitiver werden als immer ausgeklügelter. Krieg wird nicht aus sicherem Abstand von adrett uniformierten Männern in vollklimatisierten Räumen geführt werden, wo sie vor ihren Bildschirmen sitzen, Symbole anklicken und Knöpfe drücken. Die »Truppen« selbst gleichen möglicherweise eher Polizisten (oder Piraten) als Sicherheitsanalytikern. Krieg wird nicht auf dem offenen Feld stattfinden, und sei es nur, weil es an vielen Orten in der ganzen Welt überhaupt kein offenes Feld mehr gibt. Die übliche Kulisse werden komplexe Umgebungen sein, entweder natürliche oder die noch komplexeren von Menschenhand erschaffenen. Es wird ein Krieg der Abhörgeräte und der Autobomben sein. Männer werden sich aus nächster Nähe gegenseitig umbringen, und Frauen werden in ihren Handtaschen Sprengstoffe mit sich herumtragen mitsamt den nötigen Drogen, um sie zu bezahlen. Der Krieg wird langwierig, blutig und grauenvoll sein.

Martin van Creveld, *Die Zukunft des Krieges*, München 1998, S. 309 f.

Falls der *low intensity conflict* tatsächlich der Wink der Zukunft ist, dann wird Strategie im klassischen Sinn verschwinden – viele sind sogar der Ansicht, daß sie schon heute nicht mehr als reine Spiegelfechterei ist und nur noch für die Kriegsspiele der Generalstäbe gewisse Bedeutung hat. Wie der herkömmliche Krieg, zu dem die Strategie gehört, ist sie selbst zwischen zwei Schneiden einer Schere geraten, mit den Atomwaffen auf der einen Seite und dem *low intensity conflict* auf der anderen. Bei dem Einsatz von Atomwaffen werden sämtliche geographischen Unterscheidungen aufgehoben: Falls Streitkräfte – und aller Wahrscheinlichkeit nach die politischen Einheiten, von denen sie ins Feld geschickt werden – zukünftig überleben und richtig kämpfen sollen, dann werden sie sich miteinander und mit der Zivilbevölkerung vermischen müssen. Wenn sie sich erst einmal vermischt haben, werden im Zuge des aufkommenden *low intensity conflict* richtige Gefechte mehr und mehr von Geplänkeln, Bombenanschlägen und Massakern abgelöst werden. An die Stelle der Verbindungslinien werden kurze vorübergehend umgewandelte Anfahrtswege treten. Stützpunkte werden von Schlupfwinkeln und heimlichen Lagerplätzen abgelöst werden, große geographische Angriffsziele von einer bestimmten Steuerung der Bevölkerung, die sich mit Hilfe einer Mischung aus Propaganda und Terror erreichen läßt.

Martin van Creveld, *Die Zukunft des Krieges*, München 1998, S. 302 f.

So befindet sich der Westen nun in einem Dauerkrieg gegen einen immer noch unsichtbaren, aber nun globalen Gegner – einem Krieg ohne Grenzen, ohne Konvention, ohne Ende. Dieser verallgemeinerte Krieg ist ein kulturalisierter, ein massenkultureller Krieg, weil dieser Krieg sowohl im Zentrum als auch an der Peripherie eine Auseinandersetzung im Medium symbolischer Kommunikation ist. Als Ziel gilt nicht mehr die Gewinnung von Territorium oder die Vorherrschaft einer Ideologie, sondern die Verteidigung eines zumeist bloß rhetorisch definierten Lebensstils – sei es die »nationale Identität«, unser »Way of Life« oder die »Zivilisation«. Die Mittel der Kriegführung sind letztlich überall mehr oder weniger terroristisch. In beiden Varianten des massenkulturellen Krieges geht es um die Verbreitung von Unsicherheit und Angst. Der Einsatz von Gewalt ist eine Kommunikationsstrategie, wobei eben kein Raum, sondern die »Seele« der Bevölkerung besetzt werden soll – nicht umsonst achten alle Parteien darauf, dass Kameras und Mikrofone stets in der vorteilhaftesten Weise auf sie gerichtet sind. Jede Aktion spricht gleichzeitig zur lokalen Anhängerschaft wie zur internationalen westlichen Medienöffentlichkeit. Der massenkulturelle Krieg verwischt die Grenze zwischen Kombattanten und Zivilisten. Die westliche Massenkultur ist zu einer Art Trainingslager für soldatische Verhaltensweisen geworden.

Tom Holert und Mark Terkessidis, *Entsichert*, Köln 2002, S. 67 f.

Insgesamt betrachtet sind die unerwünschten und rechtswidrigen Nebenwirkungen der alten Kriege zu zentralen Bestandteilen des neuen Modus der Kriegsführung geworden. Gelegentlich werden die neuen Kriege als Rückfall in die Primitivität gebrandmarkt. Doch waren primitive Kriege in hohem Maße ritualisiert und durch soziale Zügel eingegrenzt. Die neuen Kriege hingegen sind rational in dem Sinn, dass in ihnen Kriegsziele zweckrational verfolgt und normative Beschränkungen abgelehnt werden.
Statistiken zu den neuen Kriegen bestätigen dieses für den neuen Typus von Kriegsführung charakteristische Gewaltmuster. Die Tendenz, eine regelrechte Schlacht zu vermeiden und in erster Linie gewaltsam gegen die Zivilbevölkerung vorzugehen, zeigt sich in dem dramatischen Anstieg ziviler im Verhältnis zu militärischen Opfern. Zu Beginn des 20. Jahrhunderts waren 85 bis 90 Prozent der Kriegsopfer Armeeangehörige. Im Zweiten Weltkrieg machten Zivilisten die Hälfte der Kriegstoten aus. Seit den späten neunziger Jahren hat sich das Verhältnis von vor hundert Jahren praktisch ins genaue Gegenteil verkehrt, so dass heute ungefähr 80 Prozent aller Kriegsopfer der Zivilbevölkerung angehören.

Mary Kaldor, *Neue und alte Kriege. Organisierte Gewalt im Zeitalter der Globalisierung*,
Frankfurt/M. 2000, S. 160

In den klassischen Staatenkriegen, die in Schlachten und militärischen Umfassungsmanövern entschieden wurden, war sexuelle Gewalt auf gegnerischem Territorium dysfunktional, weil sie die Geschwindigkeit der Truppenbewegung verlangsamte, die Gefahr der Infizierung mit Geschlechtskrankheiten erhöhte und gleichzeitig die Kampfmoral untergrub. Die kriegsvölkerrechtlichen Bestimmungen zum Schutz der Zivilbevölkerung kamen der Organisationsrationalität des militärischen Apparats entgegen, und deshalb wurden sie mit dem erforderlichen Nachdruck durchgesetzt. In den neuen Kriegen jedoch, die sich gerade darin wie eine Rückkehr zu den Formen spätmittelalterlicher Kriegsführung ausnehmen, sind Vergewaltigungen oft in höchstem Maße funktional. Sie untergraben die Bereitschaft, trotz widriger Umstände und eines nur unter Lebensgefahr zu bewältigenden Alltags in der angestammten Heimat auszuharren und auf bessere Verhältnisse zu warten. Demgemäß wird die sexuelle Gewalt gegen Frauen hier von der politisch-militärischen Führung auch nicht unterbunden und sanktioniert, sie wird vielmehr angeordnet und organisiert. Unter solchen Umständen kann dem Kriegsvölkerrecht allenfalls von außen durch die bewaffnete Intervention eines Dritten Geltung verschafft werden.

Ist in der Schlacht der uniformierte Körper des Mannes das Objekt der Gewalt, so richtet diese sich im Massaker vorzugsweise gegen den Körper der Frau. […]

Von feministischer Seite aus ist vorgeschlagen worden, sexuelle Gewalt gegen Frauen als eine Kommunikation zwischen Männern zu begreifen. »Vergewaltigung«, so Susan Brownmiller, »zerstört bei den Männern der unterlegenen Seite alle verbliebenen Illusionen von Macht und Besitz. Der Körper der geschändeten Frau wird zum zeremoniellen Schlachtfeld, zum Platz für die Siegesparade des Überlegenen.«

Herfried Münkler, Die neuen Kriege, Reinbek bei Hamburg 2002, S. 148 ff.

POP, BILD UND TERROR

Wie die Zeitschrift Esquire berichtete, kopierten die G.I.s bei manchen Angriffen die Methoden psychologischer Kriegsführung aus *Apocalypse Now*. Sie flogen ihre Hubschrauber-Attacken zu den Klängen von Wagners Ritt der Walküren. Sechs Jahre später, 1989, eroberten die USA im Rahmen ihres »War on Drugs« Panama, um des wegen Drogenhandels und Menschenrechtsverletzungen angeklagten Diktators Manuel Noriega habhaft zu werden. Als dieser sich in der Botschaft des Vatikans versteckte, machte das US-Militär Rock 'n' Roll zu einer Waffe. Weil der angeblich abergläubische Noriega den Teufel fürchtete, wollte man ihn mit »teuflischer« Musik herausfordern. Um die Botschaft herum installierte die Truppe Lautsprecher und begann eine ohrenbetäubende Dauerbeschallung. Der erste Song war bezeichnend: »Welcome to the Jungle« von Guns 'n' Roses. Auf der Playlist standen zunächst besonders »teuflische« Bands wie The Birthday Party, Pussy Galore oder Sonic Youth.

Tom Holert und Mark Terkessidis, Entsichert, Köln 2002, S. 54 f.

Viele Beobachter waren sich einig, dass das World Trade Center auch die architektonische Konkretisierung von Herrschaftsansprüchen einer globalisierten Ökonomie gewesen ist. Typisch für die sich daraus ergebenden Schlussfolgerungen war die suggestive Illustrationspolitik für einen Artikel in der »Special Davos Edition« von Newsweek: Neben ein Foto von palästinensischen Kindern mit Steinschleudern wurde ein Bild des Einschlags des ersten Flugzeugs im World Trade Center montiert. Das in solchen Gegenüberstellungen enthaltene »Wissen« um die symbolische Funktion der Twin Towers hatte sich zuvor bereits fest im massenkulturellen Imaginären eingenistet. Von dort wirkt es bis in die tiefen Oberflächen von B-Movies hinein: Das World Trade Center »repräsentiert Kapitalismus«, argumentiert ein Terrorist im neuen Jackie-Chan-Film *Nose Bleed* ganz auf der Höhe des Diskurses.

Tom Holert und Mark Terkessidis, *Entsichert*, Köln 2002, S. 234

Mittlerweile ist Diplomatie nur noch durch dazwischengeschaltete Bilder wirkungsvoll. Irgendwo eine unschlagbare Armada aufzubieten, hat nur unter der Voraussetzung einen Sinn, daß der Bildschirm strategisch besetzt wird (live coverage), wobei das Bild den Primat über die Sache hat, dessen Bild es doch nur ist. Aus dem diplomatischen Handeln als der Kunst, Worte abzuwägen, mit denen nichts gesagt wird, ist die Kunst geworden, Bilder zu finden, mit denen nichts oder beinahe nichts gezeigt wird, ganz so wie dieses nicht zu ortende Flugobjekt mit der Bezeichnung F 117.

Paul Virilio, *Krieg und Fernsehen*, Frankfurt/M. 1997, S. 14

Was wird heute zum Ereignis? Kunst, Kultur, Wirtschaft und Politik, sie alle bringen heute lauter Nichtereignisse hervor. Selbst der Krieg ist kein Ereignis mehr. All das geht in den Universalaustausch ein. Was ist denn in der Lage, wieder eine Zone zu erschaffen, in der der Tausch unmöglich ist, die potentielle Leere, aus der eine ungewöhnliche, fremdartige Situation erwachsen könnte? Sozusagen ein Äquivalent zum Ground Zero – einem merkwürdigen Begriff (auch wenn es mit dem in New York nichts zu tun hat, weil es dort eben nichts zu sehen gibt): ein magnetischer Raum des Verschwindens, wo alles sich zusammenballt, wo sich nach Rothko etwas in alle Richtungen verschließt: »Heute, wo jede kritische Radikalität unnütz geworden ist, wo jede entschlossene Negativität in einer Welt, die vorgibt, sich zu realisieren, nutzlos wurde, wo der kritische Geist seinen Zweitwohnsitz im Sozialismus gefunden hat, wo die Wirkung des Begehrens lange vorbei ist, was bleibt noch, als die Dinge wieder auf den rätselhaften Nullpunkt zu bringen?« (aus: Fatale Strategien)

Jean Baudrillard, »Hypothesen zum Terror«, in: *Lettre*, Nr. 56, I/02, S. 16

Was ist aber nun mit dem »wirklichen« Ereignis, wenn das Bild, die Fiktion, das Virtuelle allenthalben in die Realität eindringen? Man hat die Terror-Attacken vom 11. September zum Anlass genommen, von einer Rückkehr des Realen und der Gewalt des Realen in ein angeblich virtuelles Universum zu sprechen, so wie von der Wiederauferstehung der Geschichte nach ihrem angekündigten Ende die Rede war. Aber übertrifft die Realität wirklich die Fiktion? Es scheint so, aber nur deshalb, weil sie deren Energie absorbiert hat und selbst Fiktion geworden ist. Man könnte fast sagen, dass die Realität auf die Fiktion eifersüchtig ist, dass das Reale auf das Bild eifersüchtig ist. Beide liegen sozusagen miteinander im Wettstreit, welches wohl das Unvorstellbarste sei.

Jean Baudrillard, »Hypothesen zum Terror«, in: *Lettre*, Nr. 56, I/02, S. 17

GERECHTER KRIEG

Der Militäreinsatz im Kosovo erreichte seine Ziele, ohne dass auch nur ein Soldat der NATO im Kampf gefallen wäre. Aus militärischer Sicht ist das eine noch nie da gewesene Leistung. Unter ethnischen Gesichtspunkten verändern sich dadurch die Erwartungen an die moralischen Prinzipien des Krieges. Die stillschweigende Vereinbarung des Kampfes war zu allen Zeiten eine grundlegende Gleichheit der moralischen Gefährdung: Entsprechend beruft sich der Einsatz von Gewalt im Krieg auf die Legitimität der Selbstverteidigung. Diese Vereinbarung wird jedoch sinnlos, wenn eine Seite anfängt, ungestraft zu töten. Anders gesagt, ein Krieg ist dann nicht mehr gerecht, wenn er zu einer Truthahn-Schießerei wird.

Michael Ignatieff, *Virtueller Krieg*, Hamburg 2001, S. 147

A1-53167 (ANÍBAL ASDRUBAL LÓPEZ)

In Guatemala wird das Militär zurzeit wegen der von ihm begangenen Massaker und Verbrechen gegen die Menschlichkeit angeklagt. Sehr bekannt sind zum Beispiel die Anzeigen, die Rigoberta Menchú in England und Spanien gemacht hat.

2000 organisierte ich eine Kunstaktion, bei der ich zehn große Säcke Kohle auf der Hauptallee im Zentrum von Guatemala-Stadt verstreute, wo eine Militärparade stattfinden sollte. Meine fotografische Dokumentation von diesem Tag ist leider nicht sehr gut; es herrschten große Angst und Paranoia. Insgesamt sind es 180 Fotos. Die Idee dieser Aktion ist, dem Militär die vielen Verbrechen, die es begangen hat, in Erinnerung zu rufen. Es gibt nämlich eine enge Verbindung zwischen der Kohle, den Massakern und dem Militär, denn in den Massengräbern findet man immer dieses Material: Hütten und Tote werden meistens verbrannt.

Ich wusste, dass man die Kohle vor der Parade beseitigen würde. Ich verstreute sie gegen zwei Uhr am Morgen und um sieben Uhr wurde sie schon weggeschafft. Aber es blieben Spuren. Ich wollte, dass das Militär über diese Spuren läuft und ich Fotos vom marschierenden Heer machen kann. Indem ich mit Zeichen operiere, die sich irgendwie etabliert haben, wie in diesem Fall die Kohle, die auf die Massaker und Massengräber hinweisen, beziehe ich mich mit der Aktion auf Probleme, die existierten, ohne zu offensichtlich zu werden. Ich hatte nicht die Absicht, dass diese Zeichen von den Zuschauern der Parade wahrgenommen werden, sondern das Militär selbst sollte sie bemerken. Auf einigen der Fotos erscheinen auch die »Kaibiles«, eine Elitetruppe, die meines Wissens die zweit-blutrünstigste der Welt sein soll. Sie soll z.B. auch im Irak und in anderen Kriegen zum Einsatz gekommen sein. Die Ausbildung der »Kaibiles« ist sehr hart. Man erzählt, dass sie ohne Nahrung und nur in Begleitung eines Hundes inmitten des Urwalds im Petén mit dem Befehl abgeworfen werden, an einen bestimmten Treffpunkt zu gelangen. Wenn sie mit Hilfe des Hundes dorthin gekommen sind, müssen sie das Tier aufessen. Es ist furchtbar, und es gibt Tausende solcher Geschichten, von denen man nicht weiß, ob sie wahr sind oder nur Legende. Wahr ist aber, dass diese Truppe maßgeblich an den Einsätzen gegen die Guerilla beteiligt war. Der Name »Kaibil« kommt im *Popol Vuh* vor, dem heiligen Buch der Maya, übrigens die Volksgruppe, von der die »Kaibiles« die meisten Menschen umgebracht haben.

Die Militärs haben Informanten in den politischen Parteien und in der Regierung, sie mischen sich in alles ein, wissen aber nichts über mich. Ich kann so eine Aktion planen, und sie wissen nicht, woher sie kommt. Denn ich bereite sie sorgfältig vor und führe sie überraschend durch. Aber Tatsache ist, dass ich einige Szenen aus Angst nicht fotografieren konnte.

Ich glaube nicht, dass es ratsam ist, diese Fotos in Guatemala zu zeigen. Nicht so sehr meinetwegen, denn es gibt viele Institutionen, die mich unterstützen, sondern eher wegen der Leute, die mir helfen. Ich denke, es wäre zu gefährlich (...). Das Ziel z. B. in diesem Fall ist es, dass das Militär selbst etwas merkt. Die Dokumentation der Aktion dient nur dazu, die Fotos im Ausland zu verkaufen, um weitere solche Aktionen zu finanzieren. Mich interessiert es nicht, Werke für Galerien zu schaffen, sondern für ein bestimmtes Publikum zu einem besonderen Zweck. Ich ziehe es vor, Phänomene zu provozieren, um damit bei meinen Zielgruppen bestimmte Erfahrungen zu bewirken, die zum Nachdenken und Handeln führen können.

Anmerkung:
Am 5. Dezember 1974 rief die Militärregierung Guatemalas die Escuela de Comandos ins Leben, die drei Monate später in »Centro de Adiestramiento y Operaciones Especiales Kaibil« umbenannt wurde. »Kaibil« verweist auf »Kaibil Balam«, einen Herrscher des Mam-Reiches, der nie von den spanischen Konquistatoren festgenommen werden konnte. Information aus: »The Americas Project. Democracy and Human Rights in Guatemala«, World Policy Institute (New York), www.worldpolicy.org/globalrights
Auszüge aus einem Interview von Pat Binder und Gerhard Haupt (www.universes-in-universe.de)

A1-53167 (ANÌBAL ASTRUBAL LÒPEZ)

30 de Junio, 2000
Farbfotografien, 30 x 45 cm

SERGEI BUGAEV AFRIKA

Die *found footage*-Arbeit *Stalker 3* zeigt ein Video, das von russischen Spezialtruppen während des Tschetschenienkrieges gefunden wurde und einen Tag – den 16. April 1996 – im Verlauf dieses Konfliktes abbildet. Später gelangte es in die Hände des Künstlers Sergej Bugaev Afrika, der es neu editierte und gemeinsam mit Dmitri Gelfand die Tonspur bearbeitete.

Der Film dokumentiert das Schicksal des 245. motorisierten Infanterieregiments, einer russischen Einheit, die sich vor allem aus neuen, untrainierten Rekruten zusammensetzte. Die Soldaten befanden sich während eines Waffenstillstandes auf dem Heimweg und hatten keinerlei Luftunterstützung. Am frühen Morgen wurden sie von arabischen Kämpfern unter saudiarabischem Kommando angegriffen und schließlich völlig aufgerieben.

Das 53 Minuten lange Video zeigt Bilder vom Morgen nach dem Kampf und von einem Begräbnis tschetschenischer Kämpfer, das als Propagandapostskriptum an das Originalband angehängt wurde.

Stalker 3 wird als Installation präsentiert, die die Projektion des Films auf eine weiße Fläche und ein mit schwarzen Ölflecken besudeltes Kaninchenfell umfasst. So entsteht ein Environment, das zum Eintauchen in den Horror einlädt und gleichzeitig Distanz schafft: Die Amateurqualität des Videos perforiert die schaurige Realität des Geschehens, das Singen der Vögel, das die näher kommende Kolonne begleitet, die unvermittelten Wechsel von Farbe zu Schwarzweiß schaffen Momente der Inkongruenz in einem Theater der Grausamkeit. Die Qualität der Arbeit liegt in ihrer Ambivalenz und ihrer zeitlichen Organisation: Die Momente der Ereignislosigkeit sind im Verhältnis zu den »dramatischen« Zuspitzungen überbetont, das träge Abtropfen der Zeit nagt an den Konturen des Entsetzens.

Der Titel *Stalker 3* wurde von Afrika als Reverenz an den russischen Regisseur Andrej Tarkowskij gewählt, der einmal sagte: »Das ideale Kino ist die Wochenschau.« Sein Film *Stalker*, der die geistige Matrix für das Projekt von Sergej Bugaev bereitstellt, ist die Geschichte eines Heiligen und Wahnsinnigen, der in eine Zone der Anormalität eintritt, wo Außerirdische die Erde besuchen und wo Gefahr lauert.

Stalker 3 führt ebenfalls ins Zwielicht der existentiellen Relativitäten, in einen Ausnahmezustand der entfesselten Vernichtungslust, die sogar das vermeintlich unantastbare elektronische Auge attackiert: Der Kameramann gerät unter Beschuss und lässt sein Gerät zu Boden fallen; das Bild explodiert in einem wilden Wirbel aus Farben und Formen.

»Die Rolle der modernen Kunst ist nicht die Enthüllung des Geheimnisses«, schreibt Afrika, »sondern im Gegenteil seine Versiegelung. Die grundsätzliche Frage, die wir uns stellen müssen, ist: Wie können wir die Bedrohung des semiotischen Terrorismus abwehren, der nicht auf die Zerstörung der Infrastrukturen von Staaten zielt, sondern auf den Lebensnerv der Subjekte: das Unbewusste.«

Thomas Mießgang (TM)

DEJAN ANDJELKOVIĆ / JELICA RADOVANOVIĆ

Die Attacke der Nato auf Belgrad, schreibt Michael Ignatieff, sei »der einzige Luftkrieg der Geschichte [gewesen], in dem in der Dämmerung Liebespaare am Flussufer spazieren gingen und sich während des Essens im Restaurant das Feuerwerk anschauten« (Michael Ignatieff, *Virtueller Krieg*, Hamburg 2001, S. 95).

Diese surreale Komponente, das eigenartige Ineinanderfallen von militärischer Entfesselung und ziviler Beschaulichkeit im Zeichen des Inkommensurablen scheint eines der wesentlichen Kennzeichen des Konfliktes auf dem Balkan gewesen zu sein. Unmittelbar nach den nächtlichen Bombenangriffen verkauften Zeitungshändler Postkarten, die »Belgrad bei Nacht« zeigten: Sie zeigten Lichtblitze von Luftabwehrgeschützen und die Flammen, die aus dem brennenden Hauptquartier der Serbischen Sozialistischen Partei schlugen. Die unmittelbare Umwandlung des Erlebnisschocks in eine Handelsware, die Domestizierung des aus dem existentiellen Rahmen hinausdrängenden Unfassbaren im kleinen Rechteck des vervielfältigten Fotos, kann als eine Art merkantiler Voodoozauber gedeutet werden: ein Versuch, das unmäßige Toben der Geschichte im Abbild anzuhalten, die explosive Dynamik einzufrieren und der Ratio der Verwertung zuzuführen. Ein Kreislauf des Irrsinns, aus dem wenigstens noch einige Dinar herauszuschlagen waren.

In dem Video *Untitled* von Dejan Andjelković/Jelica Radovanović, das eine Performance aus dem Jahr 1996 dokumentiert, schwingt diese Atmosphäre von Surrealismus, dunkler Magie und ökonomischem Kannibalismus mit. Die »Urszene«, die das Material für *Untitled* lieferte, war ein Galerieevent, der Ereignis und Abbild verknüpfte: In »Echtzeit« sah das Publikum den Auftritt eines Zauberers und den ausgestreckten nackten Körper von Dejan Andjelković, der mit frisch geschnittener Mortadella bedeckt und dann einer Prozession von Hunden buchstäblich zum Fraß vorgeworfen wurde. Dazu lief ein Video, das scheinbar dasselbe Ereignis mit einer leichten Verzögerung präsentierte. »Während der Performance hatten die Besucher allerdings den Eindruck, dass die aufgezeichnete Aktion schneller sei als die tatsächliche«, schreibt der Kunsttheoretiker Branislav Dimitrijevic. »Das heißt: Die Aufzeichnung nahm die Entwicklung in der eigentlichen Performance vorweg.«

Dieses Navigieren auf der Zeitachse in unterschiedlichen Bewegungsrichtungen gründen Andjelković/Radovanović auf Lacans These von der »realen« Illusion (der Trick des Zauberers) und der »virtuellen« Illusion (die zeitlich verwirrende Videoaufzeichnung). Sie schaffen einen Raum der zeitlichen Unbestimmtheit, der Gesetzmäßigkeiten von Ursache und Wirkung außer Kraft setzt, sie befragen das Verhältnis von Ereignis und Abbild, von der Teleologie der Geschichte und der Implosion des Realen.

In gewisser Weise knüpft das Künstlerpaar Andjelković/Radovanović mit *Untitled* an die körperbetonte Kunst von Marina Abramović und Rasa Todosijević aus den siebziger Jahren an, bei der die Auslieferung des Selbst an eine unkalkulierbare Gefahr Teil des künstlerischen Prozesses war. Doch die numinose Kraft der rituellen Geste, die Auslieferung des Körpers an die kontingente Verwüstungslust des Bestialischen und die Schaffung eines zeitenthobenen Niemandsraumes, der Fragen nach Grund und Ursache annihiliert, verweisen auf die gesellschaftlich-politische Gemengelage der unmittelbaren Vergangenheit, wo das Grauen Sein und Symbol erschlug.

Die Serie von Digitaldrucken mit dem Titel *Ready made* liefert die farcehafte Variation des thematischen Komplexes, der mit *Untitled* assoziativ umspannt wird. Es sind Fotos von Kriegsverwüstungen in Serbien und dem Kosovo, in die Comicfiguren aus dem Disney-Universum einkopiert wurden. Trivialmythen kollidieren mit der Banalität des Bösen, die dekontaminierten Kinderwelten reiben sich an der rissigen Oberfläche des Realen. Es entsteht ein Hypertext, der die disparaten visuellen Codes diametral entgegengesetzter Lebenswirklichkeiten so verknüpft, dass eine unauflösbare Friktion entsteht.

TM

DEJAN ANDJELKOVIĆ/JELICA RADOVANOVIĆ
Untitled, 1996
Video, Ton, Farbe, 13,36 Min.

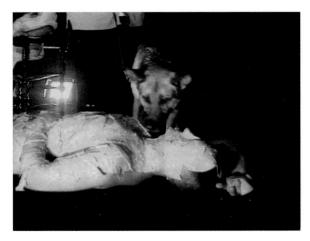

DEJAN ANDJELKOVIĆ/JELICA RADOVANOVIĆ
Ready made, 1999
Digitaldruck, 30 x 40 cm

DEJAN ANDJELKOVIĆ/JELICA RADOVANOVIĆ
Ready made, 1999
Digitaldruck, 30 x 40 cm

association APSOLUTNO

Gabriele Mackert: Dem Katalog eurer Einzelausstellung im Museum für zeitgenössische Kunst in Belgrad Ende 2002 stellt ihr ein Plädoyer für eine Kunst der Realität voran. Eure Motive findet ihr demnach bei der Erkundung realer Verhältnisse – von Architektur bis hin zum öffentlichen Raum der Medien. In einem Wortspiel mit eurem Namen sprecht ihr von »absolutely real facts«. Eure Werke seien Reaktionen auf solche Fundstücke. Als Interventionen zielten sie auf eine Veränderung der Wahrnehmung ab. Versteht ihr euch als »Gesellschaftsarbeiter« im eigenen Auftrag?

association APSOLUTNO: Uns geht es darum, neue Sichtweisen zu erschließen. Wir meinen, dass eine Brücke nicht bloß eine Brücke, ein Kiosk nicht bloß ein Kiosk ist. Die Dinge sind mehr als ihr bloßes Erscheinungsbild, wenn man sich dem gesellschaftlichen Zusammenhang zuwendet und sich die Beziehungen vor einem weiteren Hintergrund ansieht. Der Begriff »absolutely real facts« ist ein Schlüssel zu unserer Position. An sich ist der Begriff unlogisch: Wenn Tatsachen objektive Elemente der Wirklichkeit sind, wie können sie dann wirklich oder unwirklich oder gar »absolut wirklich« sein? Wir wollen darauf hinweisen, dass Dinge mehr bedeuten können, als sie sind, wenn wir uns die Mühe machen, sie zu lesen. So gesehen könnte man uns als »Gesellschaftsarbeiter« und unsere Kunst als »Gesellschaftsarbeit« bezeichnen.

Sowohl in a.trophy als auch in Le Quattro Stagioni, den in unserer Ausstellung gezeigten Werken, befragt ihr symbolische Zeichensysteme, deren Be- und Entwertung und verbindet das mit natürlichen Phänomenen. Etwa durch die jahreszeitliche Zuordnung der vier Teilbilder, die für einen wiederkehrenden Rhythmus mit einer gewissen Dynamik und Erneuerung stehen. Diese Vorgänge gelten gemeinhin als im Grunde nicht durch das Individuum beeinflussbar. Sie sind nicht gesellschaftlich. Was bezweckt ihr mit diesem antonymischen Spiel?

In vielen Arbeiten operieren wir mit eingeführten Formen der Kommunikation – mit Verkehrsschildern, dem Morsealphabet, offiziellen Hinweisen, Warnungen usw. Wir verwenden sie allerdings anders als vorgesehen oder stellen sie in einen überraschenden Zusammenhang, um neue Bedeutungen zu erzielen, positionieren etwa ein Warnschild mit der Aufschrift »Betreten auf eigene Gefahr!« vor dem Eingang einer Galerie oder bringen bei einem Grenzübergang ein Verkehrszeichen mit dem Wort »Menschlich« an. Wie bei *Le Quattro Stagioni* wurden Kommunikationssystem und Ort in beiden Fällen aus einem bestimmten Grund gewählt, und du hast ganz zu Recht auf die den Bildern immanente Spannung hingewiesen. Es liegt in unserer Absicht, Hinweise zu geben und auf bestimmte Lesarten und Beziehungen anzuspielen.

Gleichzeitig greift ihr durch euer Posieren vor der Kulisse eines Soldatenfriedhofs samt Kriegerdenkmal und orthodoxer Kirche sowohl auf präkommunistische, monarchistische Zeiten als auch auf die kommunistische Ära sowie eine überdauernde kirchliche Lebensanschauung zurück. Alle drei Bezugspunkte stehen für größere Zusammenhänge, als sie die serbische Realität nach dem Zusammenbruch der Republik Jugoslawien repräsentiert. Geschichte folgt sicher keiner fortlaufenden Logik, schon gar nicht dem Kontinuum des Konzeptes Fortschritt. Walter Benjamin plädierte deshalb für die destruktive Arbeit am Geschichtlichen. Dies sei Aufgabe der Geschichtsinterpreten oder des revolutionären Proletariats. Beide hätten das Potenzial, Geschichtlichem zu Aktualität zu verhelfen – und zwar über den Einsatz von »dialektischen« Bildern. Wie arbeitet eure Zeit-Geschichte-Maschine?

Für Geschichte an und für sich interessieren wir uns nicht. Wir interessieren uns nur insofern für sie, als sie Spuren hinterlässt, die für den gegenwärtigen Augenblick Bedeutung haben. Wir wollen ein Inventar der Gegenwart erstellen, und dieses Inventar enthält sehr oft Zeichen und hin und wieder Wunden der Vergangenheit. Sie offenbaren sich auf unterschiedlichste Weise, und manchmal verflechten sich widersprüchliche Spuren auf paradoxe Art, wie beim Ort des Projekts *Le Quattro Stagioni*, den du beschrieben hast. Für uns sind solche Orte mit der Energie aufgeladen, Aspekte der Gegenwart erhellen zu können, und in diesem Zusammenhang spielt Geschichte eine wesentliche Rolle. Schließlich ist sie ja voll mit »absolutely real facts«.

Es geht euch also in euren Arbeiten darum, in Vergessenheit geratene Informationen auszugraben, die heute noch virulent sind ...

Ja, wir wollen vergessene Dinge ans Licht bringen – oder Dinge, die so gut bekannt sind und für so selbstverständlich gehalten werden, dass sie nicht mehr ins Auge fallen und unsichtbar werden.

Mit den historisierenden Kostümen von Le Quattro Stagioni *provoziert ihr eine nostalgisch-affirmative Collage der Elemente. Das sind durchaus lustige Fotos fürs Familienalbum. Die auffällige Kolorierung verleiht dem Ganzen zudem etwas Infantiles – was die Frage nach dem Hier und Jetzt, nach dem Verhältnis der zitierten Elemente und vor allem nach Zeitgenossenschaft zu Beginn des 21. Jahrhunderts aufwirft.* Quattro Stagioni *hat sich als beliebtes Allerlei einen Namen gemacht. Wo verortet ihr euch darin?*

Le Quattro Stagioni hat letztes Jahr abermals eine Veränderung erfahren, als wir die Bilder auch in Gobelintechnik anfertigten und sie in üppig verzierten Goldrahmen ausstellten, wie sie üblicherweise für Gobelins verwendet werden. So sind daraus Stücke geworden, wie man sie in serbischen Haushalten findet. Indem die Bilder also in einer für eine bestimmte Volkskultur üblichen Form hergestellt wurden, haben wir zugelassen, dass das ursprüngliche Motiv zum Moment dieser Kultur wird und in diesem Verfahren, allem einen niedlichen Anstrich zu geben, eine Veränderung erfährt.

Hat diese Reaktion etwas mit der unterschiedlichen Situation von 1997 und 2002 zu tun?

Die Idee einer Gobelinversion der Arbeit ist alt, realisieren konnten wir sie erst 2002. Irgendwie zeigt allein das den Unterschied zwischen 1997 und heute. Die neunziger Jahre waren eine raue Zeit, und unsere Reaktionen waren eher reduziert, ungeschmückt, elementar. Doch wenn sich die Zeiten ändern, beschreiten auch wir neue Wege.

A.TROPHY

Die Idee zu dieser Arbeit entstand 1999 in den 78 Tagen der NATO-Operation *Allied Force* in Jugoslawien. Im Mittelpunkt steht eine Sequenz aus dem Dokumentarfilm *Poslednja oaza* (Die letzte Oase) von Petar Lalovic, der in den frühen achtziger Jahren in der heute zur Republik Kroatien gehörenden Baranya im ehemaligen Jugoslawien gedreht wurde. (Der Film wurde 1984 von der Belgrader Dunav-Film produziert.) Der Film zeigt die Schönheit und Vielfalt eines der größten Naturschutzgebiete der Balkanhalbinsel, das von industriellen und landwirtschaftlichen Entwicklungen sowie der Respektlosigkeit des Menschen gegenüber der Natur im Allgemeinen bedroht ist. Die zwischen Donau und Drau gelegenen Sümpfe der »Oase« ziehen eine Vielzahl von Arten an, von denen einige auf dem europäischen Kontinent sonst bereits ausgestorben sind. Das als »Kopacki Rit« bekannte 17700 Hektar große Gebiet wurde 1967 ein Naturpark; 6234 Hektar davon hat man 1969 zu einem »Besonderen Tierschutzgebiet« erklärt.

Vergegenwärtigen wir uns die Vorgänge in der »letzten Oase« zur Entstehungszeit des Films und die Entwicklungen in jüngerer Zeit. Jugoslawien war in den frühen achtziger Jahren ein sehr dynamischer und manchmal sehr explosiver Schauplatz. Im Mai 1980 starb Marschall Tito. Aus heutiger Sicht stellt sich sein Tod als Wendepunkt dar: Nach Jahren eines vergleichsweise gemütlichen Sozialismus beschleunigte Titos Tod den Zerfall der sechs jugoslawischen Republiken in fünf neue Staaten. Zufälligerweise war Tito ein passionierter Jäger, der gern in dem Gebiet, in dem *Die letzte Oase* gedreht wurde, auf die Pirsch ging.

In der Mitte der Balkanhalbinsel, an der Peripherie der Welt hinter dem Eisernen Vorhang und damit zwischen kommunistischem Osten und kapitalistischem Westen gelegen, nahm Titos Jugoslawien in der Weltgemeinschaft eine einzigartige Stellung ein, war mit seinem Leitprinzip der Selbstverwaltung praktisch eine Oase. Jugoslawien war weder ein Mitgliedstaat des Warschauer Paktes noch der NATO. Stattdessen hatte es gemeinsam mit Indien und Ägypten auf einem Gipfel vom 1. bis 6. September 1961 in Belgrad die Bewegung der Blockfreien gegründet. 31 Jahre später beschloss man bei einem Treffen der Minister der blockfreien Staaten am 30. September 1992 in New York, dass Jugoslawien nicht länger an den Aktivitäten der Bewegung teilnehmen dürfe. Schließlich wurde der zu den Initiatoren der Bewegung der Blockfreien zählende Staat von der Organisation ausgeschlossen, die er gegründet hatte. Aus einer soziopolitischen Trophäe war im Rahmen einer radikalen politischen Verschiebung eine Atrophie geworden.

Die für diese Arbeit gewählte Filmsequenz zeigt eine Szene mit gerade das Geweih abwerfenden Hirschen. Dieser Prozess findet statt, wenn die Tiere alt werden, und stellt einen Wendepunkt in deren Leben dar. Der Stolz des Tiers, sein Zeichen der Kraft, verschwindet. Gleichzeitig wird das Leben des Tiers viel sicherer. Dieser Umstand lässt auch den Wert des Geweihs in neuem Licht erscheinen. Ein abgeworfenes Geweih hat für Jäger und Sammler weniger Wert als eines mit dem Schädel des Tiers. Nur ein getötetes Tier kann eine Trophäe sein. Die Jagd dauert oft Tage, und man kann sich die Enttäuschung des Jägers vorstellen, wenn er auf einen Hirsch trifft, der gerade sein Geweih abwirft. Für Kamera und Regisseur ist der Augenblick jedoch eine wirkliche Trophäe: Es ist ein in der Natur ganz seltener Moment, in dem sich alles in sein Gegenteil verkehrt.

Der Vorgang trägt ganz gegensätzliche Bedeutungen in sich, und die Interpretation hängt vom Standpunkt des Betrachters und vom Zusammenhang ab. In diesem Sinn legt der Titel der Installation, *a.trophy*, bestimmte Lesarten des Bildes nahe, indem er die beiden Seiten des Vorgangs im Bild hervorstreicht (Trophäe, Atrophie). Ein bestimmter politischer und militärischer Kontext wie der dieses Projekts wirft gewisse Fragen auf: Was ist überhaupt eine Trophäe, und was bedeutet Atrophie in einem weiteren soziopolitischen Sinn? Der Vielfalt möglicher Deutungen des Bildes entspricht eine Vielfalt möglicher Antworten auf diese Fragen. Außer Zweifel stehen dürfte, dass der Regisseur von *Die letzte Oase* nicht vorhersehen konnte, dass diese Sequenz eine so reiche metaphorische Bedeutung gewinnen und zur Trophäe einer Atrophie geraten würde.

association APSOLUTNO

FIONA BANNER

Die Arbeit *The Nam* ist ein über 1000 Seiten dickes Buch, das in einem monumentalen Akt alle Vietnam-Filme, die die Kinoindustrie hervorgebracht hat, minutiös beschreibt – bis hin zu einzelnen Einstellungen und Dialogen. Darüber hinaus zeigt die Ausstellung zwei Inkjetprints unter dem Namen *Nam*, die ihrerseits wieder Vergrößerungen aus dem Buch sind. Fiona Banners monströse Dokumentation produziert quasi unleserliche Textmassive, die in ihrer unerschütterlichen Serialität eine eigene ästhetische Qualität entfalten.

Bei *The Nam* handelt es um die Komplettierung einer doppelten Übersetzungsleistung: Das dreidimensionale Realereignis des Krieges wird in Hollywood-Filmen wie *Apocalypse Now*, *Platoon* oder *The Deer Hunter* in das zweidimensionale Narrativ einer zweckorientierten Weltdeutung eingespannt. Banner wiederum holt die Bilderzählung zurück in die lineare Syntax und die typografische Abstraktion der Gutenberg-Galaxis. Sprache wird in der zwangsneurotischen Proliferation der Zeichen zur Wunde des Realen – man denkt an Jack Nicholson, der in *The Shining* hunderte von Textblättern mit einem einzigen Satz vollschreibt. Der obsessive Charakter von Fiona Banners Nacherzählungen öffnet den hermetischen Raum der Buchstaben für die Infiltration durch dunkle Phantasmagorien und zwanghafte Nachbilder. Wenn Sprache ein Virus aus dem Weltall ist, wie William Burroughs geschrieben hat, dann ergreift sie auf den dicht beschriebenen Seiten und Texttafeln von *The Nam* Besitz vom semantischen Korpus und infiziert es mit den Chiffren einer Materialisation des Nichts. »Das Bild selbst ist die Beschreibung«, sagt Fiona Banner. »Es beinhaltet das Reden über sich selbst und die damit verbundenen Missverständnisse und die Unmöglichkeit von Beschreibung und wirklichem Verständnis.«

Das Projekt *The Nam* handle von der unerträglichen Arroganz in Bezug auf Vietnam, von der Strukturierung des geschichtlichen Bewusstseins durch die Erzähldramaturgien Hollywoods. Gleichzeitig aber sei es, besonders in Hinblick auf *Apocalypse Now*, ein pornografisches Werk: ein Operieren mit der unglaublichen Anziehungskraft der Gewaltbilder, ein Effekt des Rausches. Porno, Politik und die Mythologie des Kinos sind Eckpunkte in der Arbeit von Fiona Banner.

Was die Künstlerin in Arbeiten wie *Arsewoman in Wonderland*, *Full Stop* und im Speziellen *The Nam* konstruieren will, sind Rettungsinseln der Wörter, Plateaus einer interoperablen Diskursivität: »Mich interessiert die Rettungsschnur der Sprache. Du brauchst sie, aber oft ist sie unbrauchbar, weil wir Menschen sind und jenseits der Sprache existieren.«

TM

looking out for trouble. He passes something on the ground, looks down at it. It makes a snorting, pig-like sound. Then from behind, somebody shouts, "Gook! Gook...!" The words come out a scream. It's Sergeant O'Neill who's yelling. Then he says excitedly, "There you go, Sarge." They look down in front of the flat lands, they're brown and dried up, and see a small running figure heading for the jungle, minuscule and black in the distance. Barnes is right on it. He pulls his rifle right up to his eye and makes a sight. The figure's running even faster now. He takes him out with the first shot, just falls to the ground, a dead weight. The sound of his gun firing is brief, no echo, no kickback, just a small jag of fire from the end of his rifle, and then a puff of smoke. Then he turns, saying to O'Neill, "Get him out." O'Neill answers enthusiastically, "Yeah, you got it, Sarge," and calls the others together. They rush down towards the body, slipping and sliding down the slope, their kit jangling on their backs. Up in the village there seems to be some hysteria going on. One Vietnamese woman's shouting something very high pitched. Somebody, I think it's Junior, turns round and yells, "Take that stupid look off your face." He storms past. He kicks a pot over as he walks past. It makes a tinkling sound as it shatters. Then Bunny's walking up towards the foreground now, he's says, "Hey, piggy pig. Hey, pig." The pig grunts in front of him, snooping down at the earth. Then without even taking aim, Bunny takes a shot at it, right from the hip. It explodes into the air with a large squealing sound. The pig's quiet, Bunny walks past. Then all you can see is the khaki trouser legs of people walking across the foreground, slowly first, then a blur. Then you see Taylor from above. He's wandering around, following the others, he looks awkward. Then they move out into a more open space. There are some kind of huts round the edge. They're in the bright sunlight now, their shadows stretch out in front of them, five, six of them. Two women sit in front of a pile

TOBIAS BERNSTRUP / PALLE TORSSON

Über drei Jahrzehnte hinweg haben sich Computervideospiele von der Bürounterhaltung gelangweilter Pentagon-Mitarbeiter zum schnellstwachsenden Sektor der Unterhaltungsindustrie entwickelt. Digitale Spiele entstanden in den siebziger Jahren als Spin-offs von Simulationsapparaten des US-amerikanischen Militärs. Diese Wurzeln der Branche haben die Spielekultur entscheidend geprägt. Obwohl auch Abenteuer- oder z. B. Rollenspiele auf dem Markt sind, dominieren Gewaltszenarien das Angebot. Die Spieler finden sich darin in einer (para-)militärischen Situation und in der Rolle des Kämpfers wieder. Die Raffinesse der Spieloberflächen, die sich immer mehr in Richtung Filmset entwickelte, ändert nichts an den schlichten Mustern von Kampf und Heldentum. Im Computerspiel funktionieren die Figuren nicht wie filmische Helden, für die wir im Verlauf der Handlung Sympathie oder Abneigung entwickeln. Hier geht es um den Sieg und das eigene Überleben. Je nach Visualisierung übernehmen Blutspritzer innerhalb dieser Logik schlicht die Funktion des Treffersignals. Als solche werden sie nüchtern zur Kenntnis genommen. Ihre Botschaft ist organisatorisch.

Spiele sind lebensnotwendig für das PC-Geschäft. Die immer aufwändigere grafische Darstellung kurbelt die Nachfrage nach größerer Prozessorleistung und damit den Absatz der Computerindustrie an. Viele der bekannten Computer- und Videospiele wie z. B. *Tetris*, *Doom*, *Myst* oder *Ultima* wurden jedoch von kleinen Unternehmen entwickelt. Inzwischen ist dieser Bereich genauso wie alle anderen Medienbereiche auch ein Experimentierfeld für andere Inhalte geworden. *State of Emergency* bietet z. B. die Rolle eines Aktivisten des so genannten »Schwarzen Blocks« bei einer Antiglobalisierungsdemonstration an. Gameboys wurden gehackt und politische Spiele implantiert. Andere Spielumgebungen wurden von Künstlern mit Antikriegsgraffiti versehen. Das zweischneidige Pingpong von Subversion und Vereinnahmung nimmt auch hier seinen Lauf. Schließlich ändern diese Unterwanderungen des Mainstreamangebots die grundsätzliche Struktur des Destruktiven in keiner Hinsicht.

Duke Nukem 3D aus dem Jahre 1996 ist eines jener Spiele, die die Debatte um die ideologischen Werte und auch die Auswirkungen z. B. auf die Gewaltbereitschaft der Spieler auslösten. Die Perspektive ist die der Zielvorrichtung einer Hightechwaffe, Schießen die einzige Aktion in diesem Gemetzel. Mit *Half-Life,* einem verwandten Computerschießspiel, suchten Tobias Bernstrup und Palle Torsson eines der aggressivsten Spiele als Vorlage für ihr Projekt *Museum Meltdown* aus, in dem sie den unerbittlichen Kampf gegen undefinierbare, alienartige Eindringlinge in ein Kunstmuseum verlegen. Das international renommierte Moderna Museet in Stockholm und seine Sammlung geben in dem täuschend echten Spiel die Kulisse ab. Das Museum als elitärer Hort der Reflexion wird zum Schlachtfeld. »Search and Destroy«, lautet die Mission. Die Simulation ist ein strategisches und gesellschaftliches Planspiel. Auf dem Spiel stehen Kulturgüter ersten Ranges. Dies macht die Schlacht zu einer existentiellen Auseinandersetzung um menschliche Errungenschaften. Kultur gilt gemeinhin als eines der nobelsten Güter, die den Menschen vom Tier und seiner absoluten Bedingtheit durch die Natur unterscheiden. Die Aushöhlung moralischer Werte, die in der Diskussion um die Effekte virtueller Computerspiele ins Treffen geführt wird, wird hier selbst zum Inhalt.

Wie im Krieg geht es in *Museum Meltdown* um Planung und Entscheidungen: Welchen Stellenwert hat eines der Meisterwerke des letzten Jahrhunderts, das *Große Glas* von Marcel Duchamp, wenn es um das schlichte Überleben geht? Die Aggression der fremden Spezies reduziert die Überlegungen in Sekundenschnelle auf ein darwinistisches Modell: *Survival of the fittest* ist alles, was hier zählt.

Gabriele Mackert (GM)

NIN BRUDERMANN

Das stundenlange nächtliche Abschwenken derselben Straße, derselben Gebäude. Aus diversen Perspektiven, gleichzeitig. Brücke über Tigris außen links, Moschee, eckiger Turm, großes Gebäude, Brücke über Straße, Haus 51, runder Turm, Haus 40. Manches im grünen *nightshot*.

Die Kameras sind auf dem Dach des Informationsministeriums im Zentrum von Bagdad positioniert. CNN, Reuters, APTN. Al Jazeera TV steht hinter Palmen, am Rande Bagdads. Es passiert nicht viel. Autos auf der Straße, ab und zu Passanten. Unspektakulär. Die Kameras harren aus, scannen die Nacht.

Man wartet auf Krieg.

Vier Projektionen zeigen zeitgleich sämtliches Videomaterial, das im Dezember 1998 während der Operation *Desert Fox* von den vier großen Nachrichtenagenturen über den Satelliten geschickt wurde. Die Satellitenuplinks erfolgten tatsächlich selten zeitgleich. Die TV-Stationen konnten aus unterschiedlichen Einstellungen derselben Szene wählen, die zeitlich versetzt in den Newsroom gelangten. Aus einer Cruisemissile konnte man vier machen, ohne es zu wissen. Im Schnittraum der Kriegsdramaturgie kann aus dem Vollen geschöpft werden.

Meine Dramaturgie ist die der Gleichzeitigkeit. Eine Rekomposition ins Nebeneinander der Bilder, in die Parallelchronologie der Ereignisse inklusive aller Ereignislosigkeiten. Mich interessieren die Zwischenräume, das Unbe(ob)achtete. Das Weggeschnittene, der Abfall, das Off – die Wartezeiten. Langes Warten wird belohnt durch fotogene Synchronexplosionen mit viel Lärm und aufgeregten *sound bites* der Journalisten. Dann wieder Stille, *nat sound*, halb offene Mikrofone. Die Kameras schwenken die Szene weiter nach kriegerischen Vorkommnissen ab. Hin und wieder flackert Anti-AircraftFire auf. Dann wieder das Simultanlichterspektakel einer Explosion. Kriegswerke üben dieselbe ästhetische Anziehung aus wie Feuerwerke. Telekommunizierte Kriegsspektakel in vermeintlicher *real time* verbreiten obendrein noch jenes wohlige distanzapokalyptische Gruseln. Dafür lohnt es sich zu warten. Das Orchester wartet auf den nächsten Einsatz.

Ich benütze dokumentarisches Material eines Kriegswerks – und ich verwende das Wort »Kriegswerk«, weil das, was es beschreiben soll, auf derselben spekulativen Spektakelwirkung beruht wie ein Feuerwerk –, ich benütze ein Kriegswerk, um daraus ein Kriegskunstwerk zu machen. Die Kunst an der Sache ist die Ereignislosigkeit. Das Nicht-Stattfinden, das Warten, die zwischenspektakulären Momente. Gleichzeitig wird das Warten meiner Zuseher mit derselben Lichtershow belohnt, in deren Genuss Fernsehzuseher kommen. Das heißt, anerkannte Rezeptionsmechanismen (je größer das Spektakel, desto höher die Zuseherquote) treffen auf Antimechanismen. Ereignislosigkeit ist ein Antimechanismus. Ereignislosigkeit bewegt nichts. Ereignislosigkeit ist ein Zeitloch. Warten ist zu langsam für die Welt. Inszenierte Ereignislosigkeit/inszeniertes Warten – und ich inszeniere ja in diesem Kriegskunstwerk die Ereignislosigkeit, es ist ein Remake der wartenden Realinszenierung des Kriegswerks, in beiden Fällen in Szene gesetzt –, inszenierte Ereignislosigkeit/inszeniertes Warten hat was Absurdes. Und das ist genau der Moment, der mich interessiert. Mich interessieren absurde Zwischenräume.

Nin Brudermann

DAVID CLAERBOUT

Würde man David Claerbout angesichts seiner Arbeiten der letzten Jahre als Videokünstler kategorisieren, ließe man seine Malereiausbildung außer Acht. Sein Denken ist entscheidend von Überlegungen zum Bildaufbau geprägt. Ausgehend von Fotografien entstanden Zeichnungen und Malereien, die auf die Beherrschung der zweidimensionalen Raumkonstruktion abzielten. So übertrug er den festgehaltenen Moment der ausgewählten Fotografien in die Malerei, um das Transitorische der Dokumentation neu zu definieren. In diesem Prozess führt er eine der nobelsten Eigenschaften der Malerei, das Bild als Reflexion über andere Bilder, fort. Aby Warburg definiert denn auch das Bild als Denkraum, dessen Kontext das statische Bild in Bewegung setzt.

Claerbout bewegt sich zwischen Fotografie und Film. In seinen Videoinstallationen lotet er deren Verhältnis von Augenblick und Aktion aus, indem er Fotografien partiell in Bewegung setzt, die Zeitwahrnehmung der beiden Medien kreuzt und sie in ein mediales Kontinuum überführt. Die Narration entsteht durch die schwebende bildinterne Kommunikation. Er arbeitet dabei entweder mit einer Überlagerung von statischem Diabild und subtil bewegter Videoprojektion oder mit reinen Videoprojektionen, die zum Teil auf die Bewegungen der Betrachter reagieren. Ihre Spannung erhalten Claerbouts Szenen durch ihre scheinbare Unbewegtheit. Charakteristisch sind intermediale Arbeiten, für die er (alte) Bilddokumente durch digitale Simulation reanimiert.

So hauchte er z. B. in *Ruurlo, Bocurloscheweg, 1910* (1997) den Blättern eines Baumes auf dem historischen Postkartenmotiv einer idyllischen holländischen Ideallandschaft samt Windmühle und einigen Personen, Leben ein. Erst beim genauen Hinsehen entdeckt man, dass sich die Blätter des Baumes unmerklich im Wind wiegen, der Rest aber erstarrt ist. Die Projektion *Kindergarten Antonio Sant'Elia, 1932* (1998), ausgehend von einem Foto von der Eröffnung des Baus in Como, zeigt im Hof spielende Kinder in Uniform. Auch hier bewegen sich nicht die Kinder, sondern das Laub zweier Bäumchen. Durch den Architekten des Kindergartens, Giuseppe Terragni, der als einer der bedeutendsten Repräsentanten des faschistischen Rationalismus gilt, erhält das – technisch bedingt – befremdlich uniforme Rauschen der Blätter einen explizit politischen Hintergrund, der ein Nachdenken über Disziplinierung und Ordnungsstrukturen des Faschismus in Gang setzt.

Vietnam, 1967, Near Duc Pho (2001) basiert ebenfalls auf einer Schwarzweißfotografie. Hier greift Claerbout auf *found footage* aus einem Bildband über die Arbeit von Fotografen während des Vietnamkrieges zurück. Ein Jahr vor seinem Tod hielt der japanische Magnum-Fotograf Hiromishi Mine den irrtümlichen Abschuss eines US-amerikanischen Flugzeuges durch die eigenen Truppen fest. Über tropischem Urwald schwebt die zerberstende Maschine im Stillstand. Man erkennt einige Wrackteile, versprengt im Himmel über der idyllisch wuchernden Wildnis. Claerbout besuchte für seine farbige Version den Ort des Ereignisses und fotografierte das beeindruckende Panorama von Mines Standpunkt aus mit einer digitalen Kamera. Alle 30 Sekunden. Anschließend montierte er die rund 300 Bilder hintereinander, kopierte das Flugzeug hinein und erhielt so ein tragisch-schönes Landschaftsstillleben. Nach einiger Zeit bemerkt man kleinste Veränderungen in der Lichtsituation der Videoschleife. Der Schock des Geschehens liegt wie eine Lähmung über der Szenerie. Als zentrales Element dominiert das Flugzeug die Bildkomposition. Absurderweise ist gerade dieser Punkt der größten Dynamik, die Explosion, eingefroren, während die saftig grüne Natur unterschwellig lebendig erscheint. Claerbout reißt ein Bild aus dem Fluss der Geschichte und überführt es im zeitgenössischen Medium in die Tradition des gemalten Dramas des glorifizierenden, monströsen, pathetischen oder heroischen Historienbildes. Ein nicht bewusst wahrnehmbares Übergangsstadium einer Hundertstelsekunde wird zum quälenden Stillstand gebracht und schreibt sich mit der von ihm verursachten Zeitturbulenz als »Bildstörung« in diese Erzählung ein.

GM

»Von der Revolution lässt sich auch sagen, was Jomini vom Krieg gesagt hat; dass sie überhaupt keine positive und dogmatische Wissenschaft ist, sondern eine etlichen allgemeinen Perspektiven unterworfene Kunst und mehr noch als das: ein leidenschaftliches Drama .« Mit diesem Zitat aus dem 19. Jahrhundert führt Debord 1978 noch einmal vor, wie er sich seit dem Anfang der fünfziger Jahre in der Wahl seiner Worte Bewegungsfreiheit verschaffte. Zunächst scheint es nur um die Abwehr einer gewissen Begrenztheit zu gehen, dass eine »positive und dogmatische Wissenschaft« vor den größeren Konflikten in der Wirklichkeit versagt. Über die hinfälligen Anlagen von Theorien oder Ideologien wird der Blick hinweg geführt zum Schauplatz der Leidenschaften, ein dramatischer Endpunkt, der dem Satz selbst eine abrupte Wendung gibt und das gesamte Geschehen als Konfrontation organisiert. Die Begriffe Krieg/Revolution treten nun deutlicher als Gleichung hervor, aufgestellt in einer Achse, die den wechselseitigen Austausch des Stoffes erlaubt. Es ist die entscheidende Bewegung des Arguments und für jedes linke, kritische oder revolutionäre Selbstverständnis nach dem Zweiten Weltkrieg eine schwere Provokation des Konsenses.

Guy Debord, 1931 geboren, kam 1951 nach Paris und schloss sich dort einem jugendlichen Milieu an, das mitten in der Stadt ein Leben jenseits von Arbeit, Studium oder sonstigen kulturellen Vereinbarungen führte, kriminell, wenn es um Drogen oder das Überleben ging, unberechenbar in Begriffen von Kunst oder Staat und gewalttätig, denn auch die Autoritäten und ihre Polizei überbrachten ihnen den Begriff und die Anmaßungen der Ordnung in diesem Medium. Viele nannten sich »Lettristen«, Akteure einer Poetik der Buchstaben (französisch *lettres*), einer schon Ende der vierziger Jahre entstandenen neodadaistischen Gruppierung. Debord radikalisierte mit einigen Freunden die Auseinandersetzung in diesem Kreis, bis es 1952 zur Abspaltung und Gründung der »Internationale Lettriste« kam. In der dritten Ausgabe ihrer kleinen Zeitschrift forderten sie, dass »der Krieg in Spanien wieder aufgenommen werden muss«, dazu wurden Fotos von Soldaten als einzige Illustration abgedruckt. Spanien, das war in den fünfziger Jahren eines der Stichworte, die zur Legitimation der Demokratie nicht passten, denn das Land wurde weiterhin vom faschistischen Diktator Franco, einem ehemaligen Verbündeten der Nazis, regiert.

Zeitgenössische Soziologen wollten damals erklären, warum es mit denjenigen, die 1951 20 Jahre alt waren, so viele Schwierigkeiten gab. Ihre Recherche handelte von einer Generation, die im Krieg das Ende ihrer Kindheit erlebt hatte. Diese Jugendlichen waren aufgewachsen in einer jahrelangen Ausnahmesituation, mit Militärherrschaft und Kollaboration, Terror und einer Propaganda des Todes. Sie hatten noch nicht das Alter erreicht, um im Widerstand mitzumachen, und so fehlte ihnen auch die Grundlage für einige Identifikationen, die nach dem Krieg in der Gesellschaft zählen sollten. Als in der Zeit nach der Kapitulation das ganze Ausmaß der Gewalt des nationalsozialistischen Vernichtungsprogramms bekannt wurde, geriet die sich konsolidierende Normalität noch weiter unter Druck. Eine Auseinandersetzung mit den erschreckenden Enthüllungen konnte sich nicht einfach auf den Glauben an die bessere Gegenwart zurückziehen oder mit dem Hinweis auf die moralische Integrität der neuen Ordnung die Früchte des Friedens beschwören, zumal Frankreich zum Beispiel in Indochina (Vietnam) weiter Krieg führte – bis die französischen Militärs dort 1954 eine katastrophale Niederlage erlitten und das Feld den USA überließen.

Das blutige und letztlich erfolglose Geschäft der Militärs begleitete die französische Gesellschaft bis 1962, und natürlich gehörte der Protest gegen diesen Skandal zur Politik der Linken. Doch anders als zu Ende des Ersten Weltkriegs stärkte die Auflösung des Kriegsregimes 1945 keine revolutionären Bewegungen. Ein allgemeines kritisches Bewusstsein war zwar in Frankreich sehr weit verbreitet, vor allem in den kulturellen Kreisen, und konfrontiert mit der Ungeheuerlichkeit des nationalsozialistischen Terrors entwickelte die Linke die Grundlagen für eine tiefere Analyse der staatlichen Gewalt, aber die Kräfte der Kritik hatten keinen Einfluss, und so blieb ihnen einzig der Anspruch auf

GUY DEBORD
Guide psychogéographique de Paris, 1957
Stadtplan, 60 x 74 cm

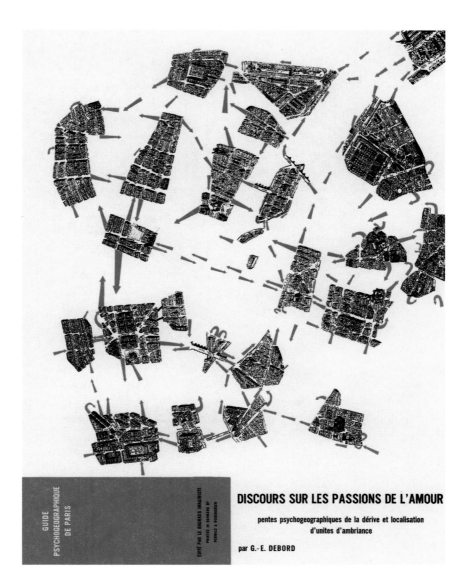

eine moralische Instanz. Die Hegemonie, die sie im Gedächtnis der Geschichte hielten, war also verbunden mit dem Eingeständnis der eigenen Machtlosigkeit, was einerseits alle möglichen pazifistischen Tugenden förderte und andererseits dazu drängte, die eigene Position als die des Opfers, der Unschuld oder der Wahrheit zu beschreiben, um von dort aus Anerkennung zu fordern – vorausgesetzt natürlich die Anerkennung der Herrschaft, die sich auf ihre Forderungen einlassen sollte.

In diesem Kontext signalisierten die Bewegungen, in denen Debord von 1952 bis 1972 agierte, eine grundsätzliche Opposition. Es war weniger ein direkter Konflikt als eine formale Verletzung, die bewusste Setzung eines falschen Tons, die den kritischen Inhalt ihrer Position verschärfte. Schon die *Internationale Lettriste* spielte mit dem Bild einer kleinen Truppe, eines versprengten Haufens, der seine Abenteuer ohne Kommando fortsetzt. Die psychogeografischen Karten von Debord präsentieren dazu das Aktionsfeld, den »Diskurs der Leidenschaften« und ihre Beweglichkeit. Auf einer Doppelseite in seinen *Mémoires* von 1959 stellte Debord Soldaten neben die Zeile »Die Bevölkerung und die großen ökonomischen Probleme«, und auch die Zeitschrift der »Internationale Situationniste«, die diese seit ihrer Gründung im Sommer 1957 herausbrachte, wurde teilweise mit Fotos von Soldaten oder Kriegsgerät illustriert, um zum Beispiel »Nachrichten von der Internationalen« als ein Bombardement der Metropolen erscheinen zu lassen. Pläne und Luftaufnahmen erklären die Stadt zum »neuen Operationsgebiet in der Kultur«. Debords Film *La Société du Spectacle* konzentrierte 1973 nochmals das Bildprogramm der »Internationale Situationniste«. Er mischte Kriegsfilmsequenzen und Truppenbewegungen in sein Panorama, um auf dieser Folie die revolutionäre Theorie und ihre Geschichte zu erzählen. Und schließlich legte Debord in seinem Film *In girum imus nocte et consumimur igni* von 1978 (aus dem auch das an den Anfang gestellte Zitat stammt) ausführlich dar, in welcher Funktion die Sprache des Krieges bei ihm steht, doch gleichzeitig verschiebt er den Sinn des Ganzen, denn die Momente der Vergangenheit werden zu denen seiner eigenen Geschichte. Dass er 1987 zusammen mit Alice Becker-Ho ein *Kriegsspiel* veröffentlichte, ergibt im Rückblick das Bild einer schlüssigen Kontinuität. Damals aber kam das Buch überraschend auf den Markt. Nachdem Debord jahrelang keine Theorie publiziert hatte, erwartete die Öffentlichkeit etwas anderes. Das Strategiespiel, dessen Regeln in der Publikation zusammen mit dem Protokoll einer Partie erklärt werden, hatte er schon lange zuvor entworfen; 1957 wurde es das erste Mal in einem kleinen Text als Projekt erwähnt.

Die Einführung der Sprache des Krieges in eine Theorie oder Poesie der Revolution war zunächst also eine Absage an die Bedingungen, unter denen linke oder revolutionäre Strömungen sich während des Kalten Kriegs mit den Machtverhältnissen arrangierten. Das Vokabular verweigert sich dem Angebot, als Opfer innerhalb der gesellschaftlichen Auseinandersetzung Anerkennung zu finden; es spricht von Helden und Abenteuern, Konflikten und Dramen. Die Linke tat sich immer schwer mit dem Moment der Verführung und der Faszination; auch in den siebziger Jahren wollte sie lieber als Instanz der Kontrolle, Beruhigung und Denunziation leidenschaftlicher Bewegung angesehen werden denn als deren Element. Andererseits leistet der von Debord eingeführte dramatische Stoff nicht einfach nur Widerstand gegen eine antiindividualistische, puritanische oder langweilige Sprache und ihre Praxis oder Organisationsformen, und eigentlich passt die Eröffnung einer Bühne ohnehin schlecht zu seinen antikünstlerischen Überzeugungen; er hatte immer das »Leben« favorisiert und nicht die »Kunst«. Wenn Debord nun den »Krieg« als Medium wählt, klingt das zunächst wie ein größerer Realismus, ein Bewusstsein der tatsächlichen Härte des Lebens, doch im Detail zeigen sich hier vor allem Figuren und Perspektiven des klassischen Theaters; er entwickelt Legenden und »Situationen«, all das, was dieses Metier mit dem Theater teilt, die Momente also, die sich als Stoff für Erzählungen eignen, sich zu Bildern und Beispielen konzentrieren, und vor allem das Element der Überraschung. Krieg – oder Leidenschaft – steht als Metapher für den Auftritt des Unerwarteten, eine Wendung, die sich nicht abzeichnete, eine Initiative, die sich plötzlich vor den Augen der Betrachter vollzieht, voller Mut, Dynamik, Kraft und Gewalt. In diesem Material wird die Geschichte seines Lebens zu einem Schauspiel, hineingezeichnet ein versunkenes Paris, die Erinnerung an alte Freunde oder die Schärfe der Unversöhnlichkeit mit einer Gesellschaft, die Elend und Tod zu ihrer Sache gemacht hat. All das stellt sich um den inszenierten Augenblick der Handlung natürlich auch auf, um dieses Leben einfach nur zu feiern. Und die Bedeutung der Leidenschaften hat sich dabei gewandelt. Nicht mehr die Verteidigung des kollektiven Projekts in seiner Gegenwart verschafft sich Platz, sondern eine Erinnerung, die sich der inneren Konflikte entledigt, um außerhalb jeder Kritik zu stehen und ihren Inhalt in einer unerreichbaren Geschichte zu versiegeln.

Roberto Ohrt

UROŠ DJURIĆ

Die Serie von Digitaldrucken, die Uroš Djurić unter dem Titel *Hometown Boys* hergestellt hat, ist Teil des umfassenderen *Populist project*. Nach Meinung des Künstlers hat der Populismus als hegemoniale Ideologie die sozialistischen Utopien früherer Zeiten abgelöst: »Durch die Implosion des Ostblocks, dessen Ökonomie vorwiegend auf die Postulate des Marxismus-Leninismus gegründet war, ging das Banner der Emanzipation in die Hände von selbst ernannten Demokraten auf Seiten der Rechten wie der Linken, der Liberalen wie der Konservativen, über. Der Populismus ist, unter diesen Umständen, das transparente Territorium zur Bewerbung ›neuer Werte‹. Schon während des gesamten 20. Jahrhunderts waren die Promotiondisplays, die dazu genutzt wurden, in erster Linie Sport, sexuelle Befreiungsbewegungen und populäre Kultur – Zonen der Konfrontation oder der Verbündung zwischen den oberen und den unteren Schichten der Gesellschaft.«

Das *Populist project* versucht, die Symbolbereiche des gesellschaftlichen Wandels und der sozialen Identitätsbildung zu analysieren und zu pervertieren. Die erste »Lieferung« besteht aus drei Teilen. Für *God loves the Dreams of Serbian Artists* fotografiert sich Djurić mit einigen der populärsten Fußballspieler der Gegenwart, um so eine Ikonografie des Populären zu entfalten. *Celebrities* zeigt den Künstler mit Berühmtheiten aus verschiedenen Milieus: Filmstars, Sportlern, Publizisten, Politikern oder ihren Frauen. Das Kitschambiente, in das viele dieser Aufnahmen eingebettet sind, imitiert den Stil von Hochglanzmagazinen und führt ihn gleichzeitig ad absurdum.

Hometown Boys, jener Ausschnitt aus dem *Populist project*, der bei *Attack!* zu sehen ist, repräsentiert das erste serbische Porno-, Kunst und Gesellschaftsmagazin. Ein publizistisches Produkt als Simulacrum, denn Djurić hat nur eine Serie von Covers angefertigt, der versprochene Content – Sex, Drogen, Rock 'n' Roll und Soziologie – bleibt imaginär.

Die verschiedenen Plateaus des *Populist project* gehen spielerisch mit der Idee von aufmerksamkeitsökonomischem Gewinnstreben und Differenzgenuss um. Uroš Djurić erfindet nicht sich selbst, aber seinen sozialen Ort immer wieder neu. Er atmet die Parfüms des populistischen Exzesses und subvertiert die vorgebliche Rationalität des neuen Sozialen durch die Implementation vulgärer Konterbande. »Djurićs populistische Bilderwelten sind ein Kurzschluss zwischen dem Universellen und dem Partikularen«, schreibt die kroatische Kuratorin Marina Gržinić. »Er versucht Lücken zu füllen und reißt im selben Atemzug neue Klüfte auf. Sein künstlerisches Prinzip ist die Insistenz auf dem negativen Akt, der verhindern soll, dass uns die Erlösung aus dem Geist eines neuen ›Meistersignifikanten‹ droht.«

TM

UROŠ DJURIĆ
Populist project. Hometown Boys, April 1999
Digitaldruck, 30,5 x 25,52 cm

UROŠ DJURIĆ

Populist project. Hometown Boys, Juni 1999, September 1999, Juli 1999, November 2000
Digitaldrucke, 30,5 x 25,52 cm

UROŠ DJURIĆ
Populist project. Hometown Boys, November 1999
Digitaldruck, 30,5 x 25,52 cm

ÖYVIND FAHLSTRÖM

Öyvind Fahlström ist ein Utopist. Sein künstlerisches Projekt ist interdisziplinär, poetisch und politisch angelegt. Fahlström schrieb, arbeitete malerisch wie skulptural, aktionistisch und filmisch. Immer argumentierte er mit der visionären Denkern eigenen Absolutheit. Statements wie *S.O.M.B.A. (Some of My Basic Assumptions)* (1972–73) oder dem Aufruf *Take Care for the World* (1966/75) eignet ein kindlich-aufgeklärtes Selbstbewusstsein, das sich nicht vor thesenartiger Vereinfachung scheut. Fahlströms Bildsprache nimmt Anregungen aus Literatur, Archäologie, Architektur, Kalligrafie, Kartografie, Comics, natürlich den Medien und zunehmend aus Ökonomie und Politik auf. Ausgehend von seinem Manifest der konkreten Poesie (1954) definiert Fahlström Freiheit zuallererst als Spiel mit den Möglichkeiten. Wie in der konkreten Literatur Wörter als variabel anordenbare und visuell wahrnehmbare Elemente begriffen werden, erarbeitet Fahlström seine bildnerischen Werke unter den Gesichtspunkten von Systematik und Kohärenz bzw. Variabilität.

1972 präsentierte er seine *World Map* allerdings als starres Ganzes. Sie ist durch dick markierte Grenzziehungen strikt aufgeteilt. *World Map* zeigt den Zustand der Welt um 1970 aus der Sicht der ökonomischen Verflechtungen der Dritten Welt und der Vereinigten Staaten. Die Verhältnisse in Europa gestaltete Fahlström nach dem Kapitel »Im Revolutionsfall« eines Ratgeberhandbuches für Diplomaten. In den siebziger Jahren legte er ein Farbleitsystem für seine dicht beschriebenen Weltkarten fest, die sich mit der Geopolitik der Global Players aus Wirtschaft und Politik beschäftigen: Blau kennzeichnet die USA, Violett Europa, Rot bis Gelb sozialistische Länder und Grün bis Braun die so genannte Dritte Welt. Die einzelnen Farbflächen sind dicht beschrieben mit Informationen über den jeweiligen Stand der Dinge. Länder im engeren Sinne existieren nicht mehr. Souveräne Staaten sind zu Einflusszonen von weltumspannenden Konzernen oder Geheimdiensten geworden. Die CIA hat überall ihre Finger drin, unterstützt oder stürzt Regime und Rebellen nach Gutdünken. Das kapitalistische System macht Profite. Mit exakter Geometrie hat das nichts mehr zu tun. Das Bild der Welt, das so lange vervollkommnet wurde, ist bei Fahlström aus den Fugen geraten. Die Ozeane sind fast bis zur Unmerklichkeit geschrumpft. Ein Fleck Ausbeutung und Unterdrückung reiht sich an den anderen. Erschütterndes über den Zustand der Welt wird freundlich-bunt veranschaulicht. Diese Weltkarte präsentiert sich als bunte Spielfläche. Die Welt darauf ist ein Themenpark: Zur Auswahl stehen in großen Flächen die verschiedenen Formen von Unterdrückung, Ausbeutung oder Diktatur. Im Kleinteiligen liegen das Niedliche und das Erschütternde eng beieinander.

Fahlström bezeichnet die *World Map* als historisch und charakterisiert sie als mittelalterlich. Damit verweist er auf die Tradition der figurativen Karten. Politisiert durch sein Engagement in der Antikriegs- und Antiimperialismusbewegung der sechziger Jahre, erweist er sich als kritischer »Visiograph« der herrschenden Geopolitik. »Wie viele Leute begann ich in den späten sechziger Jahren zu verstehen, dass Begriffe wie ›Imperialismus‹, ›Kapitalismus‹, ›Ausbeutung‹, ›Entfremdung‹ nicht einfache Ideen oder politische Schlagworte waren, sondern für schreckenerregende, absurde und unmenschliche Zustände in der Welt standen. In LBJs und Nixons Amerika während des Vietnamkriegs lebend – der in den Terrorbombardements von Weihnachten 72 und in Watergate kulminierte – wurde es für mich unmöglich – da ich nun über die stilistischen Mittel verfügte, in meiner Arbeit nicht mit den Dingen um zu gehen, die um mich herum geschahen: Guernica, millionenfach multipliziert« (aus: *Historical Paintings*, 1973). Fahlströms Weltbilder (es existieren neben verschiedenen Karten auch plastische Arbeiten wie *Pentagon Puzzle*, 1970, *World Bank,* 1971, oder *Garden – A World Modell*, 1973) vereinen vielfältige Informationen und ganzheitliche Ideen innerhalb eines visuellen Stils. Diese Darstellung versucht ästhetisch wie politisch zu argumentieren. Welt ist bei Fahlström zum einen gesellschaftlich zu revolutionieren und zum anderen künstlerisch zu visionieren.
GM

PETER FEND EINE US-AMERIKANISCHE GLOBALE (ENERGIE-)POLITIK

In einem mit Telefon sowie Tonaufnahme- und Wiedergabevorrichtung ausgestatteten Raum der 2002 in New York gezeigten Ausstellung *Empire/State: Artists Engage Globalization* wurde den Besuchern vermittelt, wie amerikanische Politik nach Bush aussehen könnte. Eingangs erfuhr man, dass die Erdölindustrie als Hauptgrund des gegenwärtigen »Terrors« sowie der meisten militärischen Abenteuer unserer Tage anzusehen ist, vor allem in Eurasien. Zweitens wurde man, wie die Bush-Regierung auch, mit der *Tatsache* konfrontiert, dass es eine globale Erwärmung gibt. Im Unterschied zur Bush-Regierung, die das nachdrücklich nicht tut, konnte man sich allerdings davon überzeugen, dass das amerikanische Volk kreativ genug ist und über ausreichend Ehrgeiz und Kapital verfügt, sich Möglichkeiten zu überlegen, auf Erdöl und andere mineralische Brennstoffe zu verzichten, und diese weltweit umzusetzen.

Dann wurden Möglichkeiten autarker Energieversorgung unter Ausnutzung von Wind, Sonne, Erdwärme, Temperaturgefälle usw. vorgestellt. Vor allem aber wurden wir mit Alternativen zu den heutigen fossilen Kohlenwasserstoffen und wie nebenbei auch gleich zu Staudämmen vertraut gemacht. Im Folgenden ging es um auf Wasser beruhende Systeme erneuerbarer Energie, die entweder mit Biomasse oder – damit verwandt – absinkenden, aber lebenden Strömungen arbeiten.

Die mit Wasser arbeitenden Technologien, für die Ocean Earth sich einsetzt, stammen alle aus den USA. Viele wurden in den USA erfunden. Manche beruhen auf anderswo gemachten Erfindungen, wurden aber durch den unternehmerischen Eifer von Amerikanern weiterentwickelt. In keinem Fall ergibt sich eine Abhängigkeit von fremden Ressourcen, fremdem Kapital oder fremden Ideen. Keine der Technologien gibt es nur in den USA. Die Einrichtungen werden auch in anderen Ländern entwickelt oder eingesetzt, und zwar in China, Frankreich, Norwegen, Neuseeland und Japan. Während es sich also um vier Technologien *made in the USA* handelt, sind diese Technologien auch Technologien *made all over the world*. Ihre weltweite Entwicklung lässt keine geistigen oder kulturellen Abhängigkeiten entstehen. US-amerikanische Abenteurer mögen vielleicht gut damit verdienen, wenn sie diese Technologien auf der ganzen Welt verbreiten und dafür sorgen, dass sie in Flüssen und Meeren anderer Erdteile eingesetzt werden, aber das heißt nicht, dass das zu einer bleibenden imperialistischen Last werden muss. Keine heute für »Terrorismus« verantwortliche verkommene Präsenz muss von Dauer sein.

Die US-amerikanische globale (Energie-)Politik entsteht durch Gesten wie die von Lawrence Weiner, »einem von einem Kontinent zum anderen wirbelnden Gegenstand«, oder Performances wie der von Keith Sonnier, der an einer »Sender-Empfänger-Beziehung« zu anderen Orten arbeitet.

Die US-amerikanische globale (Energie-)Politik stützt sich auch auf ein aktuelles Projekt des US-Außenministeriums, in dessen Rahmen Flussbecken in ihrer Entwicklung miteinander verglichen werden. Unter der Ägide des Außenministeriums werden Wissenschaftler und Ingenieure dazu aufgefordert, Projekte für das Jangtse- und das Missouri-Mississippi-Becken oder Projekte für das Becken des Gelben Flusses und des Rio Grande einander gegenüberzustellen.

Wir setzen diese Strategie nun fort, indem wir sie auf alle Flussbecken der USA ausdehnen, die sich für vergleichende Entwicklungsprojekte eignen. Um die gesamte Erdoberfläche einzubeziehen, befassen wir uns nicht nur mit Fluss-, sondern auch mit Meeresbecken. Zum Jangtse und zum Gelben Fluss gibt es das Gelbe und das Ostchinesische Meer, zu Mississippi und Missouri bzw. Rio Grande den Golf von Mexiko und den dazugehörigen Abfluss in den Golfstrom.

Wir gehen freilich von bloßen Vergleichen ab und richten unsere Bemühungen auf Sender-Empfänger-Beziehungen. In Übereinstimmung mit dem, was Ozeanografen wissen, stellen wir Meeresbecken einander gegenüber in Hinblick darauf, was sie abgeben (senden) und was sie aufnehmen (empfangen):

• Der Golf von Mexiko bzw. der Golfstrom gibt etwas an Europa ab und nimmt von dort über den Iberischen Strom etwas auf.

• Alaskastrom und Kalifornienstrom geben von Norden bzw. Süden her etwas nach Asien an Japan ab und nehmen von dort über das Ostchinesische bzw. Gelbe Meer mit dem Kuroschio etwas auf.

• Der Labradorstrom, in dem sich Gewässer der Nordwestpassage, des Irmingerstroms und der Hudson Bay vereinen, erstreckt sich entlang der gesamten Nordostküste, sinkt unter den Golfstrom ab und steigt dann schließlich im Südlichen Eismeer um die Antarktis wieder auf (ein zum Austauschprozess zwischen Arktis und Antarktis gehörender Prozess).

Da es zwischen den Vereinigten Staaten bzw. Nordamerika und Gewässern und Becken des Indischen Ozeans zu keinem Austausch kommt, wenden wir uns wieder dem Schwesternflussansatz des US-Außenministeriums zu, um auf dieser Grundlage eine Schwesternbeckenstrategie für zwei mal zwei Meeresgebiete vorzustellen: Das erste Paar sind der Golf von Kalifornien und der Persische Golf, das zweite das völlig abgeschlossene Great Basin und das Becken des Toten Meeres. Energie- und Ökologiepolitik eines Gebiets können auf ein anderes übertragen und dort erprobt werden; die Regionen sind einander hinlänglich ähnlich, um über Probleme, Gelände, Hydrologie und Möglichkeiten nachzudenken. Man stelle sich bloß vor, welche Konsequenzen es hätte, wenn die US-Regierung, statt Saddam Hussein zu stürzen, ein den gesamten Golf umfassendes Ökologie-Hydrologie-Entwicklungsprojekt vorantreiben und überall auf erneuerbarer Energie beruhende Technologien einsetzen würde, die auf gemeinsam mit Mexiko im Golf von Kalifornien getesteten Ansätzen beruhen. Und man stelle sich weiters vor, welche Konsequenzen es hätte, wenn die US-Regierung sich bereit fände, auf Selbstversorgung im hydrologischen Bereich und auf dem Energiesektor abzielende Bemühungen in der nach innen entwässernden Great-Basin-Region mit an ähnlichen Orten unternommenen Anstrengungen in dem gesamten Gebiet zu koppeln, das nach nur wenigen technischen Eingriffen ins Tote Meer entwässern könnte.

Im Rahmen einer diplomatischen Offensive könnten die USA sich ganz kleine Salzwasserbecken als Testgebiete für ihre vier oder fünf erneuerbaren Energietechnologien aussuchen, die sich alle auf Wasser stützen. Als erstes Testgebiet könnte man sich etwa ein kleines, vergleichsweise sauberes Salzwasserbecken in Nevada oder Kalifornien aussuchen. Die nächsten Gebiete würden beide muslimisch sein und beispielsweise im Becken des Vansees in der Türkei und im Becken des Rezaieh-sees (des heutigen Urmiasees) im Iran liegen; beide Regionen sind auch kurdisch. Die USA würden eine unabhängige Versorgung dieser Regionen fördern, ohne Partei dafür zu ergreifen, was hier Unabhängigkeit heißt; schließlich ist das Great Basin, wenn auch überwiegend mormonisch, auch nicht unabhängig.

Ein zumindest für die Umgestaltung des globalen Energiehaushalts äußerst dramatischer Umstand könnte aus dem Sender-Empfänger-Verhältnis zur Antarktis resultieren. Ohne in einen internationalen oder religiös-ethnischen Konflikt einzutreten, könnten die Vereinigten Staaten, Kanada, Island und Grönland, die ja alle ganz dicke Freunde sind, der ozeanografischen Tatsache der Beziehung ihrer Meeresgewässer mit dem Meer um die Antarktis ins Auge sehen und sowohl in ihren heimatlichen Gewässern als auch in den biologisch reichen Gewässern der Antarktis ein Sofortprogramm starten, um große Mengen von Meeresalgen zu züchten und zu ernten, die keinerlei Kohlenwasserstoffe abgeben. Der erste souveräne Staat, der von einem solchen Sofortprogramm materiell profitieren und in der Lage sein würde, mit ganzen Batterien solcher Algenanlagen nachzusetzen, wäre Argentinien. Das zweite Land, das, auf der anderen Seite des Atlantiks, materielle Vorteile aus einem solchen Programm ziehen würde, wäre Südafrika. So könnte zwischen den USA, Kanada, Island und Grönland einerseits und Argentinien und Südafrika andererseits aus den Kräften des Lebens im Meer ein konkretes Sender-Empfänger-Programm erneuerbarer Energie entstehen.

Der gesamte Erfolg globaler Politik hängt von der Koordination mit Ländern ab, in denen man ähnlich denkt. Im Augenblick sollten die USA – was vielleicht manchen überraschen mag – mit Österreich zusammenarbeiten. Diese kleine Nation hat sich in den vergangenen Monaten für eine auf Wasserkraft beruhende Energiepolitik stark gemacht. Österreich tritt dafür ein, dass Wasserscheiden über den Zugriff auf Energie entscheiden und andere Länder, auch wenn sie Mitglieder einer Gemeinschaft wie der Europäischen Union sind, sich nicht in die Verwaltung der heimatlichen Gewässer einmischen sollen. Dieser Grundsatz nationaler Politik, der als eine auf den eigenen Wasserressourcen gründende Energie- oder Stromlösung vorgetragen wird, hat für Grenzziehungen ebenso weit reichende Folgen wie für die Organisation von Territorien. Sofort spürbar wären diese Konsequenzen dort, wo selbst den konservativsten Positionen (wie jenen des *Wall Street Journal* oder des *Economist*) zufolge eine fundamentale Veränderung bei Grenzziehungen stattfinden muss: in Afrika. Wir haben mit Österreich einerseits, das zum Schwarzen Meer und daher auch zum Mittelmeerbecken hin ausgerichtet ist, und mit den Vereinigten Staaten und ihren Energielösungen für Südafrika andererseits einen US-amerikanisch-österreichischen diplomatischen Ansatz für ganz Afrika entwickelt. Dieser richtet sich nach Meeresbecken und nicht nach ehemaligen kolonialen Verhältnissen und operiert mit den hier dargestellten relativ kostengünstigen und arbeitsintensiven auf Wasser beruhenden Technologien. Unter dem Titel *Africa Afresh: In Zusammenarbeit mit Österreichs (brandheißer) Energiepolitik* schlagen wir auch eine eindeutig postkoloniale Neuordnung des heute verarmten Kontinents vor.

Peter Fend

PETER FEND
Global Terror, 2003

FODOR

Ein Billboard in New York City: der Blick eines Marines von stählerner Entschlossenheit. Die Aufschrift »The Change is forever« hallt wie ein dumpfes Echo der jüngsten Kriegsereignisse nach. Nachträgliche Umkodierung einer semantischen Setzung im öffentlichen Raum, herrische Platzverdrängung im Gewimmel der vertikalen Architekturen.

Eine Straßenszene irgendwo im Kosovo: Kleine Papierfetzen und zusammengedrückte Verpackungen markieren den Ort mit den Spuren der Verwahrlosung, ein Hund liegt träge ausgestreckt auf den Kieseln; zwischen den Steinplatten des Trottoirs wuchern Gras und Unkraut. Die Häuserfront, die das Bild nach hinten abschließt, wird von einem großformatigen Gemälde dominiert: Drei bärtige Kämpfer mit Tarnanzügen und malerisch drapierten Patronengürteln, die Schusswaffen fest im Griff, die Augen in die Ferne künftiger Gemetzel gerichtet; dahinter das Emblem der UÇK.

Fotos als Repräsentation des Repräsentierten: Gyula Fodor gibt den visuellen Selbstdeutungsdispositiven zweier diametral entgegengesetzter Kulturen ein urbanes Umfeld, einen existentiellen *frame*, der die Chiffren der Gewaltbereitschaft zum Tanzen bringt. Die satte Selbstzufriedenheit der ökonomischen Prosperität verknotet sich dialektisch mit den Erosionen an der Peripherie, die ontologischen Abgüsse von den beiden Enden des gesellschaftlich-politischen Spektrums stehen einander gegenüber wie blinde Spiegel.

Gyula Fodor ist ein Quereinsteiger, der auf Umwegen zur künstlerischen Fotografie kam: Geboren in Dorog (Ungarn), arbeitete er als Dreher, Hochseematrose, chemisch-technischer Facharbeiter, Leichenträger, Maschinenbauingenieur. In Österreich studierte er Theaterwissenschaft und Bodenkultur und war lange Zeit als Taxiunternehmer tätig. Unter dem Eindruck der Arbeiten des aus Ungarn stammenden Magnum-Fotografen Robert Capa begann er, die Welt mit der Kamera zu registrieren und zu interpretieren. Seine Arbeiten sind keine Inszenierungen, sondern Objets trouvés, die durch die Verwirbelungen der Geschichte vor seine Linse geschwemmt werden. »Fodors Fotografien transponieren das Gezeigte in eine andere Sphäre, in eine Art von Unwirklichkeit oder Künstlichkeit«, schreibt Cathrin Pichler. »Räume und Szenarien, die zweifellos der Wirklichkeit entstammen, erscheinen im Irrealen verortet, reale Landschaften sind in Traumszenarien verwandelt.«

TM

Ohne Titel (New York, Manhattan), 2002
Farbfotografie, 50 x 75 cm

Ohne Titel (Priština), 2002
Farbfotografie, 75 x 50 cm

RENÉE GREEN

Partially Buried Continued ist eine Reflexion darüber, wie jemandes Beziehungen zur Geschichte, zu einem Ort und zur Genealogie sich zu einem subjektiven Netz verflechten, und über die resultierende Schwierigkeit, zwischen Fakten und Fiktion zu unterscheiden. Es geht in diesem Video um die möglichen Wechselbeziehungen zwischen Fotografie und Erinnerungen und die Unterschiede zwischen der Erinnerung als einem aktiven Prozess und dem Erinnern als einem Gedächtnis-Akt, vorgeführt an der Person der Filmemacherin, die im Wechsel zwischen verschiedenen Orten und Zeiten, Korea, Berlin, Ohio, den fünfziger, den siebziger und den neunziger Jahren, versucht, ihre eigene Gegenwart mit dem Vergangenen in Bezug zu setzen.

»Sie erinnert an zwei verstorbene Künstler und denkt nach über die Spuren ihres Leben, die nach ihrem Tod fortbestehen. Indizien, Inschriften. Zitate. Eltern, Verwandte, künstlerische Vorgänger. Die übliche Liste von Künstlernamen zerrt an ihr« (Auszug aus *Partially Buried Continued*)

Werke von Robert Smithson und Theresa Hak Kyung Cha sowie das Jahr 1970 bilden in diesem Video wiederholte Bezugspunkte. Sowohl Smithson als auch Cha arbeiteten mit Sprache, Ort und Zeit. Im Jahr 1970 produzierte Robert Smithson an der Kent State University in Ohio seine In-situ-Arbeit *Partially Buried Woodshed*. Im Mai 1970 wurden vier Studenten erschossen, die an einer Protestveranstaltung gegen die US-Invasion in Kambodscha teilgenommen hatten. Kurz danach schrieb jemand »May 4, 1970« auf *Partially Buried Woodshed*, wodurch die Arbeit eine andere Bedeutung erhielt.

Partially Buried Continued beschäftigt sich mit der Vermischung von Gegenwart und Vergangenheit, Nahem und Fernem, Anderem und der eigenen Person, mittels einer Reflexion über das Medium der Fotografie am Beispiel von Fotografien, die der Vater der Protagonistin während des Koreakrieges machte und die sie als Kind sah, anderen Fotografien, die am 18. Mai 1997 in Kwangju (Korea) aufgenommen wurden, und schließlich Fotografien, die die Künstlerin selbst 1997 in Kwangju und Seoul machte. Die Komplexität unserer verwickelten Beziehungen zu Ländern und Nationalitäten, Orten und Zeiten und zu daraus abgeleiteten Identifikationen werden fortwährend in Frage gestellt.

Renée Green

RICHARD HAMILTON

1956 sah sich Richard Hamilton einer bequem gewordenen Kunst gegenüber, die seiner Meinung nach den Bezug zur Lebensrealität verloren hatte. Er wollte sich nicht mit der Rolle als »Zubehörlieferant für Raumausstatter« zufrieden geben und fertigte eine Liste der Dinge an, die einen großen Teil des Lebens ausmachen, aber denen die Kunst – wenig erstaunlich – kaum Aufmerksamkeit schenkte. Darauf fanden sich folgende Begriffe: Mann, Frau, Menschheit, Geschichte, Essen und Trinken, Zeitungen, Kino, Fernsehen, Telefon, Comics (Bildinformation), Wörter (Textinformation), Tonbandaufnahmen (Audioinformation), Autos, Haushaltsgeräte, Raum. Die einzelnen Punkte fügten sich zu einer berühmten Ikone der europäischen Pop-Art. Die Collage *Just what is it that makes today's homes so different, so appealing?* (1956) zeigt als Interieur ein konsum- und freizeitorientiertes Sittenbild der fünfziger Jahre. Auf dem Bildschirm des Fernsehers sehen wir eine telefonierende Frau mit schwarzem Haar.

Auf *Interior II* (1964) schwebt das Gerät eigenwilligerweise. »Die Faszination des Fernsehens liegt in der Art, wie es in ununterbrochenem Strom Parallelwelten in unser Leben rieseln lässt. Der allgegenwärtige Kasten stößt Informationen so umfassend und unselektiert aus, dass daraus ein nicht mehr wahrgenommenes visuelles Murmeln entsteht [...] Das Fernsehen ist bis zu einem gewissen Grad zum aktiven Gegenstand eines Stilllebens mit der Bedeutung einer Uhr auf dem Kaminsims in einem Bild von Cézanne geworden – nichts weiter als ein Symbol für das Dahinfließen der Zeit«. *Interior II* zeigt die Ermordung John F. Kennedys.

Mit *War Games* (1991) greift Hamilton in den neunziger Jahren das Thema Medien- versus Bildrealität exemplarisch wieder auf. Diesmal ist der Apparat bildbestimmend groß. Die Mattscheibe zeigt eine Informationsgrafik von in Stellung gebrachten Panzern. Die Lage der Truppen ist u. a. mit Flaggen gekennzeichnet. Neben ihm auf dem Sideboard die Boxen. Wohl geordnet stehen da Videokassetten. Die Stereoanlage ist zu erahnen. Den Medienmix komplettiert eine zusammengefaltete Zeitung, auf der gerade mal »Mother of Battles« zu lesen ist – es tobt der Krieg der Zivilisationen. Die Schlacht wird auch auf dem heimischen Bildschirm ausgefochten. Sie kommt zu uns ins Wohnzimmer. Wir finden uns in der Rolle des Zuschauers der imaginierten Schlachtfeldbewegungen wieder.

»Bizarre Situationen wurden während des Golfkrieges inszeniert, wenn amerikanische Presseoffiziere und auch General Schwarzkopf selbst Presseinformationen gaben, bei denen die Fernsehkameras aufgefordert wurden, einen Monitor mit der grafischen Darstellung eines erfolgreichen Luftangriffs zu zeigen. Eine Hand mit Zeigestock folgte durch das geometrische Zielsuchfenster dem Flug einer ›intelligenten Bombe‹, bis sie lautlos in der Mitte des Ziels explodierte. Dann ging die Kamera aus dem Bildschirm im Bildschirm heraus, um das zufriedene Grinsen des Armeesprechers einzufangen.«

An der Unterseite der Fernseher ist Blut zu sehen. Es tropft bereits auf die Kassetten im Regal darunter und ist pastos auf die digital gedruckte Fotografie aufgebracht. Zähflüssig liegt diese Schicht über dem technisch reproduzierten Bild.

GM

KORPYS / LÖFFLER

Der schwedische Politiker und Schriftsteller Dag Hammarskjöld wurde 1953 zum zweiten UN-Generalsekretär gewählt und kam 1961 bei einem ungeklärten Flugzeugabsturz in Sambia ums Leben. Er versuchte das Gewicht der 1945 von den alliierten Nationen im Kampf gegen die Achsenmächte des Zweiten Weltkrieges gegründeten UNO als Frieden stiftende Organisation zu stärken. 1961 wurde er posthum mit dem Friedensnobelpreis geehrt. »Für ihn und alle, die durch ihre Friedensarbeit ihr Leben verloren« entwarf Marc Chagall eine frei stehende Glaswand rund um die Symbole von Frieden und Liebe. Das 4,60 Meter breite und 3,65 Meter hohe blaue Fenster ziert noch immer die Besucherlobby der Vereinten Nationen. Dag Hammarskjöld inspirierte den Zeichner Johnny Bruck für seine Figur Perry Rhodan, den Großadministrator des Solaren Imperiums. Als Vorlage diente ein Bild Hammarskjölds in der *Bild*-Zeitung vom 14.11.1956 – während der Suezkanalkrise. Unterschrift: »Nur ein Mann verzweifelt nicht.« Das sind nur einige der Details, die Korpys/Löffler im Zuge ihrer Recherchen zum UNO-Hauptquartier in New York sammelten, einem von drei Machtzentren, die die beiden 1997 während eines Stipendienaufenthalts unter die Lupe nahmen. Die anderen zwei: das Pentagon und das World Trade Center.

Mit einer Super-8-Kamera beobachteten sie das Geschehen rund um diese Komplexe der Entscheidung. Besonders interessierten sie sich augenscheinlich für die Sicherheitsvorkehrungen, die vorfahrenden schwarzen Limousinen samt Bodyguards und verbreiten so die konspirative Atmosphäre eines Spionageunternehmens. Mit starrer Kamera aufgenommen und ohne ausgefeilte Technik geschnitten, prägt die Aufnahmen gleichzeitig die Naivität von amateurhaften Urlaubsandenken der siebziger Jahre: Wertvoll werden sie nur im Kontext der individuell wichtigen Information. Doch was könnte das hier sein? Der Aufklärungsbedarf der Betrachter wird jedenfalls nur teilweise befriedigt. Die Aufnahmen bleiben rätselhaft. Die Tonspur der dokumentarisch-unspektakulären Bänder lehnt sich an Soundtracks an – wohl nicht zuletzt, weil die Gebäude auch als Aufsehen erregende Filmkulissen dienten und aus den Medien gut bekannt sind. Wir kennen diese Bilder und auch ihren Modus. Dieser Wiedererkennungseffekt paart sich mit ihrer Selbstgenügsamkeit und Ziellosigkeit.

Auf den dazugehörigen großformatigen, multiperspektivischen Risszeichnungen untersuchen Korpys/Löffler die Gebäude von allen Seiten: die Notausgänge, die Tunneleinfahrt, das Fensterputzen – oder integrieren Raumansichten. Eingestreute Texte verweisen auf Geschichten rund um diese Architekturen, verweisen z. B. auf das Bombenattentat auf das World Trade Center, bei dem 1993 fünf Menschen getötet wurden, oder auf Filme, die dort angesiedelt sind, wie *Die drei Tage des Condor* von Sydney Pollack (1975), in dem sich eine CIA-Zentrale, getarnt als Handelsorganisation, im World Trade Center einquartiert. Ein Text der Pentagon-Zeichnung erzählt von James V. Forrestal, 1947 der erste Secretary of Defense, der den bis heute mysteriösen Absturz zweier Flugobjekte in New Mexico aufklären sollte, sich aber zwei Jahre später umbrachte.

Nonchalant spielen Korpys/Löffler anarchisch mit Mythen, Verschwörungstheorien und Fakten, bis die Distanz zum Objekt der Begierde unermesslich wird. Statt einer Annäherung verzweigt sich das angesammelte Wissen labyrinthisch. Die Verweise enden in einem Dschungel der enzyklopädischen Beziehungen. Politik, Geschichte, Populärkultur, Architektur und andere Bereiche verflechten sich zu einem Netz von Daten, Ursachen und Wirkungen, die den allgemeinen Vorrat an (kollektiven) Erkenntnissen dubios erweitern. Sie bringen die gewohnte kausale Relation von Vergangenem, Gegenwärtigem und auch Zukünftigem imaginär ins Schwanken. Die herausgegriffenen Details eignen sich nicht für eine lineare Geschichte, sondern öffnen Zugänge zu verwirrend vielen Einzelphänomenen. Sie provozieren eine unüberschaubare Vielfalt von Bedeutungen. Dieses Puzzle setzt sich nicht zu einem Bild zusammen. Eher erscheinen die Bestandteile wie einzelne Bedeutungsinseln, die zwar wie in einem Kristall zusammengehören, sich aber je nach Lichteinfall zeigen und auch wieder verschwinden. An seinen harte Kanten entstehen Brüche und Uneindeutigkeiten.
GM

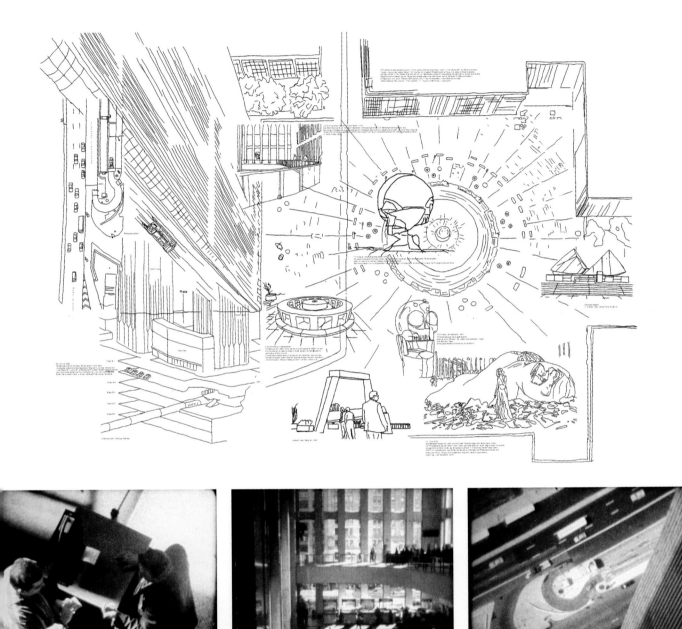

World Trade Center, 1997
Super 8 auf DVD, 6,55 Min.

ANDRÉE KORPYS / MARKUS LÖFFLER
Storyboard, United Nations, 2002
Zeichentusche auf Papier, 154 x 222 cm

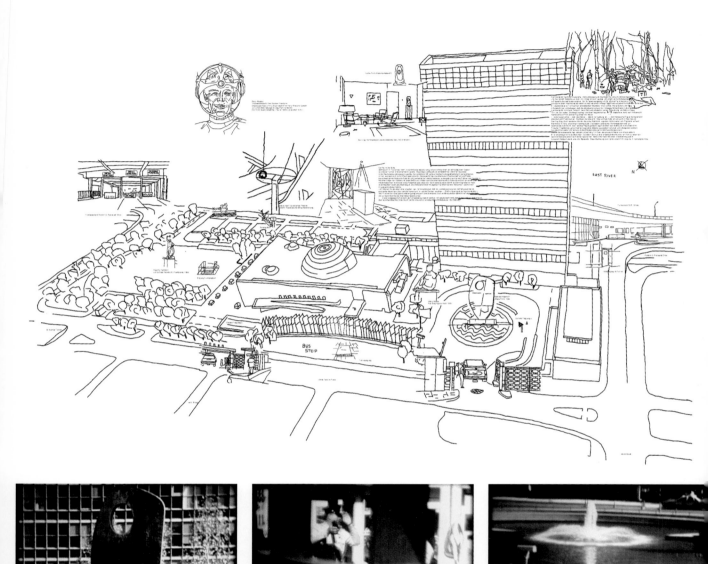

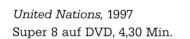

United Nations, 1997
Super 8 auf DVD, 4,30 Min.

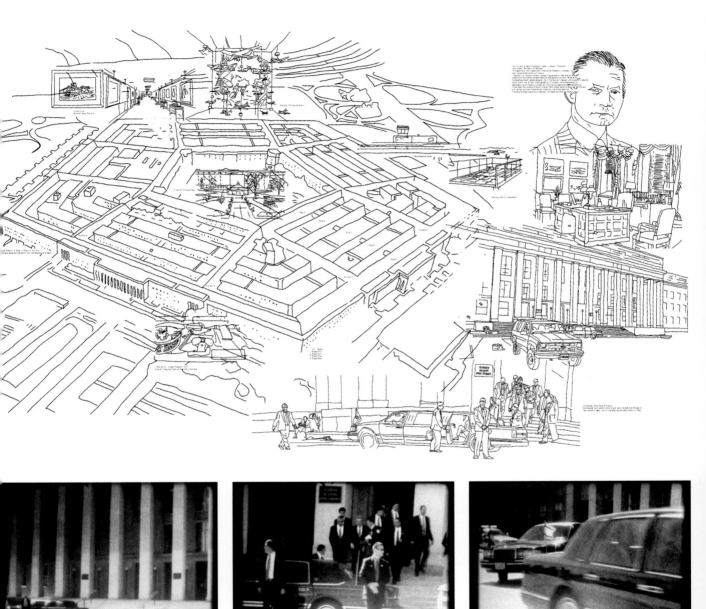

Pentagon, 1997
Super 8 auf DVD, 3,10 Min.

KUDA.ORG

Gabriele Mackert: An Safe Distance *(1999) gleichermaßen irritierend wie faszinierend finde ich die Konfrontation mit dem Stress des Piloten vor der Notlandung. Man hört, wie sein Atmen lauter und lauter wird und wie er sich mit den anderen an dem Angriff beteiligten Piloten verständigt. Das Ganze hat etwas von einem Countdown mit ungewissem Ausgang.*

Kristian Lukić: *Safe Distance* ist ein Video, das bei einem Luftangriff der NATO auf Jugoslawien aufgezeichnet wurde. Man sieht das elektronische Cockpit eines Flugzeuges der US-Luftwaffe. Der Angriff wurde von vier auf dem NATO-Stützpunkt Ramstein in Deutschland stationierten Flugzeugen geflogen. Im Rahmen des Einsatzes sollten mehrere Ziele im Gebiet um Novi Sad bombardiert werden. Nach der Ausführung des Auftrags wurde auf dem Rückweg eines der Flugzeuge abgeschossen. Das Band (ein Sony-Super-8) wurde in der Nähe der abgestürzten Maschine im Fruška-Gora-Gebirge in Sirmien gefunden. Es zeigt das elektronische Cockpit mit einem schlichten grafischen Interface. Man hört die Piloten miteinander sprechen. Die Aufnahme ist eine Standardflugdokumentation, die den Befehlsstellen dazu dient, Effizienz und Erfolg der geflogenen Einsätze zu analysieren. Auf dem Video sind die letzten Augenblicke vor dem Absturz festgehalten.

Das Interface im Cockpit ist völlig reduziert, schwarzweiß. Das kalte elektronische Display ist eine digitalisierte Darstellung der Realität draußen mit den wichtigsten Positionsangaben (geografische Länge und Breite). Anfangs wirkt das Video wie eine Flugsimulation, weil uns ähnliche grafische Schnittstellen als virtuelle Darstellungen vertraut sind. Im Vergleich zu beliebten Simulationen von heute wirkt das Cockpit freilich wie ein altmodisches Spiel im Stil der siebziger Jahre. Das Hauptversprechen heutiger Kriegsführung ist ein sicherer Krieg, in dem es keine Opfer gibt. Der gesamte Krieg gegen Jugoslawien wurde unter der Prämisse geführt, dass es sich eigentlich nicht um einen Krieg, sondern um eine humanitäre Intervention mit einigen kollateralen Verlusten handeln würde. Diese Intervention war der erste Krieg der Geschichte, der ausschließlich durch Luftschläge, ohne den Einsatz von Bodentruppen, gewonnen wurde. Das Video stützt den Mythos militärischer Einsätze ohne Opfer – ein Mythos, der in der kollektiven Vorstellung der Alliierten ständig gefördert wurde und wird.

Was genau heißt: »Production: US Air Force, Postproduction: kuda.org«?. Worin bestand die Postproduction? In der Veröffentlichung? Habt ihr bestimmte ästhetische Entscheidungen getroffen?

Postproduction heißt Wechsel des Kontexts. Das Band ist nicht von einer Gruppe von Offizieren analysiert worden, sondern wurde zum Element eines künstlerischen Konzepts. Was war das Besondere daran? Dass das Band ein »Original«, ein »Ready-made« war, das aus dem abgestürzten Flugzeug stammte und gefunden wurde, faszinierte uns auf ähnliche Weise, wie Leute überall auf der Welt Sendungen faszinieren, in denen es um »wirkliche« Menschen und ihr »wirkliches« Leben geht.

In unserer Ausstellung stellen wir den Aufnahmen von kuda.org anderes Bild- und Filmmaterial gegenüber, z. B. Material aus dem Internet über verschiedene Angriffe. So haben wir etwa einen Film ausgesucht, in dem man das Bombardement der Brücke von Novi Sad aus der Perspektive der Kegelspitze einer fallenden Bombe sieht. Am Schluss flimmert alles grau– dann ist die Verbindung unterbrochen. Im Internet gibt es Unmengen solcher Filme. Während des Krieges im ehemaligen Jugoslawien fand sich solches Material auf manchen Websites der US-Armee, die damit Leute rekrutieren wollte. Dann hat man das Material zurückgezogen. Andere Aufnahmen stammten aus zweifelhaften Quellen. Aber spielt die Frage der »Authentizität« bei Safe Distance *überhaupt eine Rolle?*

Authentizität hat in diesem Fall mit Spektakel, mit Aufregung und mit der versteckten Begeisterung für Machtstrukturen zu tun. Für solche Strukturen spielen Verschwörung und Mystifizierung eine entscheidende Rolle. Leute, die das Band sehen, sind begeistert, dass sie es mit etwas zu tun haben, was »topsecret« ist, mit etwas Originalem, einer Aufnahme, die für nur ganz wenige Menschen des militärischen Machtapparates entstanden ist. Sie sind fasziniert davon, einen Blick ins Herz dieses Apparates werfen zu dürfen. Manche sind von dem Sony-Super-8-Band »enttäuscht«, das die Air

Force verwendet, weil sie davon ausgegangen sind, dass es ganz besondere, kodierte Bänder oder so etwas sein müssten. Auch das gehört zur Mystifizierung.

Als Aktivisten im Medienbereich befasst ihr euch eingehend mit den Möglichkeiten und Grenzen der Vermittlung – etwa der Entwicklung der Kommunikationstechnologien und ihren Folgen in Bezug auf die Gesellschaft, auf Kontrolle und Überwachungstechnik. Wie steht es um die Wirkung der Schnittstelle, die ihr in Safe Distance zeigt, durch die ja der Eindruck von Echtzeit, die Impression einer Liveübertragung erzeugt wird?

Vielleicht wird es bei militärischen Einsätzen schon sehr bald direkt im Cockpit Livekameras geben, wie man sie heute bereits bei Formel-1-Rennen verwendet.

Die Berichte über den Kosovo-Konflikt waren ganz anders. Da wurden Bilder der Opfer gezeigt, und der Krieg war grausam, erschütternd und nah. Gibt es einen Unterschied zwischen der Verwendung von Material in Berichten über Jugoslawien in den neunziger Jahren und dem heutigen Umgang damit?

Das Material bietet hier eine umgekehrte Perspektive. Während der Bombardierungen in den neunziger Jahren waren wir das Objekt, hier ist der Pilot das Objekt. Wir wissen, dass er überlebt hat; ein US-Kommando aus Bosnien hat ihn mit einem Hubschrauber geborgen. In Serbien ist es heute politisch nicht korrekt, über diesen Krieg zu diskutieren. Dem serbischen Militärexperten Aleksandar Radić zufolge, der gute Verbindungen zu US-Militärstellen hat, wollen auch die meisten Repräsentanten der US-Armee nicht wirklich darüber sprechen – nach dem Motto »Das ist für uns Geschichte«. Weil Serbien in Europa liegt und wieder einmal ein strategischer Partner wie vor den neunziger Jahren werden könnte, haben die Amerikaner ein moralisches Problem, den Krieg damit zu rechtfertigen, dass es sich um einen »politisch kontrollierten« oder »politisch beschränkten« Krieg gehandelt habe. Leider haben die Menschen im Irak dieses »Glück« nicht.

Safe Distance, 1999
DVD, Ton, Kopfhörer, 21 Min.
Production: US Air Force
Postproduction: kuda.org, Novi Sad

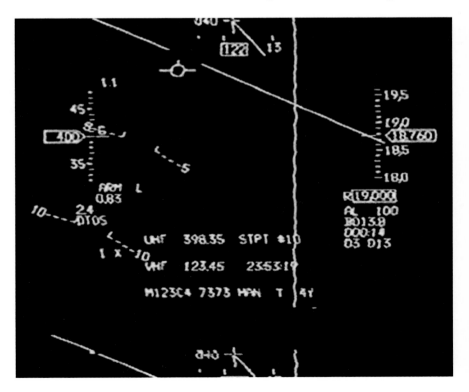

SIGALIT LANDAU

Die Plastikindustrie boomte, als der Hula-Hoop 1957 in Form farbenfroher Reifen von Kalifornien aus zur weltweiten Mode wurde. Nur die UdSSR verbot ihn aus weltanschaulichen Gründen, um dem Klassenfeind keine Einflusssphäre zu überlassen. In Japan hatte man Angst vor seinen Verführungskünsten. Hula-Hoop verweist auf die Stereotype der paradiesischen Ferieninsel: Unter Palmen tanzen Eingeborene. Israel ist weit davon entfernt.

Bedrohung dringt langsam, aber nachhaltig in das Leben und die Kultur von Menschen ein. Sigalit Landau setzt sich mit der geschichtlich und politisch hoch sensiblen Situation in Israel sehr persönlich mit dem Thema der Grenzziehung auseinander. Landau versucht in ihrem Videoloop *Barbed Hula* eine neue Metapher für die anhaltende Gewalt in Israel und Palästina zu finden. Dafür benutzt sie allerdings nicht die seit Jahren bekannten Medienbilder von Explosionen, Selbstmordattentaten oder Siedlungsräumungen, die wir am liebsten nicht mehr sehen möchten. Dem Schmerz setzt sie mehr Schmerzen entgegen.

Das Video zeigt eine nackte junge Frau am Strand, die mit einem aus Stacheldraht gebogenen Reifen Hula-Hoop tanzt. Der eigentlich fröhliche hawaiianische Tanz reißt Wunden in die nackte Haut. Immer wieder beginnt der Loop von vorne, die Tortur will kein Ende nehmen. Zyklisch nimmt sie ihren Lauf. Dieses System kann man nicht stoppen. Kein hoffnungsfrohes Ende ist in Sicht: Die wahre Hölle hält ewig an. Ein Alptraum. Viele Betrachter sind von der Arbeit so geschockt, dass sie an ihrer Authentizität zweifeln. Wer tanzt freiwillig – wie es den Anschein hat – Hula-Hoop mit einem Reifen aus Stacheldraht?

Zur Ortsbestimmung dienen Landau ihr eigener Körper und seine fortwährende Bewegung. Die zentrifugale Kraft bezieht sich auf das Individuum als Zentrum der Orientierung. Als Bewegungsspielraum bleibt allerdings nur der knapp bemessene Innenraum des Ringes. Dieses Territorium existiert nur in der Bewegung. Der Gebietsanspruch ist minimal, aber er wird verteidigt: Die Stacheln des Reifens sind nach außen gerichtet.

Für ihren Auftritt hat sich Landau einen Strand südlich von Tel Aviv ausgesucht. Die Stadt wurde vor 50 Jahren von jüdischen Siedlern nur einen Steinwurf vom palästinensischen Jaffa entfernt, aus dem Boden gestampft. Bis heute ist sie Aushängeschild für das urbane Israel jenseits des Kollektivmodells des landwirtschaftlich geprägten Kibbuz: etwas Industrie, Business und Geld, Schick und Kultur, Bohemiens und Linke. Verglichen mit Jerusalem hat Tel Aviv den Neubeginn auf dem Sandstrand versucht. Jenseits der Religionen, der Mythen und der Geschichtsträchtigkeit der Region. Der Strand selbst gehört allerdings nicht unbedingt zu den Touristenattraktionen. Etwas heruntergekommen und nicht ganz familientauglich, trifft man dort eher auf Fischer denn auf Erholungssuchende.

Landau kontrastiert ihr schockierendes Tun mit der zeitlosen Logik der Natur. Die sanfte Brandung unterlegt die grausame Szenerie mit einer friedlich-atmosphärischen Tonspur. Das Meer zeigt sich unbeeindruckt. Gleichzeitig ist es die einzige unumkämpfte, weil natürliche Grenze Israels. Die Botschaft der indifferenten Landschaft will sich in einem Land, in dem jeder Kilometer hart erkämpft bzw. verteidigt oder durch Siedlungen in Besitz genommen ist, wo der Weg, den Schulkinder auf einem Ausflug gehen, markiert ist, damit sie nicht aus Versehen in eine militärische Sperrzone geraten, wo Stacheldraht allerorten der Bewegung Einhalt gebietet, jedoch nicht so recht einstellen. Natur kann in diesem Kontext schwerlich die Schablone für naive Romantizismen bereitstellen. Zudem scheint die Bevölkerung immer noch stärker von der Erinnerung der Großelterngeneration an ihre Herkunftsländer in aller Welt geprägt zu sein als von der jüngsten Geschichte.

GM

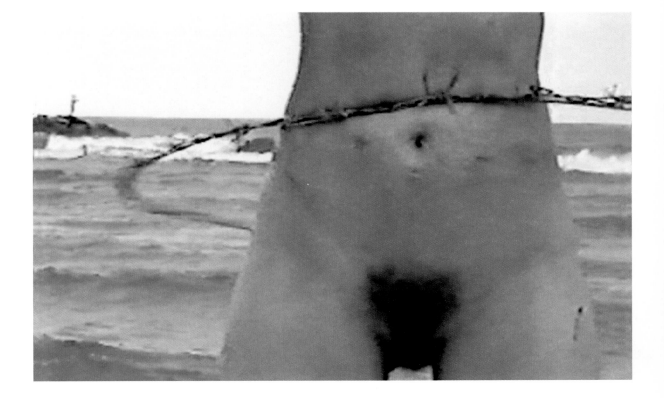

CHRIS MARKER (Christian François Boche-Villeneuve)

Mitte der neunziger Jahre beschäftigte sich Chris Marker in Reportagen und Interviews zweimal mit dem Krieg in Exjugoslawien. 1995 interviewte er in *Témoignage d'un Casque bleu* (Gedanken eines Blauhelms) François Crémieux nach seiner Rückkehr aus Bihać. Crémieux hatte sich in der Überzeugung der Wichtigkeit des UNO-Einsatzes freiwillig gemeldet, sechs Monate seines Militärdienstes als Blauhelmsoldat in Bosnien abzuleisten. Mit starrer Kamera, nur unterbrochen von Aufnahmen von Fotografien und Zwischentiteln, zeichnete Marker die Aussagen des jungen Arztes auf. Das Gespräch ist so in 19 thematische Abschnitte gegliedert: Gründe, Bilder, Einweisung, Geschichte, »Bosniaken«, Angreifer, Aufgabe, Beweggründe, Berufssoldaten, Gehorsam, Hunde, Krieg, Tod, Umkehr, Politik, Lüge, Positiv, UNO, Bilanz. Diese fällt vernichtend aus. »Sollte die UNO die Situation dort unten weiter so handhaben, dann läuft gar nichts mehr. [...] Ich weiß inzwischen, wozu das alles gut ist. Ich weiß, dass das weder den Unterdrückten hilft noch irgendwas mit den naiven Vorstellungen zu tun hat, die ich vor meinem Einsatz hatte. Aber es geht hier auch um den Versuch, zu retten, was an internationaler Organisation, an staatsübergreifender Organisation noch funktioniert.«

Crémieux schildert die Auswirkungen der UNO-Anwesenheit, die Diskrepanz zwischen der Mission und den Presseberichten sowie den Ankündigungen der Politiker. Schon die Einweisung durch die Vorgesetzten analysiert Crémieux als rassistische Propaganda mit dem Ziel, Misstrauen der Bevölkerung gegenüber zu schüren. Ins Zentrum rücken die Widersprüche der internationalen Organisation, ihre Ethik und die Sprache der Kommunikation. Die Realität des UNO-Einsatzes ist geprägt von Hilflosigkeit, Absurdität und der Frage nach der Sinnhaftigkeit. Crémieux fasst die Ereignisse in einer Schiffsmetapher zusammen: Ohne Zweifel habe er Situationen erlebt, in denen man merke, nicht vergebens da zu sein. Beherrschend aber sei das Gefühl gewesen, auf der Brücke eines Dampfers zu stehen, der in die falsche Richtung steuere.

Im slowenischen Roska nahe Ljubljana dreht Marker 1994 seine halbstündige Reportage *Le 20 heures dans les camps* (Prime Time im Lager). In einer ehemaligen Kaserne, nun ein Lager für bosnische Flüchtlinge, wird das Flüchtlingsfernsehen ITV produziert. Einen Tag lang beobachtet Marker die Arbeit der Fernsehmacher, die die Nachrichten aus aller Welt und vom nahen Krieg filtern, um den Anschluss an den Informationsfluss sicherzustellen. Aus dem Material von CNN, Sky Channel und Radio Sarajewo montieren sie im improvisierten Studio eine eigene halbstündige Nachrichtensendung mit Jingle und Moderatoren, die die Geschehnisse kommentierten. Ein wichtiges Anliegen ist dabei die Problematisierung von Berichterstattung an sich. So thematisiert ITV den Wahrheitsgehalt einer Nachricht, indem drei verschiedene Versionen einer Information präsentiert werden. »Der Zuschauer kann sich selbst ein Bild machen: Wer hat das Bedürfnis zu lügen? Wer hat die Möglichkeit zu lügen? Wer hat das Bedürfnis, aber nicht die Möglichkeit zu lügen?« Parallel dazu archiviert ein »Gedächtnisteam« die Erinnerungen und den Alltag der Flüchtlinge: »Mit all den Menschen, die getötet wurden, verschwinden auch unsere Erinnerungen, unsere Lebensart, Gerüche, Bücher, Lieder, unsere geliebten Melodien.« Am Rande des Krieges, im Exil, beginnt so die Arbeit an der Zukunft.

Chris Marker war Philosophieschüler von Jean-Paul Sartre (1937–1939) und engagierte sich während des Zweiten Weltkrieges in der französischen Résistance. Anschließend war er Übersetzer für die US-Armee. Nach 1945 arbeitete er als Schriftsteller, Fotograf und Lektor, bevor er 1952 seinen ersten Film, *Olympia 52*, drehte, einen Dokumentarfilm über die Olympischen Spiele in Helsinki. Chris Marker gestaltete mehrere Reisefilme, vor allem über sozialistische Länder. Sein Engagement für die radikale Linke zieht sich durch das ganze Werk. Als Assistent von Alain Resnais arbeitete er an dessen Film *Hiroshima mon amour* mit, der sich auf die Spuren des kollektiven Gedächtnisses begibt und verschiedene Vergangenheitsebenen erschließt. 1982 beschäftigte sich Marker in seinem Essayfilm *Sans Soleil* selbst mit Japan; darin werden fiktive Elemente mit essayistisch-philosophischen Kommentaren vor allem zum Thema Erinnerung verbunden.

GM

Le 20 heures dans les camps,
(Primetime im Lager), 1994
DVD, Ton, Farbe, 27 Min.

CHRIS MARKER
Témoignage d'un Casque Bleu,
(Gedanken eines Blauhelms), 1995
DVD, Ton, Farbe, 26 Min.

HANS-JÖRG MAYER

Hans-Jörg Mayer setzt sich in seinen Arbeiten mit den Mechanismen der Entstehung und Fest-
schreibung von Bedeutung durch Mediatisierung auseinander. Ausgangspunkt für seine maleri-
schen aber auch fotografischen Bilder ist dabei die dokumentarische Beweiskraft der medialen Realität von Zeitungen, Illustrierten und Fernsehen. Deren visuelle Botschaften transferiert er zu einer
eigenen Bildlichkeit. In einer Serie aus der Mitte der achtziger Jahre dienten ihm Darstellungen be-
waffneter Frauen aus den Magazinen *American Cinematographer*, *Penthouse* und *Fangoria* als
Motiv, also aus einer Filmzeitschrift, einem Erotikmagazin und einem Fanzine für Splattermovies.
Mehr erfahren wir nicht über die textliche Argumentation, denen diese Fotos beigestellt waren. Die
drei daraus entstandenen Malereien isolieren die Frauen nicht nur vom ursprünglichen Kontext,
sondern auch von ihrer Bildumgebung, etwa Natur/Landschaft oder Innenraum, und konzentrieren
sich so ganz auf die Darstellungsweise: Körperhaltung, Blick, Umgang mit der Waffe.
Dadurch wird die Frage nach dem Zweck der kämpferischen Haltung betont. Als Motive liegen
durchaus auch andere Beweggründe parat, als sie die Darstellung von bewaffneten Männern aufkommen ließen. Im Emanzipationsdiskurs z. B. würde sich die Diskussion um den Entwurf eines anderen, aktiven Rollenverständnisses jenseits traditioneller Zuschreibungen von Mutterschaft, Haus-
frau etc. angesiedelt sein. Der weibliche Griff zur Waffe ist immer noch ungewöhnlich. Frauen mit
Waffe irritieren meist durch ihre Entschlossenheit. Die Situation muss besonders sein. Hinweise auf
den Grund der kriegerischen Haltung geben Mayers Arbeiten allerdings nur sehr spärlich.
Mayers Malerei ist keineswegs fotorealistisch, sondern präsentiert sich deutlich als persönliche
Handschrift. Seine Aneignung verweist nicht in erster Linie auf die Möglichkeiten der technischen
Reproduktion. Die Mischtechnik und die Verwendung von Kreide ist eher aus dem grafischen Kontext von Illustrationen bekannt. Die Motive auf den quadratischen Bildern sind kreisförmig und erinnern an Zielscheiben. Die Restflächen der Leinwände sind mit bunten, dekorativen Elementen
verziert und verweisen teilweise auf andere Kontexte: Notennotationen bringen Musik ins Spiel (das
Lied einer Bewegung?), Gabel und Löffel stellen den Zusammenhang zu häuslichen Tätigkeiten
bzw. Essen (das, was diese Frauen als Betätigungsfeld hinter sich lassen?) her. Gleichzeitig befindet
sich der Betrachter potentiell im Visier der Frauen. Die Art der Darstellung spiegelt so ihr Thema
wider und doppelt die Situation der Beobachtung. Der Blick auf das Bild wird zurückgeworfen.
1991 re-inszenierte Mayer seine Zeitschriftenfundstücke im Medium der Fotografie. Zweimal entschied er sich dabei für Abzüge in Schwarzweiß, einmal für eine Farbfotografie. Damit liegen nicht
nur verschiedene Darstellungsmethoden, sondern innerhalb dieser auch unterschiedliche Annähe-
rungen an den Begriff »Realismus« vor. Jeder Bestandteil des Ensembles präsentiert somit bei gleichem bzw. ähnlichem Motiv ein anderes Bild von gesellschaftlichen Kodes und Repräsentation.
Für seine großformatigen fotografischen Nachstellungen hat Mayer Modelle aus dem Kunstkontext
herangezogen. Jutta Koether, Cosima von Bonin, Charline von Heyl oder Theoretikerinnen wie Isa-
belle Graw und Gayatri Chakravorty Spivak, die sich explizit mit gesellschaftlichen Definitionen von
Identität und Weiblichkeit beschäftigen, verknüpfen die Fotos sowohl mit der Debatte um die klassischen Rollenbilder der Frau als Modell oder Muse als auch mit dem Phänomen der männlichen
Gruppenbildung und der Position von Frauen innerhalb dieser sozialen Gefüge. Mayers Guerrilla
Girls posieren zwar in einer widerständigen Haltung, dennoch sind sie von einem Mann in Szene gesetzt. Er schuf dadurch ein Kollektiv, das in dieser Form nicht existierte und auch später nicht zu-
sammenfand.

GM

SW-Fotografie,
abgebildet in
American Cinematographer,
Oktober 1985

HANS-JÖRG MAYER
Ohne Titel, 1991
Farbfotografie, 65 x 56 cm

117

GIANNI MOTTI

Gabriele Mackert: *Du hast wenig Respekt vor Geschichte. Es hat den Anschein, als würdest du sie als deine Privatsache ansehen, die du nach deinen Vorstellungen beeinflussen und in die du dich einschreiben kannst. Du arbeitest in deinen Werken und Aktionen gerne mit gefaketen Situationen: So bekennst du dich zur Challenger-Katastrophe 1986 oder outest dich als Verursacher eines großen Erdbebens in Kalifornien. Du schmuggelst dich in verschiedene Kontexte. So hast du bei einer Sitzung der Menschenrechtskommission der UNO den Platz des indonesischen Delegierten eingenommen, ein Plädoyer für ethnische Minderheiten gehalten und dich danach sozusagen wieder in Luft aufgelöst. Der Künstler als Hofnarr, der perfekt in die Spektakelkultur passt?*

Gianni Motti: Wenig Respekt vor der Geschichte? Was soll das heißen? Meine Taten sind keine Fiktionen. Die Challenger-Explosion und das Erdbeben gehen wirklich auf mich zurück; so viel lässt sich auch den damaligen Zeitungen entnehmen. Das Erdbeben '92 in Los Angeles hat einen Spalt von 72 Kilometer Länge entstehen lassen, der immer noch sichtbar ist. Diesem Werk fühle ich mich sehr verbunden, zumal es trotz seiner ungeheuren Wirkung keinerlei Kosten verursacht hat! Und was, bitte schön, ist närrisch daran, den leeren Sessel des indonesischen Delegierten einzunehmen? Warum bin ich mehr ein Narr als die anderen? Man wird doch nicht als Delegierter der Vereinten Nationen geboren … Und auch nicht als Künstler, sondern man wird es … oder man fordert es ein!!!

Nun greifst du mit der Fotoserie Collateral Damage *auf ein Fundstück Realität zurück. Der beschriebene Kontext verweist auf eine Nachrichtenagentur als Urheber. Es handelt sich um Aufnahmen aus dem Krieg in Mazedonien und im Kosovo. Nur der Titel gibt eine Interpretation vor: Bomben, die ihr Ziel verfehlen.*

Das ist wahr. Es gibt keinerlei Hinweise, keine erzählerischen Elemente, die diese Bilder situieren helfen oder ihre Wirkungsmacht begründen könnten. Den Aufnahmen fehlt eine wesentliche Dimension: die Panzer, Soldaten, Waffen … Sie zeigen pastorale Landschaften, sogar blühende Apfelbäume, die bombardiert wurden. Doch weil sie medial wirkungslos sind, wurden die Aufnahmen nie publiziert. Dennoch handelt es sich um echte Dokumentarfotos der Kriege in Mazedonien und im Kosovo.

Wie bist du auf diese Fotos gekommen? Hast du sie z. B. in Zeitschriften gesehen? Gab es Auswahlkriterien?
In der *New York Times* stieß ich auf ein Foto, das eine wunderschöne Landschaft zeigt – mit Rauchschwaden, die von Explosionen herrühren. Das Bild hat mich an die Gegend bei mir zu Hause erinnert, an die italienischen Voralpen im Frühling, wenn die Felder abgebrannt werden. Im Vordergrund konnte man allerdings einen Panzer und Soldaten ausmachen. Dann kam mir die Idee, die gleichen Landschaften aufzuspüren, nur ohne irgendwelche Hinweise auf den Krieg. Ich habe mich also an die französische Presseagentur gewandt, die mir Zugang zu ihrem Bildarchiv gewährte. Dort fand ich dann zwölf Bilder von bombardierten Landschaften, die keinerlei militärische Präsenz ahnen lassen. Daraus wurde die Serie, der ich den Titel *Collateral Damage* gab. Diese Arbeit hat Michel Guerrin zu einer Polemik in *Le Monde* (5. September 2002) veranlasst, in der es um den Status der Bilder geht (Motti, der die Bedeutung der Bilder verändert, im Konflikt mit der AFP). Die Fotos wurden nicht bearbeitet; ich nahm sie, wie sie waren.

Die Harmlosigkeit der idyllischen Situation – Rauchschwaden auf Berghängen – wirft den Betrachter auf das Nichtabgebildete zurück: die tatsächlichen Schäden der Einschläge oder etwa den schockierenden Bilddiskurs der euphemistisch »ethnische Säuberungen« genannten Kriegsführung während der Jugoslawienkriege.

Kollateralschäden und ethnische Säuberungen sind zwei Paar Schuhe. Behält man das im Auge, kann man allerdings sagen, dass das Kriegsfoto einem Katalog spezifischer Kodes gehorcht. Die Bilderserie *Collateral Damage* beruht auf einer Distanzierung von diesen Kodes. Die Aufnahmen tun nichts anderes, als das »verborgene Gesicht« der Bilder von CNN zu hinterfragen; gerade in ihrer idyllischen Erscheinung, hinter der der Konflikt beinahe verschwindet, legen sie eine »falsche« Unschuld an den Tag!

GIANNI MOTTI

Landscape (Collateral Damage) 1, 2001
Farbfotografie, 69 x 87 cm. © AFP/Eric Feferberg/STF

ADI NES

Ein Zelt, in expressionistisches Helldunkel gehüllt. In der Mitte eine Kiste als provisorischer Tisch, umringt von vier Soldaten in legerer Kleidung, die sich entspannen. Licht und Schatten gliedern die Szene, lassen Details reliefartig hervortreten und versenken andere in der Monochromie eines undurchdringlichen Schwarz. Eine Atempause der Kriegsmaschine als Tableau vivant, ein Moment der *contemplatio*, der dem Wüten abgerungen zu sein scheint.

Wenn der Israeli Adi Nes ein solches Bild, das eine saloppe Beiläufigkeit ausstrahlt, konzipiert, wird ein ganzer Produktionsapparat aktiviert: Der Künstler versteht sich nicht nur als Fotograf, sondern auch als Rechercheur, Produzent und Regisseur: Er schreibt dicke »Drehbücher« mit Zeichnungen und Regieanweisungen, er castet die Männer, die keine wirklichen Soldaten sind, in Modellagenturen. Und er dirigiert den gesamten Aufnahmeprozess mit präziser Lichtregie und exakter Positionierung der Akteure. Die Arbeit am »Set« beansprucht ihn oft so sehr, dass er einen zweiten Fotografen hinzuzieht, dem die technische Abwicklung anvertraut wird.

»Jedes meiner Fotos beginnt als Dokumentation und endet als Spielfilm«, sagt Adi Nes.

Die Serie *Soldiers*, die zwischen 1994 und 2000 entstand, ist eine hyperstilisierte Investigation des soldatischen Lebens unter den Bedingungen des permanenten Ausnahmezustandes: Meist Klüngel von Männern, mal in triumphaler Umklammerung, die MK-47 hoch über dem Kopf, dann wiederum im Zustand einer brütenden Inaktivität: misstrauische Blicke, der Ennui des militärischen Alltags, der nur kurz von Schocks der kriegerischen Intensität perforiert wird.

Den Gruppenbildern stellt Adi Nes Einzelne gegenüber, die sich an ihrer muskulösen Körperlichkeit berauschen und in jugendlicher Verschwendungslust zweckfreien Genuss aus der (De-)Konstruktion von Machoimages ziehen.

Die Fotos von Adi Nes mit ihrer intensiven Farbdramaturgie und minutiösen Bewegungschoreografie sind oftmals Palimpseste kulturgeschichtlicher Vorlagen oder ikonischer Darstellungen in Massenmedien: Ein Foto aus dem *Soldiers*-Zyklus wirkt wie eine derbe Persiflage des *Letzten Abendmahls* von da Vinci, ein anderes ist die sinistre Übermalung eines *Life*-Coverbildes, das den IDF-Kommandanten Yossi Ben-Hanan nach dem Sechstagekrieg lächelnd mit gehobener Schusswaffe im Wasser des Suezkanals zeigt.

Als explizite Vorbilder nennt der Künstler Caravaggio mit seinen fein abgestuften Licht- und Farbwirkungen und den österreichischen Fotografen Wilhelm van Gloeden, der im späten 19. Jahrhundert Bilder von nackten Knaben aufnahm und sie als Postkarten verkaufte.

Adi Nes, der seit 1993 mit dem Poeten Ilan Sheinfeld verheiratet ist, setzt die homoerotischen Konnotationen in seinen Arbeiten nicht nur als Element der schieren Jouissance ein, sondern auch als Sprengmittel gegen die nivellierende Kraft der Kriegsmaschine, »die die Identität der Männer auslöscht und sie in eine Art Waffe verwandelt«. (Nes)

Der Künstler versucht den aus der Anonymität des Apparates herausgebrochenen Singularitäten Gesichter, Gefühle und Lust an der erotischen Exaltation zu verleihen. Er positioniert seine Soldaten an jener prekären existentiellen Schnittstelle, wo der Knabe zum Mann wird und sich die Grausamkeit des Sinnlich-Illiteraten mit den Klischees von heroischer Virilität, ewiger Jugend und dem Opfermut eines »muskulösen Judaismus« verbindet. Er zeigt die Schönheit und die Wunde, das Begehren und die Halluzination.

»Ich beschäftige mich gerne mit Mythen und ihrer Unterminierung«, sagt Adi Nes. »Ich versuche eine kleine, smarte Armee zu sein. Mythen und Erinnerung sind aufs Engste miteinander verknüpft. Die Erinnerung gründet sich auf den Mythos und der Mythos auf die Erinnerung. Ich versuche eine neuartige Deutung dieses ewigen Kreislaufes.«

TM

ADI NES
Soldiers, Untitled 16, 1996
Farbfotografie, 90 x 130 cm

FRANZ NOVOTNY

Die Dokumentation *Die Stunde Null* von Franz Novotny, ausgestrahlt in der ORF-Sendereihe *Panorama* im Jahr 1971, zeigt einen Alteisenhändler aus Wien-Donaustadt, der sich mit seiner Familie einen komfortablen Atombunker eingerichtet hat und mit geradezu zwangsneurotischer Gründlichkeit an der Perfektionierung dieses Schutz- und Rückzugsraumes arbeitet.

Novotny, der Spezialist für provokante österreichische Filmstoffe *(Staatsoperette, Exit, Die Ausgesperrten)*, greift in dieser Fernseharbeit die latente Angst vor »der Bombe« auf, die in der Epoche des Kalten Krieges die kollektive Gemütslage stark beeinflusste und ein allgemeines Gefühl der gesellschaftlichen Verunsicherung schuf. Filme wie *Dr. Strangelove* von Stanley Kubrick, *Hiroshima mon amour* von Alain Resnais oder, auf dem populären Sektor, die James-Bond-Serie benutzten den Horror vor der nuklearen Katastrophe als sinistren *backdrop*, vor dem Liebesgeschichten, Gesellschaftskritik und derbe Satire in Szene gesetzt wurden.

Franz Novotny wählt das Medium der Dokumentation, um mit feiner Ironie die Diskrepanz zwischen einer vermeintlichen Bedrohung und völlig überzogenen Reaktionen herauszuarbeiten. Die mit liebevoller Akribie betriebene Ausstattung des Bunkers als hermetische Gegenwelt privater Phantasien löst sich immer mehr vom Anlass – sie wird zu einer Fortsetzung des Schrebergartens mit anderen Mitteln. Die nukleare Bedrohung als Anlass für den Bau des Schutzraumes entwickelt sich sukzessive zu einem »McGuffin« im Sinne Hitchcocks: einer handlungsmotivierenden Tatsache, die in dem Moment bedeutungslos wird, in dem sie ihren Zweck erfüllt hat. Novotny analysiert jene »österreichische Seele«, die selbst im Angesicht des Unterganges an ihren Ritualen der Selbstvergewisserung festhält und das Grauen mit Kitsch zu bannen versucht: »Wenn das Leben sich langweilt, ist der Tod sein Zeitvertreib« (Jacques Prévert).

TM

FRANZ NOVOTNY

Die Stunde Null. Alteisenhändler baut Atombunker, ORF *(Panorama)*, 23. 6. 1971
Video, 20 Min.

KLAUS POBITZER

Menschen auf der Straße oder irgendwo im Alltagsleben, manchmal aus dem persönlichen Umfeld und hin und wieder auch nur Topfpflanzen – zeitgenössisch jedenfalls und gar nicht besonders extravagant müssen sie sein, um zum Gegenstand von Klaus Pobitzers Wandbildinstallationen zu werden. Bis sie dorthin gelangen, werden sie allerdings mehreren Eingriffen ausgesetzt, die ihre »Normalität« zuletzt zwischen den Polen von Hyper- und Surrealität hin- und herkippen lassen. Die meist fotografisch gefertigte Erinnerungshilfe des porträtierten Menschen oder Objekts wird am Computer zur Zeichnung, flächig, klar umrissen, mit Lokalfarbe und Binnenzeichnung gefüllt, ohne Licht- oder Schatteneffekte, eher popartig wie manche Plakatfigurationen der siebziger Jahre, doch unbedingt zeitgenössisch. Diese grafischen Figuren und Objekte werden alsdann erheblich vergrößert und mittels Spezialprinter (HP Designjet 5000) auf Spezialpapier (HP Tyvek) gedruckt – ein technisch aufwendiges Verfahren, da eine Figur aus mehreren hundert Einzelteilen besteht. Ihre definitive Größe richtet sich stets nach den Möglichkeiten, die die für die Installation vorgesehene Hängefläche bietet – das können sechs Meter Höhe sein oder auch 30. Hier erfolgt nun gemäß dem Vorentwurf die »Collage« der Großbilder und zugleich auch ein weiterer Prozess der Verfremdung ihrer einst unspektakulären Vorbilder: Die Figuren und Objekte werden zu Szenarien gruppiert, die dem Alltag der Harmlosigkeit den Spiegel des medialen/realen Alltags von Gewalt, Sex & Crime oder zumindest ihrer Bedrohung/Bedrohlichkeit vorhalten. Hyperdimensional und bisweilen tabubrechend wird die Gier nach Pornografie, Macht, sexueller bis gewalttätiger Befriedigung oder einfach nach Entanonymisierung ebenso mit uns, den BetrachterInnen, konfrontiert wie Befindlichkeiten zwischen »cooler« Gleichgültigkeit, verdeckter Angst und kollektiver Einsamkeit.

Klaus Pobitzers »Papierartefakte«, wie er sie nennt, können als Bilder unserer eigenen Situation oder Position innerhalb der zeitgenössischen Medien-, Logo-, Geld-, Eventkultur gelesen werden. Sie wirken nicht larmoyant oder anklagend, sondern entlarven womöglich unsere eigene Identitätssuche zwischen Illusionismus, Desillusion, Ideologiestiftung und Orientierungslosigkeit.

Lucas Gehrmann

OLIVER RESSLER

Gabriele Mackert: *Im Zuge unserer Recherchen zur Ausstellung* Attack! *sind wir eigentlich über die Arbeit* Die Rote Zora, *eine Videointerviewdokumentation über eine militante Frauengruppe, die mit Anschlägen auf Pharmakonzerne und Genlabors gegen die so genannten Risikotechnologien protestierte, ins Gespräch gekommen. Meine anfängliche Skepsis gegen die Einbeziehung des bundesdeutschen Terrorismus richtete sich vor allem gegen eine Ausweitung unseres Ausstellungsthemas Krieg auf allgemein gesellschaftlich-soziale Konflikte, Aggression und Proteste – ob militant oder nicht. Dabei stand also nicht das Kriterium der Gewalt im Vordergrund. Demgegenüber beschäftigt sich* This is what democracy looks like! *mit der ersten Anti-Globalisierungsdemonstration in Österreich am Rande des World Economic Forum in Salzburg im Juli 2001. Es thematisiert ein Phänomen, das sich unter den Bedingungen des ausgeformten Neoliberalismus herauskristallisierte, oder wie Toni Negri es formulierte: Längst kämpfen nicht mehr Staaten gegeneinander. Die Regeln und Ziele formuliert der internationale Kapitalismus. Krieg sei heute ein Entscheidungs- und Strukturierungsmechanismus, ein System zur Herstellung von Ordnung. Dies führe zu einer neuen Hybridisierung von Krieg und Frieden. Wie siehst du die Positionierung dieser Arbeit innerhalb unserer thematischen Ausstellung?*

Oliver Ressler: Der globalisierte Kapitalismus hat in verschiedenen Regionen im globalen Süden derart brutale, von Ausbeutung geprägte Herrschaftsregime etabliert, dass manche Staaten auch ohne unmittelbare kriegerische Auseinandersetzungen oft nur mehr wie zerrüttete Kriegsökonomien funktionieren. Die Kreditvorgaben von IWF oder Weltbank oder die von der WTO festgeschriebenen Bedingungen des internationalen Handels zwischen »Norden« und »Süden« können als *low intensity warfare* beschrieben werden. Das Video *This is what democracy looks like!* thematisiert nun eine Demonstration gegen diese Wirtschaftsordnung im Westen, fokussiert die Repression von Menschen, die die bestehende Ordnung in Frage stellen.

Wie kam es zu This is what democracy looks like!?

Ich war als Teilnehmer auf dieser so genannten Antiglobalisierungsdemonstration gegen das World Economic Forum in Salzburg. Bereits im Vorfeld der Demonstration wurden die TeilnehmerInnen von den Politikern und Medien als gewaltbereit denunziert, einige Medien haben sogar die »Entglasung« Salzburgs herbeiphantasiert. Die Polizei verhängte schließlich ein Demonstrationsverbot, wobei sich ein paar tausend Menschen diese Einschränkung der demokratischen Rechte nicht bieten ließen und das Demoverbot missachteten. Auch ich nahm an der Demonstration teil und filmte mit meiner Videokamera. Nach ca. zwei Stunden wurde ich dann gemeinsam mit über 900 anderen DemoteilnehmerInnen über sieben Stunden lang von den martialisch auftretenden österreichischen Polizeieinheiten in einem Polizeikessel festgehalten. Dieses repressive Auftreten von Polizei und Politik gegen eine Bewegung, die sich für eine demokratische Globalisierung einsetzt und sich der beim WEF verhandelten neoliberalen Globalisierung widersetzt, bildete schließlich den Ausgangspunkt für das Video bzw. die Videoinstallation *This is what democracy looks like!*

Wie hast du das Filmmaterial editiert? Welche Informationen hast du nach dem Ereignis verarbeitet und integriert?

Ich habe mich entschieden, neben eigenem Videomaterial auch jenes von anderen DemoteilnehmerInnen einzubeziehen, um verschiedene Blickwinkel und Sichtweisen, die man nie alle alleine einnehmen kann, in das Video zu integrieren. Vom Inhalt her waren für mich neben den Ereignissen rund um den Polizeikessel die Einschränkung demokratischer Rechte zentral oder die Gewaltfrage. Die »Gewalt« einzelner Demoteilnehmer wird im hegemonialen medialen Diskurs ja funktionalisiert, um die Repression einer ganzen Bewegung öffentlich zu legitimieren, während die von den staatlichen Apparaten ausgehende strukturelle Gewalt nie thematisiert wird.

Deine Strategien der Sichtbarmachung benutzen assoziativ stark aufgeladene Bilder, wenn du z. B. vorbeimarschierende Polizisten von unten filmst und sie so auf ihre martialische Ausrüstung reduzierst.

Die Polizisten treten ja bei den Demos nicht als irgendwelche Individuen auf, sondern als behelmte

131

und mit Schilden bewehrte Robocops, mit dem Auftrag, als staatliche Exekutivgewalt die bestehenden Machtstrukturen aufrechtzuerhalten.

Die Kameraführung verrät nicht, dass du selbst Betroffener warst. Sie verströmt z. B. durch Verwackelungen und Unschärfen die Anmutung des »Echten«, ohne auf Objektivität zu setzen. Darüber hinaus vermeidet das Video, ein Naheverhältnis zu den Protagonisten entstehen zu lassen bzw. hält es sich nicht damit auf, Identifikations- oder Negativfiguren zu konstruieren, versucht also, weder durch einen narrativen Strang noch durch eine dominierende Perspektive eine die Orientierung erleichternde Einheitlichkeit aufzubauen. Die Personalisierung der Geschehnisse wird vermieden. Ist sie dir aufgrund der Diskussion um die Individualität des Künstlers und Werkes suspekt, oder kam es wegen des Effekts der Masse in diesen Konflikten nicht dazu?

In Analogie zu den bewegten Bildern, die unterschiedliche (manchmal auch verwackelte) Perspektiven zeigen, wollte ich über die Interviews auch unterschiedliche Beschreibungen, Einschätzungen und Reflexionen von mehreren Personen in das Video einbringen. Zentral für die Konzeption des Videos war, dass die GesprächspartnerInnen ausschließlich aus der Demonstration kommen, das heißt keine Polizisten oder der Bürgermeister zu Wort kommen. Es ging mir um Innenansichten aus der Demonstration bzw. der antikapitalistischen Bewegung in Österreich. Die sprechenden Personen wurden in diesem Video nicht so stark als Einzelpersonen in den Vordergrund gerückt, da es sich einfach um eine kleine Auswahl der 919 eingekesselten AktivistInnen handelt. Daher wird auch meine eigene Person und meine persönliche Involvierung in die Demonstration nicht in den Vordergrund gestellt, sie lässt sich jedoch aus dem Abspann ableiten, wo zu lesen ist, dass das aufgenommene Videomaterial auch von mir stammt.

In deinen Arbeiten fällst du präzise ästhetische Entscheidungen. Die Doppelprojektion über Eck und die Kommentare der nachträglich Befragten zu den Geschehnissen, die räumlich hinter den Besuchern installiert sind, konfrontieren den Betrachter z. B. ansatzweise mit einer ähnlichen Situation, wie sie im Video dokumentiert wird: Die Kundgebungsteilnehmer wurden – als Teilnehmer an einer nicht angemeldeten Demonstration – für sieben Stunden von Spezialeinheiten der Polizei eingekesselt. Damit verlässt diese Arbeit deutlich das Format »Berichterstattung« zugunsten einer Atmosphäre und bezieht sich auf den Kunstkontext. Auch mit anderen formalen Entscheidungen grenzt du dich vom öffentlich-rechtlichen Auftrag ab. Welche Position beziehst du dabei?

Bei der im Kunstkontext gezeigten 2-Kanal_Videoinstallation spielt der räumliche Aspekt eine große Rolle. Der Kunstraum wird zum szenischen Raum, der die Erfahrung des staatlich verordneten Eingeschlossenseins vermittelt. Durch die Wahl des Standorts innerhalb der Installation haben die AusstellungsbesucherInnen die Möglichkeit, sich im vorderen Bereich nahe der beiden großen Videoprojektionen visuell und akustisch sehr direkt in das Demoszenario versetzen zu lassen. Im hinteren Bereich der Installation, in einer gewissen Distanz zu den aufwühlenden Bildern, dominiert die Tonebene mit den im Nachhinein aufgenommenen Statements der DemoteilnehmerInnen, in denen die Ereignisse aus einem gewissen Abstand reflektiert beschrieben werden.

Es gibt auch eine Einkanalfassung des Videos, die bei Videofestivals, verschiedenen Veranstaltungen und auch im Fernsehen lief, da es mir wichtig ist, meine Arbeiten nicht ausschließlich im Kunstkontext zu präsentieren. Im Gegensatz zu einer Mainstreamdoku, die vorgeblich neutral verschiedene Sichtweisen zu einer Thematik versammelt und die immer bestehenden, zum Teil bewussten inhaltlichen Ausklammerungen verschweigt, peile ich in meiner Arbeit so eine scheinbare Ausgewogenheit erst gar nicht an. Das Video wird ausschließlich aus der Sichtweise der DemoteilnehmerInnen realisiert, mit deren politischer Einschätzung und Analyse ich mich auch gut selber identifizieren kann. So eine offen parteiische Vorgangsweise ist natürlich mit dem öffentlich-rechtlichen Auftrag des ORF nur schwer zu vereinbaren. Zumindest hat sich die Programmintendanz des ORF im Falle von *This is what democracy looks like!* im Jänner 2002 entschieden, das im mittlerweile eingestellten Sendeformat *Kunst-Stücke* bereits programmierte Video drei Tage vor der Ausstrahlung wieder abzusetzen.

This is what democracy looks like! – *der Titel zeichnet sich durch eine fast reißerische Griffigkeit aus. Das Ausrufezeichen steigert diesen Effekt noch. Kommt hier durch die Hintertür doch die eigene Betroffenheit in die Arbeit, die sich nur zynisch zu den Verhältnissen äußern kann?*

Der Titel *This is what democracy looks like!* ist ein Slogan, der seit Jahren bei Demonstrationen vor den Absperrungen, den roten Zonen und bei Übergriffen der Polizeieinheiten von Sprechchören gerufen wird. In meinem Video ist der Sprechchor im Intro und beim Verlassen des Bahnhofsvorplatzes zu hören. Ich habe den Slogan als Titel des Videos gewählt, da es natürlich nicht zufällig passiert, dass die Interessen eines privaten Lobbyvereins der transnationalen Konzerne vom Staat geschützt werden, während das Demonstrationsrecht der GegnerInnen der neoliberalen Globalisierung unterbunden wird. Diese Sachverhalte spiegeln die bestehenden Machtverhältnisse in parlamentarisch-repräsentativen Demokratien wider, *this is what democracy looks like.*

Deine Arbeiten scheinen Produkte umfangreicher Recherchen und Materialsammlungen zu sein. Das belegen z. B. Flugblätter, Anzeigen oder Selbstdarstellungen von Firmen, die du in Arbeiten wie The global 500 *(1999) einfließen lässt. Außerdem verwendest du in mehreren deiner Arbeiten die Form des Videointerviews; damit gibst du den Personen ein Medium an die Hand, über Geschehnisse zu berichten oder Standpunkte zu beziehen.*

Im Normalfall stehen am Beginn meiner Arbeiten ausgedehnte Recherchen. *This is what democracy looks like!* ist in dieser Beziehung eine Ausnahme, da das Video aus den Ereignissen in Salzburg heraus entstand, ohne dass es vorher die Absicht gegeben hätte, ein Video zu produzieren. Ich habe dann natürlich Überlegungen zur Strukturierung des Videomaterials angestellt, die thematische Fokussierung und die Auswahl der InterviewpartnerInnen festgelegt. Die Videos zu Widerstandspraktiken, die ich in den letzten drei Jahren realisiert habe, basieren alle auf Interviews. Es ist mir dabei wichtig, ProtagonistInnen der jeweiligen Bewegungen als GesprächspartnerInnen zu gewinnen, mit diesen auch deren Darstellung und Auftreten im Video zu diskutieren und ein Video zu realisieren, das von den jeweiligen politischen Gruppierungen und Personen auch genutzt werden kann.

Auf welche Art von Nutzung spielst du an? Siehst du dich dabei als Dienstleister?

Das Video zu zeigen – viele der Aufführungen meiner Videos werden von politischen Gruppierungen organisiert, die Videos werden auf ihren Veranstaltungen gezeigt und diskutiert. Als »Dienstleister« würde ich mich sicher nicht beschreiben, dieser Begriff ist für mich durch die Debatten der neunziger Jahre zu stark mit der sich den Kunstinstitutionen anbiedernden so genannten institutionskritischen Kunst verbunden. Ich arbeite einfach manchmal mit AktivistInnen zusammen, es gibt gemeinsame politische Anliegen, und da ist es für mich selbstverständlich, die Videos auch gemeinsam mit AktivistInnen in ihren politischen Veranstaltungen zu präsentieren.

Wie viele hast du dich zunächst des Mediums Malerei bedient und an anderer Stelle beschrieben, dass dieses Medium dir dann nicht (mehr) adäquat erschien, um politische Inhalte umzusetzen.

Ich verfolge mit meinen Projekten politische Vorstellungen, und solange eine ganze Menge von Inhalten sowie Sprache als Vermittlungsform für mich eine zentrale Rolle spielen, ist die Wahrscheinlichkeit, dass ich von einer der nächsten antikapitalistischen Demonstrationen ein Schlachtengemälde malen werde, wohl relativ gering …

Tendiert dein Selbstverständnis eher zum politischen Aktivisten?

Ich definiere mich klar als Künstler – als politischen Künstler. Viele Projekte entstehen in Kooperation mit politischen AktivistInnen, und einige Arbeiten werden auch regelmäßig in politischen Kontexten gezeigt und diskutiert. Ich verorte mich und meine Arbeit jedoch klar innerhalb des Bereiches der Kunst, mit dem Drang, mit jeder Arbeit erneut den engeren Kunstkontext zu verlassen.

ANTONIO RIELLO

Seit Mitte der neunziger Jahre arbeitet der italienische Künstler Antonio Riello an seiner Serie von *Ladies' Weapons* – hochmoderne automatische Gewehre, Handfeuerwaffen und Granaten, denen er Kunstpelze, Schlangenhäute und Jeansstoffe überzieht. Manche Teile hüllt er in Paillettenstretchstoffe, die Läufe sind mit Diamanten und Perlen ornamentiert.

Riello veranstaltet ein frivoles Verwirrspiel mit den Erwartungshaltungen, die sich an militärisches Gerät knüpfen: Aufgrund der Materialbeschaffenheit wird dieses der »harten« männlichen Sphäre zugeordnet. Die »femininen« Einschreibungen durch den Künstler, die Implementierung von »weichen« Elementen machen die Kalaschnikows und Handgranaten zu erotisch aufgeladenen Zeichen im assoziativen Raum der Geschlechtergrenzen. Im Hintergrund schwingen Vorstellungen von der »phallischen Frau« mit, einer Art Meta-Barbarella oder Super-Lara-Croft, die das todbringende Arsenal nicht nur zu Vernichtungszwecken benötigt, sondern auch zur vestimentären Komplettierung ihrer Persönlichkeit – als Fortsetzung des Kosmetikkoffers mit anderen Mitteln. Eros und Thanatos fallen in Riellos applikativ umkodierten Vernichtungswerkzeugen zusammen: »Um die Ekstase ganz auszukosten, bis wir uns im Sinnengenuss verlieren, müssen wir ihr eine Grenze ziehen«, schreibt Georges Bataille. »Diese Grenze ist das Entsetzen.« (Georges Bataille, *Der heilige Eros*, Darmstadt, Neuwied 1974, S. 263)

Antonio Riellos semantische Übermalungen lassen sich gedanklich mit quasifolkloristischen Praktiken aus real existierenden Konflikten in Verbindung bringen: So verbrachten die Mudschaheddin im afghanischen Guerillakrieg der achtziger Jahre viele Stunden damit, ihre Gewehre mit Gobelins, Stickereien und Quasten zu schmücken. Das »unmenschliche« militärische Gerät wurde anthropomorphisiert und individualisiert, die Charakterisierung der Schusswaffe als »Braut des Soldaten« erhielt eine zusätzliche irritierende Konnotation. Auch die Übersetzung des Farben- und Formenrepertoires aus dem militärischen Hegemonialbereich in die Sprache der Mode mag bei der Kreation der scharlachroten Pistole *Valerie* oder der brillantengeschmückten babyrosa Luger *Ingrid* Pate gestanden haben.

Der symbolischen Aufrüstung und Maskulinisierung auf den Catwalks der Modemetropolen durch Tarnfleckenbikinis und diamantenbesetzte kugelsichere Westen stellt der Künstler seine effeminierten Waffen entgegen und legt so einen ganz neuen Schützengraben an der Genderfront an. Antonio Riello ist ein Dekorateur des Monströsen und ein Sinnvernichter in jenem Studio, wo Mode und Verzweiflung dicht nebeneinander wohnen.

Seine Kunst sei eine der »provokativen Kreuzungen«, hat Francesco Poli im italienischen Kunstmagazin *Tema Celeste* angemerkt. »Er stellt Fragen nach der unklaren und komplexen Beziehung zwischen Ethik und Ästhetik, zwischen der Macht der Gewalt und der Macht der Verführung.«

TM

Maria Theresa, 2002
Uzi-Maschinengewehr, Kaliber 9 mm, 40 x 50 x 6 cm

Laura, 2000
Steyr-Sturmgewehr AUG, Kaliber 5,56 mm, 45 x 70 x 5 cm

Betty, 2002
US-Sturmkarabiner, CAR 15, Kaliber 0,223 in, 40 x 80 x 4 cm

ANTONIO RIELLO

Lucy, 2001
US-Handgranate, MK2, 11 x 11 x 11 cm

MARTHA ROSLER

»Ich versuche, Erfahrung vor dem Hintergrund von Geschichte, sozialer Praxis und sozialer Bedeutung zu fassen. Eine künstlerische Arbeit hat für mich dann Aussicht auf Resonanz – und das gilt für alle Arbeiten, nicht nur für meine, wenn sie das Verhältnis zwischen einer direkten der unmittelbaren Erfahrung und den Umständen, die diese vermitteln und verursachen, sichtbar macht.«

Seit Ende der sechziger Jahre nimmt Martha Rosler in ihren Arbeiten zu aktuellen gesellschaftlichen Themen Stellung. Die Rolle der Massenmedien und ihrer Kriegsberichterstattung beschäftigt Rosler dabei immer wieder. In ihrer Serie von Fotomontagen *Bringing the War Home: House Beautiful* (1969–71) montiert sie Illustriertenausschnitte zum Vietnamkrieg in Interieurs der US-amerikanischen Wohlstandsgesellschaft vom Typ »Schöner Wohnen«. Medienwelten und Lebenswelt verweben sich so auf einer Ebene und werden kurzgeschlossen. Zeigt Richard Hamilton diesen Bezug noch anhand des Fernsehgerätes im Wohnzimmer, collagiert Rosler die Soldaten direkt in die Wohnlandschaften. Sie werden zu (unfreiwilligen) Mitbewohnern. Durch die erstmals kontinuierliche Berichterstattung während des Vietnamkrieges wurde die Bevölkerung technisch vermittelt direkt in das Geschehen und den Krieg einbezogen. Die zirkulierenden Bilder, über die verschiedenen Fernsehkanäle ausgestrahlt und in Illustrierten dutzendfach abgedruckt, haben bei Rosler alle Indices auf ihren Autor und die dargestellte Wirklichkeit verloren.

»Die Künstler von heute sind weniger Produzenten individueller Kunstwerke als vielmehr individuelle Konsumenten der anonym massenhaft produzierten Dinge unserer Zivilisation. […] Die Signatur eines Künstlers bedeutet heute nicht mehr, dass der Künstler einen bestimmten Gegenstand produziert hat, sondern dass er diesen Gegenstand verwendet und dadurch die individuelle Verantwortung dafür übernommen hat.« (Boris Groys)

In ihrer Arbeit *It Lingers (Es geht weiter)* aus dem Jahre 1993 arrangiert Rosler ikonische Bilder des Krieges. Die Bilder stammen aus der Zeit des Zweiten Weltkrieges, des Golfkrieges und aus dem Kontext des damals aktuellen Krieges im ehemaligen Jugoslawien. Daneben präsentiert sie u. a. die Vergrößerung einer Zeitungsseite mit einem Foto der Jubelparade zum Ende des Golfkrieges 1991 in New York, ein »Rambo«-Foto, die Reproduktionen demonstrierender bosnischer Frauen während der Menschenrechtskonferenz in Genf 1993 oder eine von ihr gemachte Aufnahme von auf dem Wiener Flohmarkt angebotenen Hitlerporträts sowie »Informationsgrafiken« und Karten von Kriegszonen aus Zeitungen.

Rosler verweist auf Unklarheiten in der Unterscheidung zwischen unmittelbarer menschlicher Erfahrung und Bildern und auf Bildern dargestellten Ereignissen: »Die Arbeit versucht das Verhältnis zwischen Kriegsverherrlichung und Kriegsdenken und der Militarisierung des täglichen Lebens aufzuzeigen und das Verhältnis zwischen Bild und Ort zu rekonstruieren.« Rosler versieht das Archiv der vorhandenen Kriegsbilder mit einer aufklärerischen Ordnung. Auswahl und Anordnung der Materialien zielen auf die Herstellung von Beziehungen, nicht auf eine Befragung des Gehalts der Fundstücke. Eingebunden in ein assoziatives Narrativ stehen hier diskursive und gesellschaftliche Zusammenhänge visuell zur Diskussion. Implizit ist diesem Vorgehen die Frage nach der anderen Aktualisierung des Materials durch Künstler im Vergleich zur Präsentation in Medien und Politik. Rosler ist sich der Grenzen des Modells »Gegentextes« bewusst und fragt, ob »Kriegsgegner einen von denselben Bildern getragenen Gegentext herstellen können«.

GM

MARTHA ROSLER
It Lingers (Es geht weiter), 1993
Installation (Ausschnitt), 300 x 350 cm, 6 Farbfotografien,
6 SW-Fotografien, 1 Zeichnung, Kugelschreiber auf Papier, 38 fotokopierte Landkarten

COLLIER SCHORR

Uniformierung sexualisiert. Sie macht aus Jungs Männer. In der Adoleszenz bietet sie ein starkes Schema der Orientierung. Wie eine Rolle, in die man schlüpft, die man ausprobiert und in der man sich, noch etwas schüchtern posierend, fotografieren lässt. Dieses faszinierende Moment strahlen Uniformen allerdings meist auf Kosten der Individualität aus. Collier Schorrs Porträtfotografie fokussiert diesen Mechanismus durch die auffällige, fast durchgängige Isolierung des Subjekts.

Seit Mitte der neunziger Jahre beschäftigt sich Schorr, eine New Yorker Jüdin, vor allem während ihrer jährlichen Aufenthalte bei ihren Verwandten in Südwestdeutschland provozierend mit dem historischen Nachlass des Nationalsozialismus. »Ich mache die Arbeiten, die Deutsche über Deutschland machen würden, wären sie Amerikaner«, so Schorr über die Komplexität dieses Erbes und ihrer Annäherung. Ihre Arbeit ist eine Studie über Männlichkeit, Androgynität, Identität und Nationalismus. Man ist versucht, diese Fotografien zunächst mit einem schwulen Blick zu assoziieren. Deshalb ist es aufschlussreich, die Uneindeutigkeit von Schorrs Vornamen (im Englischen: Bergmann, Kumpel) aufzulösen und darauf hinzuweisen, dass sie Lesbierin ist. In einer Mischung aus »Landserromantik«, die Krieg gerne zur Pfadfinderidylle verklärt, und Homoerotik ist ihr Zugang zuallererst ambivalent. Die Nacktheit, die die Modelle mit unverschämter Lässigkeit präsentieren, erweckt den Anschein von (Noch-)Unwissenheit. Gleichzeitig erinnern Titel wie *Andreas. POW (Every Good Soldier Was a Prisoner of War)*, 2001, an die historische Verantwortung.

Es gibt neutralere Klischees, die weniger geschichtsbelastet sind als Uniformen des Dritten Reiches. Schorrs Spiel mit Codes riskiert – nicht nur in Deutschland und Österreich – durchaus rechtliche Konsequenzen und läuft Gefahr, gesetzlich verfolgt zu werden. Keine der Uniformen ist authentisch; doch das hindert diesen Flirt mit dem Verbotenen nicht daran, seine Wirkung zu entfalten. Was zählt, ist der Tabubruch. Unschuld steht hier nicht nur Modell als unvermeidlicher Vorgang im Zuge des Erwachsenwerdens vor der Kamera, sondern auch als gesellschaftliche Prüfung. Worin besteht eigentlich der Unterschied zu den Uniformen der NATO oder des schwedischen Militärs (etwa in der Serie *Neue Soldaten*, die sich mit dem Kasernenleben junger schwedischer Rekruten beschäftigt), wird man verführt, naiv zu fragen. Dennoch dominieren diese Signale Schorrs Fotografien nicht. Ihre Soldatenstillleben lassen einen fast intimen Blick auf die Modelle zu, der das Interesse der Betrachter auf irritierende Details lenkt.

Schorrs fotografisches Projekt ist als Hybrid verschiedener Traditionen angelegt. Einerseits beschäftigt sie sich mit dem Ansatz der Straight Photography, die sich direkt mit dem Leben und seinen Ausdrucksformen und Stilen befasst. Dieser Milieublick dokumentiert soziale Zusammenhänge. Gleichzeitig widersteht Schorr der Versuchung der Schnappschussfotografie. Ihre Fotos sind von Anfang an sorgfältig komponiert. Hier kommt die Studiotradition des In-Szene-Setzens, des Sich-porträtieren-Lassens ins Spiel. Aber auch diese Konvention untergräbt sie, indem sie nicht mit künstlichen Prospekten arbeitet, sondern in der Natur, in Wäldern und Wiesen (so auch der Titel einer Schorr-Ausstellung). Dadurch kreuzt sie das Pastorale mit dem Künstlichen.

Gleichzeitig nutzt Schorr die Modefotografie und ihren coolen Glamour. Ihre Modelle sind zwar keine Berühmtheiten, aber dennoch etwas Besonderes, so wie ihre schmächtigen Hände und grazilen Finger sich auf den Oberschenkel arrangieren, wie die Augen klar geradeaus zu blicken vermögen. Unter dem Helm schwedischer Camouflage wirkt das Ganze gespenstisch entschlossen und könnte der Werbung des internationalen Stricklabels aus Mailand entstammen. Schorrs Aufnahmen sind keineswegs nostalgisch. Wenngleich manchmal etwas melancholisch, strömen sie Frische aus. Wenn Herbert sich am Wochenende eine Auszeit unter dem Kirschbaum gönnt, werfen die Blätter im prallen Mittagssonnenschein camouflageartige Muster auf seinen nackten Oberkörper. Eine Kirsche hängt verführerisch über seinem Kopf.

GM

COLLIER SCHORR
Andreas. POW (Every Good Soldier Was a Prisoner of War), 2001
Farbfotografie, 99,1 x 72,4 cm

COLLIER SCHORR
Herbert. Weekend Leave (A Conscript Rated T1), Kirschbaum, 2001
Farbfotografie, 111,7 x 88,9 cm

ERASMUS SCHRÖTER

Nächtliche Szene am Meer mit ferner, beleuchteter Küstenlinie. Davor ein schräg gestellter Bunker, der wie ein leck geschossenes Kriegsschiff vom Wasser verschlungen zu werden droht. Die Seitenwand ist in ein bedrohliches, toxisches Grün getaucht, die Vorderfront reflektiert ein gleißendes, numinoses Gelb und schlägt eine Lichtschneise durch die dunklen Fluten, die über den Bildrand hinaus ins Unendliche drängt.

Eines von 50 Motiven aus dem architektonischen Reservoir des »Atlantikwalls«, die der Fotograf Erasmus Schröter in den neunziger Jahren inszeniert hat. Der Ex-DDR-Künstler, der das Land wenige Jahre vor dem Zusammenbruch verließ, nannte einmal eine Ausstellung *Das Theater des Nicht-Gesehenen* und formulierte damit ein inoffizielles Programm: Obsessiv beschäftigt er sich mit Waffensystemen und militärischen Architekturen und setzt sie so in Szene, dass sie anthropomorphe Akteure in einem Spektakel des visuellen Überflusses werden.

Die Motivation für die *Bunker*-Serie mag eine ähnliche gewesen sein wie bei Paul Virilio. Doch während sich der Philosoph vor allem für die nüchterne Erfassung und Analyse einer Festungsanlage interessierte, die schon zum Zeitpunkt ihrer Konstruktion anachronistisch war, will Schröter den perversen »Glanz, der für den Tod Reklame machte« (Theodor W. Adorno), zeigen.

Für die Errichtung des monumentalen Befestigungssystems, das von Norwegen bis zur Grenze Spaniens reichte, bewegte die Operation Todt, benannt nach dem Waffentechniker Adolf Hitlers, Millionen Tonnen Material. Es war »das aufwendigste und sinnloseste Bauwerk seit dem Turmbau zu Babel« (Klaus Honnef) und gleichzeitig ein in seiner fürchterlichen Schönheit faszinierendes Dokument menschlicher Hybris.

Schröter wurde 1989 auf der Überfahrt nach Calais auf die Bunker aufmerksam. Mit einer kleinen Schwarzweißkamera fertigte er optische Notizen an, anhand von Vermessungskarten analysierte er Beschaffenheit und Topografie der Umgebung. Die eigentliche künstlerische Arbeit wurde mit Hilfe eines aufwendigen Produktionsapparates durchgeführt: Scheinwerfer, versehen mit unterschiedlichen Farbfolien, Generatoren, Sprechfunk und ein Team von drei Helfern waren notwendig, um jene hyperrealistischen Lichtwirkungen zu erzielen, mit denen der Künstler die Bunker in morbide Paläste des Imaginären verwandelte. Der Luxus der Illumination lässt an prunkvolle Hotelanlagen oder protzige Tempel der Spektakelgesellschaft denken, die Kontrastwirkung der Farben wiederum bringt ein Element der Dissonanz ins Spiel. Über die Fassaden einer auftrumpfenden visuellen Prosperität kriechen die Schatten der existentiellen Finsternis und die giftigen grünen, violetten, dunkelblauen Spuren einer gefrorenen Endzeiterfahrung. Erasmus Schröter schafft einen Glamour der Verwesung, der durchaus in direktem Bezug zu Caspar David Friedrich die romantischen Motive vom Schauder der Seele und vom Pathos des Erhabenen in die schrill kolorierte Erlebniswelt der Mediengegenwart übersetzt. Seine »Hollywood«-Bunker sind Phantasieprojektionen eines visuellen Erlebnishungers und gleichzeitig Sinnbilder »unserer eigenen Todesmacht, unserer eigenen Destruktivität, das Spiegelbild der Kriegsindustrie« (Honnef).

TM

ERASMUS SCHRÖTER
Bunker XXVIII, 1992
Farbfotografie, 120 x 160 cm

NEDKO SOLAKOV

Kriege …
Kriege aller Art.
Kriege zwischen uns.
Kriege gegen andere.
Kriege wegen anderen.
Kriege, die vielleicht nie enden.
Kriege, die vielleicht zu Ende sind, bevor sie begonnen haben.
Was noch …
Natürlich: Kriege in mir.

Zum Beispiel:
Die Einladung zu der Ausstellung *Wars* in der Galerie Erna Hécey in Luxemburg zeigt eine lustige (absurde) Szene: Man sieht meine Hand am Hebel eines kleinen Katapults (einer alten römischen Kriegsmaschine) und erwartet, dass ich die kleine Schildkröte (mit orangefarbenen Wangen) durch die Gegend schleudern (schießen) werde. Eine zweite, größere Schildkröte (ebenfalls mit orangefarbenen Wangen) beobachtet, was vorgeht: Vielleicht wird sie später auch als Geschoss verwendet werden, vielleicht unterstützt sie mich nur bei meinen Verrichtungen. Der Fotograf hat etwa zehn verschiedene »Kriegsaufnahmen« mit den lebenden Schildkröten und dem kleinen, schön ausgeführten Katapult gemacht. Die Schildkröten schienen die Aufnahmen (mit den vielen plötzlichen Blitzen) etwas, aber nicht besonders zu stören. Später hörte die kleine Schildkröte zu fressen und sogar sich zu bewegen auf und starrte nur mehr vor sich hin. Der großen Schildkröte ging es (noch) gut. Zwei Wochen nach den Fotoaufnahmen starb die kleine Schildkröte. Ich erzählte meinen Kindern, dass ich ihren kleinen Körper in ein fließendes Gewässer legen würde, was ich in einem Fluss in der Nähe von Sofia auch tat. Vor einigen Tagen hörte auch die große Schildkröte zu fressen auf. Meine Frau sagte mir am Telefon, dass sie sich auf den Weg gemacht habe. Wer hat den Krieg also gewonnen: ich, der lustige Fotos gemacht hat, oder die Schildkröten, die gestorben sind? Soll ich mich ergeben?

Nedko Solakov
Weimar, 27. Juni 1997

NEDKO SOLAKOV
Wars 3, 1997
Bleistift, Aquarell, Tinte, 19 x 28,5 x 1,5 cm

Wars 9, 1997
Bleistift, Aquarell, 29 x 38 x 1,5 cm

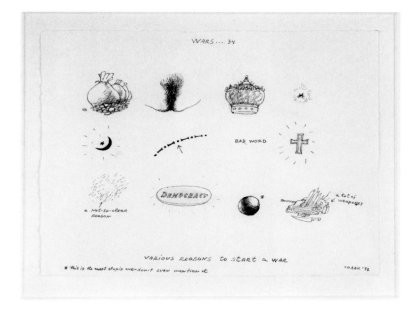

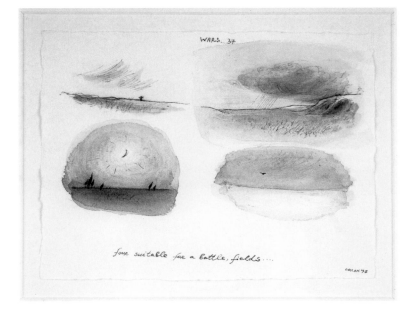

NANCY SPERO

»Search and Destroy« ist jene militärische Formel, die das Verwüstungswerk des Krieges in ein unerbittliches Epigramm gießt. Hier bleibt kein Raum für Zwischentöne oder reflexiven Zweifel, hier regieren Zielbestimmung und rückhaltlose Entfesselung der destruktiven Potentiale. Die Collage auf Papier *Search and Destroy* spiegelt in ihrer formalen Reduktion die hermetische Durchschlagskraft lückenloser Befehlsketten und den dämonischen Furor einer Maschine, die nach ihrer Aktivierung ihrer eigenen negativen Teleologie/Theologie folgt. Die typografischen Einschreibungen in das fragile, intime Material setzen die Zeichen auf »Red Alert« – auf Alarmstufe Rot. Der apodiktischen Monumentalität der Großbuchstaben steht die in Blau gehaltene Anmerkung »Body Count« gegenüber. Ein diskreter Verweis auf die Opfer, die vom wütenden Rot – dem Zeichen für die Feuerwüste – zermalmt zu werden scheinen. Es geht in *Search and Destroy* um eine Dämonenaustreibung, um die Säuberung der Sprache von der Bombenlast ihrer tödlichen Bedeutungen, gleichzeitig aber auch um die Verwundbarkeit der Kommunikation selbst. Der unregelmäßige Farbauftrag, der mit dem Abdruck der Finger modellierte Grad der koloristischen Intensität lassen die Buchstaben aussehen wie Ruinen, von denen der Putz abblättert. Traurige Zeichen einer außer Rand und Band geratenen Befehlswillkür, verwundete Platzhalter in der geschichtsphilosophischen Sackgasse.

Search and Destroy ist eine von mehreren Arbeiten mit gleichem Titel. Obwohl erst 1987 entstanden, muss das Werk im Zusammenhang mit der *War Series* diskutiert werden, die Nancy Spero zwischen 1966 und 1970 anfertigte. Diese bedeutende Folge von Gouachen war eine intuitive Reaktion auf das erhitzte gesellschaftlich-politische Klima in der Epoche des Vietnamkrieges. Die Künstlerin, erst 1964 mit ihrem Mann Leon Golub wieder aus Paris in die USA zurückgekehrt, entwickelte eine erup-

tive Zeichensprache, die in ihrer Beschränkung auf wenige, immer wiederkehrende Symbole – Bombeneinschläge, Hubschrauber, Adler, Swastika, reduzierte menschliche Körper – eine Art neopaganistische Höhlenmalerei zu skizzieren schien. Im Zusammenhang mit archaischer Folkmusik wurde in den USA der Begriff »American Primitive« geprägt. Man mag in der *War Series* eine ähnliche Ästhetik am Werke sehen: eine Rückführung elaborierter formaler Kodes auf Urszenen und eine primordiale Ausdruckslust, die die falschen Verheißungen einer sich selbst verschlingenden Hochtechnologie unterläuft.

Im Übergang zu den langen horizontalen und vertikalen Papierbahnen, die Nancy Spero ab Mitte der siebziger Jahre mit gestempelten und collagierten Sujets besetzte, änderten sich auch ihre Motive und Sprachzeichen. Diese Technik, die bewusst mit der Tradition von ägyptischen Papyrusrollen, chinesischen Rollbildern und antiken Bildfriesen spielt, erlaubt eine großzügigere Entfaltung von Narrativen und eine suggestivere Übersetzung der Vorstellung des *continuous present*, die die Künstlerin von Gertrude Stein entlehnt hat. Die kontinuierliche Gegenwart meint die retroaktive Bewältigung der Historie und das Weiterwirken der Erinnerung: Nichts ist vergangen, nichts ist vergessen. Und aus den rudimentären Zeichen des Monströsen spricht das Leid des Unbewältigten.

In den Kriegsbildern von Nancy Spero gehe es um den Zusammenhang von Macht, Sexualität und Unbewusstem, schreibt Deborah Frizzell: »Sie lassen unwillkürlich an alchemistische Geheimnisse der Fragmentierung und Neuschöpfung denken.«

TM

Search and Destroy, 1987
Druck, Collage auf Papier, 31 x 315 cm

HERWIG STEINER

Textfelder, Schlachtfelder, Diskurse: Herwig Steiners computergenerierte Druckmontagen machen Typografien zu bildstrukturierenden Dispositiven, die unter den zellularen Verknüpfungen der semantischen Außenhaut die Abstrakta einer sich selbst genügenden Formensprache in ein interoperables Verhältnis setzen: ein Sprechen jenseits der Sprache, ein Schweigen angesichts des Kataklysmus der Farben und der scharfkantigen Projektion mehrdimensionaler Pseudovolumina, die die Illusion futuristischer Architekturideenskizzen erzeugen, in die verschiedenen Zonen des Bildfeldes.

57P1 Textfields Battlefields verwebt Zitate von Autoren aus unterschiedlichen Milieus, Zeitaltern und politischen Kraftfeldern zu einem Hypertext, der Sinngehalte, einer Fata Morgana gleich, zum Flimmern bringt. Das Erhabene mischt sich mit Trivialitäten aus der Fußgängerzone der Reflexion, das Monströse fällt mit der Unerbittlichkeit der Bürokratie zusammen. Herwig Steiner will die Frage nach dem Ort und den Konstruktionsprinzipien der Kunst und ihrer Interpretation stellen. Seine Arbeit ist einerseits kritische Analyse der Wahrnehmungsverarbeitung und gleichzeitig historiografische Weitwinkelaufnahme der dynamischen Bedeutungsströme im Fluss der Zeit. Im »Akt der Antizipation der symbolischen Massen« versucht der Künstler die sprachliche und wertparadigmatische Strukturierung des »Unteilbaren der Welt« erfahrbar zu machen: »Die Patterns vor dem Bild der Wahrnehmung sind jene Bereiche, aus denen sich die Konstitutionsprozesse des Subjekthaften generieren.«

TM

Textverzeichnis/Autoren- und Quellenliste zu 57P1 TextfieldsBattlefields, 2003, von links oben nach rechts unten:
Die Texte geben die Meinung der Autoren wieder, nicht die des Künstlers.
© 2003 Herwig Steiner
1. Vermerk II D 3 a (9) Nr. 214/42 g.Ra. aus dem Referat 11 D 3 (Kraftfahrwesen) des RSHA über Veränderungen an den Gaswagen, Berlin, den 5. Juni 1942/SS-Obersturmführer Rauff; Quelle: www.ns-archiv.de/einsatzgruppen/gaswagen/97000.shtml
2. Friedrich Nietzsche, *Genealogy of Morals* (1887), Auszug: »Pain and memory«, Übersetzung ins Englische von R. J. Hollingdale, 1979
3. Vesan Pesic, »Serbian Nationalism and the Origins of the Yugoslav Crisis« (Auszug), United States Institute of Peace, Washington, April 1996, Quelle: Internet
4. Esad Hecimovic, »Dangerous Investigation«, Zeitungsartikel (Dani, Sarajevo, Bosnien-Herzegowina, 9. Juli 1999) (Auszug), Quelle: Internet
5. Friedrich Nietzsche, »Ueber Wahrheit und Lüge im aussermoralischen Sinne«, in: *Nachgelassene Schriften 1870–1873*, Bd. 1 (Auszug)
6. Vasilije Krestic und Kosta Mihailovic, »Memorandum of the Serbian Academy of Sciences and Arts: Answers to Criticisms. The Beginning and End of the Memorandum Committee's Work«, Quelle: Internet (1993/1995)
7. Pavle Ivic, Antonije Isakovic, Dusan Kanazir, Mihailo Markovic, Milos Macura, Dejan Medakovic, Miroslav Pantic, Nikola Pantic, Ljubisa Rakic, Radovan Samardic, Miomir Vukobratovic, Vasilije Krestic, Ivan Maksimovic, Kosta Mihailovic, Stojan Celic, Nikola Cobeljic, Dobrica Cosic, Jovan Djordjevic, Ljubomir Tadic, »Memorandum of the Serbian Academy of Sciences and Arts« (Auszug), 1986, Quelle: Internet (1995)
8. Vaso Cubrilovic, »Expulsion of the Albanians. Memorandum Presented to the Royal Yugoslav Government« (Auszug), 1937, Quelle: *From Ideology to Aggression* (Internet), Editorial Board: Ante Beljo, Edo Bosnar, Albert Bing, Bozica Ercegovac-Jambrovic, Nada Skrlin
9. William Norman Grigg, »Why Kosovo?«, in: *The New American*, Mai 1999 (Auszug), Quelle: Internet
10. Marina Blagojevic, in: *Belgrade Circle Journal* (Auszug), Quelle: Internet
11. Hasan Hadzic, »5,000 Muslim Lives for Military Intervention. Interview with Hakija Meholjic, President of Social Democratic Party for Srebrenica« (Auszug), Dani, Sarajevo, Bosnien-Herzegowina, 22. Juni 1998 (Auszug), Quelle: Internet
12. Netherlands Press/Institute for War Documentation (Auszug), Quelle: Internet
Es handelt sich um eine autorisierte Zusammenfassung der Schlussfolgerungen im Nachwort des Hauptberichts »Srebrenica, a ‚safe' area. Reconstruction, background, consequences and analyses of the fall of a safe area«. Die Zahlen am linken Rand verweisen auf die nummerierten Hauptpunkte im Nachwort.
13. Adolf Hitler, *Mein Kampf*, 1925 (Auszug), Quelle: Internet Modern History Sourcebook (Paul Halsall), 1998

Muzej Istorije Jugoslavije, Belgrad,
Textfields/Battlefields-Discourses-Yugoslavia,
Bodeninstallation im Muzej Istorije Jugoslavije,
Belgrad, 2002

WOLFGANG TILLMANS

1999 erregte Wolfgang Tillmans angesichts des Kosovokrieges mit seiner Serie *Soldiers – The Nineties* Aufsehen. Tillmans präsentierte eine 1990 begonnene umfangreiche Sammlung eigener und gefundener (Presse-)Bilder von Soldaten. Sie versammelt allzeit für den Kampfeinsatz bereite US-amerikanische, israelische, britische, deutsche, kosovo-albanische oder zairische Soldaten, aber auch Polizisten und Männer in Bomberjacken und Springerstiefeln. Damit weitet Tillmans das Soldatische auf zivile Bereiche aus. In Aktion werden allerdings nur Polizisten beim Schlagstockeinsatz oder beim Observieren gezeigt. Die Kampfzone hat sich verlagert.

Assoziativ layoutete Tillmans die farbfotokopierten oder digital ausgedruckten Zeitungsausschnitte, Covers und Fotos, lapidar ungerahmt und nur von Klammern gehalten, großzügig über die Wände. Dabei ließ er den ursprünglichen medialen Kontext der Zeitungsfotos nicht weg, sondern reproduzierte auch Bildunterschriften, Artikelteile oder Überschriften. Das Ausreißen der Fundstücke aus den Zeitungen, das Sammeln während der eigenen Lektüre wurde zum Bestandteil der Installation und spiegelt so auch persönliche Gewohnheiten wider. Die Zeitungsabbildungen eigene grobe Rasterung ist ein weiteres Indiz für diesen Transfer der Aufnahmen. Das Interesse galt also auch dem Prozess der technischen Reproduktion. Damit verließ Tillmans den engeren Bereich der dokumentarischen Fotografie und erarbeitete ein ästhetisches Verfahren, das sowohl die unterschwellige Erotik als auch die gesellschaftlich-mediale Repräsentation von Soldatenbildern thematisiert. Sein Blick auf die ambivalente Botschaft von Uniformierten erinnert an Collier Schorr. Beide Künstler jonglieren offensiv mit dem Risiko der Missinterpretation.

Tillmans war zunächst vor allem durch seine Fotos für Mode- und Zeitgeistmagazine bekannt geworden, bevor seine Abbildungen von Techno-Ravern von der Kunstwelt als wichtiges »Zeitporträt« kanonisiert wurden. Schon bald erschienen seine Aufnahmen schwitzender Techno-Leiber im britischen Szenemagazin *i-D*. Seine Fotografien von so vielfältigen Ereignissen und Genres wie der Love Parade in Berlin und dem Evangelischen Kirchentag in München, einem Klinikum in Zürich, Stillleben, Landschaften usw. scheinen den Nerv der Zeit zu treffen, ohne sich auf die pure Manifestation eines Zeitgeistes reduzieren zu lassen. Oft wird Tillmans deswegen zum prototypischen Fotografen der Generation X erklärt.

Obwohl sich Tillmans offensichtlich seiner eigenen Generation verbunden fühlt, ist diese nicht so sehr Thema als vielmehr Ausgangspunkt für eine tiefer gehende Beschäftigung mit den Themen Identität und (Re-)Präsentation. Er erstellt nicht Typologien von gesellschaftlichen Gruppen bzw. von einer bestimmten Generation, versteht sich also nicht als Dokumentarist einer Jugendkultur oder eines Lifestyles, sondern spürt persönlichen Lebensentwürfen nach. Ihn fasziniert das Bild, das sich Menschen von sich selbst machen und das sie durch Mode, Körperhaltung und Pose vermitteln. Die Verkörperung dieses Selbstentwurfs im fotografischen Bild entsteht in oszillierender Wechselbeziehung mit dem Fotografen und den Inszenierungen und »Images«, die dieser von den abgebildeten Personen entwirft. Gerade jene Fotos, die beim ersten Hinschauen als »Schnappschüsse« erscheinen, sind tatsächlich überlegte und präzise komponierte Bilder, die sich durch eine starke Präsenz auszeichnen.

GM

PAUL VIRILIO

Wenn ich an die Beweggründe denke, die mich [...] zu den Bunkern hingezogen hatten, sehe ich wohl, dass es sich vor allem um eine Intuition und auch um eine Konvergenz zwischen der Realität des Bauwerkes und derjenigen seines Standortes am Meer handelt; eine Konvergenz zwischen meiner Aufmerksamkeit für die räumlichen Phänomene, die so starke Faszination der Küstenstriche und genau diesem Standort der zur Weite hin, zur Leere hin gelegenen Befestigungsbauten des »Atlantikwalls«.

Die auslösende Begebenheit – die Entdeckung, ganz im archäologischen Wortsinn – ereignete sich im Sommer 1958 längs des Strandes im Süden von Saint-Guénolé. Ich stand gegen ein Betonmassiv gelehnt, das mir zuvor als Badekabine gedient hatte; ich hatte die in Badeorten üblichen Spiele erschöpft hinter mich gebracht und war nun freier als in den Ferien. Mein Blick fiel auf die Horizontlinie des Ozeans, auf die Sandperspektive zwischen dem Felsmassiv von Saint-Guénolé und dem Hafendamm von Guilvinec im Süden. Es waren nur wenige Menschen zu sehen, und dieser ungehinderte Überblick lenkte mich zu meinem eigenen Gewicht zurück, zur Hitze und zu dieser festen Rückenstütze, gegen die ich mich lehnte: ein Block aus schräg abfallendem Beton, ein wertloses Ding, das mein Interesse bisher lediglich als ein Überrest aus dem Zweiten Weltkrieg zu wecken vermochte, als die Veranschaulichung einer Geschichte, der Geschichte des totalen Krieges.

Ich drehte mich also einen Augenblick um, um zu sehen, was mir mein in die Weite sich erstreckendes Blickfeld nicht zeigte: die schwere graue Masse, in der die Spuren der Verschalungsbretter auf der schräg abfallenden Rampe so etwas wie eine winzige Leiter formten. Ich stand auf und beschloss, um dieses Bauwerk herumzugehen, so, als sähe ich es zum ersten Mal: die Schießscharten unmittelbar über dem Sand, hinter der Schutzblende, die zum bretonischen Hafen hin geöffnet ist und heute auf harmlose Badende zielt, die rückwärtige Verteidigungseinrichtung mit der Eingangsschikane und das dunkle Innere, in das das Licht durch die auf den Strand hin ausgerichtete Öffnung für die Waffe, für die Geschützmündung einfällt. Der stärkste und unmittelbare Eindruck war das zugleich innere wie äußere Gefühl von Vernichtung. Die leicht geneigten Mauern waren in den Boden eingedrungen und hatten aus diesem kleinen Bunker einen festen Sockel gemacht, die Düne hatte sich in den Innenraum vorgeschoben, und dessen Beengtheit wurde noch durch die Dichte des Sandes betont, der den Fußboden bedeckte. Kleider und Fahrräder lagen herum, geschützt vor Neugierigen und Dieben; ein Gegenstand hatte seine Bedeutung verändert, und dennoch bestand eine Schutzfunktion weiterhin fort.

Eine ganze Reihe kultureller Reminiszenzen kam mir in den Sinn: die altägyptischen Gräber, die etruskischen Gräber, die Bauten der Azteken ..., so als sei dieses Bauwerk der leichten Artillerie mit den Bestattungsriten identisch, als hätte die Organisation Todt letztlich nichts anderes im Sinn gehabt, als einen sakralen Raum zu organisieren ... [...] An diesem Tag wurde der Plan geboren, die bretonischen Küsten zu inspizieren, indem ich mich, zumeist zu Fuß, immer weiter an der Brandungslinie entlangbewegte; auch mit dem Auto, um die weiter entfernten Kaps in Richtung Audierne und Brest im Norden und in Richtung Concarneau im Süden in Augenschein zu nehmen.

Mein Vorhaben war rein archäologischer Natur. Ich jagte diese grauen Formen, damit sie mir einen Teil ihres Geheimnisses preisgäben, einen Teil dieses Geheimnisses, das in wenigen Sätzen zusammengefaßt werden konnte: Warum wurden diese außergewöhnlichen Bauwerke im Gegensatz zu den Villen am Meer nicht wahrgenommen, ja, nicht einmal entdeckt? Warum diese Analogie zwischen dem Archetyp der Totenbestattung und der militärischen Architektur? Warum dieser absurde Standort zum Ozean hin, diese Wartestellung im Angesicht der Unendlichkeit des Meeres?

Aus: Paul Virilio, *Bunker-Archäologie*, München, Wien 1992, S. 10

STEPHEN VITIELLO

Gabriele Mackert: *Was war die Ausgangsidee für deine Aufnahmen im World Trade Center? Und hatte diese Idee etwas mit dem Gefühl zu tun, das man in einer Megastruktur für 50.000 Menschen hat?*
Stephen Vitiello: Der ursprüngliche Plan war der, mit einem Stipendium für das WTC von meinem Atelier im 91. Stockwerk aus Aufnahmen zu machen und diese mit der Arbeit zu verbinden, mit der ich gerade beschäftigt war. Es ging mir darum, die Geräusche der Stadt in meine elektronischen Klänge einfließen zu lassen und mir eine neue Art des Zuhörens zu erschließen. Ich wollte aus dieser Perspektive eine Verbindung zur Stadt und zum Gebäude herstellen. Zu den Menschen, die dort arbeiteten, habe ich nie Kontakt aufgenommen, sondern ich habe eher eine Beziehung zu ihrer Abwesenheit entwickelt, weil ich in der Regel in der Nacht und am Wochenende arbeitete. Ich kam mir in meinem Studio sehr isoliert vor. Bevor ich zu arbeiten anfing, hatte ich keine Vorstellung von der tatsächlichen Beziehung, die ich zu dem Gebäude entwickeln würde, während ich mit meinem Kopfhörer Nacht für Nacht seinem Puls lauschte: Ich hatte an die Innenseite der Fenster Mikros geklebt und hörte allem zu, was an dem Gebäude vorbeikam und die Bewegung des Gebäudes beeinflusste. Ich war überrascht, wie sehr die Geräusche das Gefühl der Verletzlichkeit in dieser Höhe verstärken. Als ich das Studio zum ersten Mal betrat, klang alles sehr flach. An klaren Tagen konnte man draußen alles sehen (Flugzeuge und Hubschrauber, Gewitterwolken, Lichter in Gebäuden, Boote, weit entfernte Autos und manchmal große Vögel, die an den Fenstern vorbeischwebten), an nebligen Tagen ertrank man hingegen in Wolken. Sobald ich hören konnte, was draußen vor sich ging, gewann die materielle Präsenz des Gebäudes an Realität. Die Vibration des Windes oder der Flugzeuge durchdrang das Studio, die Kopfhörer, die Lautsprecher, mein Bewusstsein.
Durch deine Kartografie der Geräusche entsteht eine Art Metaebene der Aufmerksamkeit. Dadurch wird die Aufnahme gewissermaßen zu einem Porträt von New York und dem World Trade Center. Gleichzeitig sind die Schallspuren ganz abstrakt. Wie wichtig ist dieser Gegensatz?
Für mich haben die meisten Geräusche in dieser Arbeit nichts Abstraktes. Ich höre den Wind, das Krachen des Gebäudes, den Verkehr und ein vorbeifliegendes Flugzeug. Ich habe von meinem Studio aus verschiedene Aufnahmen gemacht, mich aber ganz bewusst für die Aufnahme nach dem Hurrikan entschieden, bei der man hört, wie das Gebäude sich bewegt. Als ich Leuten die Geräusche vorspielte, konnten sie sich dabei am ehesten vorstellen, wie es ist, aus einer solchen Höhe hinauszulauschen. Vielleicht ist die Arbeit ein Klangporträt oder ein Klangschnappschuss der Stadt. Am interessantesten finde ich, wie die Stücke auf einen Weg verweisen, Architektur zuzuhören, und das Gebäude als atmende Struktur mit eigenem Sound erlebbar machen.
Die Bewegung und der Sound, die du beschreibst, erinnern mich an das Gefühl, das man beim Reisen hat, an das geschärfte Bewusstsein der Umgebung gegenüber. Beim Reisen werden Zeit und Raum zu variablen Koordinaten, sie entziehen sich dem Zugriff, sie lösen sich auf. Machst du bei der Arbeit mit Geräuschen ähnliche Erfahrungen? Hat die Installation für dich eher etwas Dynamisches oder etwas Melancholisches?
Ich wollte nichts Melancholisches machen. Ich glaube, dass man das erst jetzt, nach den Vorfällen des 11. September, so empfindet. Mich hat die Kraft der Energie interessiert. Die materielle Kraft der Geräusche und wie sie die Raumwahrnehmung (innerhalb und außerhalb des Ateliers) verändern und eine Beziehung zu dem Gebäude als tatsächlicher Präsenz herzustellen erlauben. Es war einfach, das World Trade Center eher als Idee denn als Realität zu empfinden. Die Größe, die Architektur – manchmal wirkte alles irreal. Durch den Sound wurde das Center (zumindest für mich) real.
Geräusche und Töne lassen sich einfangen und manipulieren, finde ich. Sie haben eine materielle Präsenz. Und das Potenzial, Menschen emotional sehr zu treffen. Es ist Aufgabe des Künstlers, der sich für Geräusche und Töne interessiert, die Möglichkeiten zu erweitern, wie wir das, was wir gehört oder uns vorgestellt haben, anderen vermitteln und öffentlich zur Diskussion stellen können.

WANG DU

Nach meiner Auffassung ist die zeitgenössische Kunst ein sozialer Akt. Mit ihren Energien greift sie in die Wirklichkeit ein, wobei sie Prozesse auslöst oder zum Gären bringt. In seiner Individualität ist der Künstler einer weißen Maske vergleichbar, bevor die Schminke aufgetragen wird. Er verändert seine Rolle je nach den konzeptuellen Erfordernissen des Gesichts, das er bei seinem Eingriff in die Wirklichkeit trägt. In den Arbeiten aus der jüngsten Zeit sehe ich meine Rolle darin, »die Medien« zu sein, das heißt als »Journalist der Journalisten« aufzutreten. Ich wähle die medialen Wirklichkeits-darstellungen aus, die überarbeitet, neu gefasst und neu repräsentiert werden. In Arbeiten wie *Marché aux puces – mis en vente d'information d'occasion* (Flohmarkt – Gelegenheitsinformation zu verkaufen) oder *Réalité jetable* (Wegwerfwirklichkeit) habe ich eine indirekte Zugangsweise zum Material entwickelt. Sie eröffnet einen Spielraum zwischen der Wirklichkeit und den Medien, der es mir erlaubt, »dem Leichnam Leben einzuhauchen«. Ich kann das Material auf eine hypothetische und fiktionale Ebene bringen, wobei die Bilder in ein und demselben physischen Körper entstehen. Am Ende dieses Prozesses ergibt sich ein reines Bild.

Bekanntermaßen leben wir heute in einer Ära globaler Informationsnetze. Auf Grund der Verschiedenheit der politischen und ökonomischen Systeme, der Kluft zwischen den Ideologien, Religionen, Zivilisationen, zwischen regionalen Sitten und Gebräuchen können die Medien aber nicht wirklich autonom funktionieren. Sie bleiben in der Mehrzahl unter der Kontrolle der Machtapparate und Interessenkollektive, die den Rahmen abstecken, in welchem Informationen übermittelt werden.

In einem solchen Kontext sollte den Medien eine transzendente Funktion zuerkannt werden. Sie sollten mit dem Vermögen ausgestattet werden, in die politischen Ideologien oder auch in andere Konfliktzonen zu intervenieren. So würde ich die Ausgangsbedingung für dieses Projekt umreißen.

In China liegt es vollkommen auf der Hand, dass die Medien politischen Zielvorgaben gehorchen; in den Informationen, die man erhält, verbirgt sich stets eine Fülle politischer Intentionen.

Die Aufnahmen der »Militärparade« machen klar, dass sich militärische Informationen, wie sie die chinesischen Medien übermitteln, nicht auf das bloße Vorführen von Waffenarsenalen und Kriegstechnologie beschränken. Hier wird vielmehr die Gesamtmacht des Landes als Einsatz in einem politisch-spirituellen Krieg inszeniert, in dem die USA der ungenannte Feind sind. Die amerikanische Waffentechnologie, die bei ihren Einsätzen im Golfkrieg oder im Kosovokrieg den Eindruck eines Computerspiels erweckte, aber auch das US-Interesse an der Taiwanfrage sowie Vorkommnisse wie die Bombardierung der chinesischen Botschaft in Belgrad führen China vor Augen, dass es seine Interessen nur als militärische Großmacht durchsetzen kann. Aus diesem Grund studiert China das amerikanische Modell des hochtechnologischen Krieges genau und sucht es auf die eigene Situation zu übertragen. China verfolgt das Ziel, die eigenen Machtpotentiale so weit auszudehnen, dass »der Andere« eines Tages mit seinen eigenen Mitteln geschlagen werden kann.

So lauten die Informationen, die wir aus den Bildern des *Défilé* ziehen können.

Für dieses Projekt habe ich somit einen direkteren Zugang gewählt als bisher. Ich nehme die Rolle eines Doubles ein, wie es bei gefährlichen Filmszenen an die Stelle der eigentlichen Schauspieler tritt. Nur dass ich hier als Double der chinesischen Medien fungiere, um die Informationen an den vorgeblichen Feind zu übermitteln. Hatte meine Arbeit vorher auf die Wirkung eines »reinen Bildes« abgezielt und dazu aus dem ambivalenten Verhältnis der Medien zur Wirklichkeit Kapital geschlagen, zeigt die »Militärparade« einen anderen Zugang.

Hier geht es darum, die Verflechtung von Medien und Wirklichkeit auf die allerdirekteste und schonungsloseste Weise zu porträtieren, um dann beide, Medien und Wirklichkeit, in einer stärker artifiziellen Behandlung zu ideologisieren und politisch aufzuladen.

Die Grundidee von *Défilé* lautet also: Eingriff in die ideologischen Konflikte, um die Wirkung einer Art »politischer Montage« zu erzielen.

Paris, 15. Juni 2000

WANG DU
Défilé (parade), 2000
Mehrteilige Raumskulptur, Kunstharz, Glasfaser, Acrylfarbe, ca. 1500 x 200 x 200 cm

ZHUANG HUI

Zwischen 1996 und 1997 fotografierte Zhuang Hui zwölf verschiedene chinesische Gruppen. So porträtierte er etwa die Schüler einer Grund- und Mittelschule, die Kadetten einer städtischen Polizeiakademie, eine Putzkolonne und eben die Offiziere der 4. Artilleriedivision der Armee der Provinz Hebei. Lapidar sachlich wird am oberen schwarzen Bildrand der Name der Institution, das Datum und der Ort verzeichnet. Auf den ersten Blick sind es dokumentarische Fotografien, wie sie in China seit den dreißiger Jahren üblich sind. Tatsächlich benutzt Zhuang Hui auch die alte Technik: eine Panoramakamera mit rotierendem Objektiv, die bereits sein Vater verwendete. Die Kamera produziert Formate mit einer Höhe von 18,5 Zentimetern und einer Länge von bis zu 142 Zentimetern. Sie erlaubt Aufnahmen über 180 Grad. Das übersteigt die Möglichkeiten gängiger Weitwinkelobjektive und überdies die des menschlichen Gesichtskreises. Darüber hinaus darf der logistische und organisatorische Aufwand nicht außer Acht gelassen werden. Wie lange dauert es, über 100 Personen der Größe nach zu ordnen? Was aber dokumentieren Zhuang Huis sauber ausgeleuchtete Gruppenporträts auf schwarzweißem Hochglanzpapier?

Die altmodisch wirkende Ästhetik der Bilder lässt die Kollektive wie Überbleibsel einer vergangenen Zeit erscheinen. Zhuang bedient sich der Bildformen der chinesischen Alltagsfotografie und nutzt die traditionelle Darstellung, um die Beziehung von Individuum und Kollektiv umzudeuten. Diese Fotos sind – vielleicht speziell für westliche Augen – gespenstisch überdeterminiert. Das Auge »scannt« sie, in der Hoffnung, an einem Gesicht oder einem interessanten Detail hängen zu bleiben. Die Angst vor der unüberschaubaren Masse sitzt tief.

Die Ambivalenz der Gruppenfotos basiert allerdings nicht nur auf ihrer Ästhetik.

Die chinesische Gesellschaft befindet sich in einem rasanten Umwälzungsprozess. Seit der Einführung der kapitalistischen Marktwirtschaft lösen sich überkommene Ordnungen auf, bröckeln traditionelle Werte und Tugenden. Es scheint nur eine Frage der Zeit, bis auch der die Gesellschaft konstituierende, stark ausgeprägte – wenngleich vom kommunistischen Regime oft missbrauchte – Gemeinschaftssinn einer vergangenen Epoche angehört. So sind die Bilder nicht zuletzt Souvenirs von Zhuangs Begegnungen mit sozialen Gruppen, z. B. dem Mitarbeiterstab eines Wirtschaftsbetriebs, dessen Fortbestand als korporatives Kollektiv angesichts der wirtschaftlichen Umbrüche und Reformen sehr unsicher ist. Im Liberalismus ist Flexibilität statt Einordnung in eine Gruppe gefordert. Auch die Soldaten sind davon betroffen. Sie stehen nicht wie sonst in Reih und Glied, sondern sozusagen alle in der ersten Reihe.

Vordergründig bestätigen diese Fotografien das rigide System der Uniformierung und des Gehorsams. Anders als Generationen von Porträtfotografen vor ihm schmuggelt Zhuang Hui sich allerdings selbst in die Aufnahmen und positioniert sich am Bildrand. Durch diese Hinzufügung stört er das Kollektiv und hinterfragt seine Homogenität. Der Künstler als Störenfried und Randfigur, im bildlichen wie im übertragenen Sinn, untergräbt die propagierte Geborgenheit der Masse – und die Moral der Truppe?

GM

ZHUANG HUI

Group Photo of Military Camp Officers of 51410 Army, 4th Artillery Division,
Beiyi County, Hebei Province, 1997
SW-Fotografie, 180°, 18,4 x 100 cm

WERKLISTE:

A1-53167 (Aníbal Asdrubal López)
30 de Junio, 2000
12 Farbfotografien, je 30 x 45 cm
Courtesy Prometeo Associazione Culturale per l'Arte Contemporanea, Lucca

SERGEI BUGAEV AFRIKA
Stalker 3, 1996–2002
Video auf DVD, Farbe, SW, 53 Min.
Fotos, Hasenfell
Courtesy I-20 Gallery, New York

**DEJAN ANDJELKOVIĆ/
JELICA RADOVANOVIC**
Untitled, 1996
Video, Ton, Farbe, 13,36 Min.
Courtesy Dejan Andjelković/Jelica Radovanović
• *Ready made*, 1999
5 Digitaldrucke, je 30 x 40 cm
Courtesy Dejan Andjelković/Jelica Radovanović

association APSOLUTNO
a.trophy, 1999
Daumenkino, Wandtext
Courtesy association APSOLUTNO
• *Le Quattro Stagioni*, 1997–2002
Neogobelin- bzw. Petit-point-Technik (4-teilig), je 57,5 x 40 cm
Courtesy association APSOLUTNO

FIONA BANNER
The Nam, 1998
Buch, 28 x 21 x 6,1 cm
Courtesy die Künstlerin; Galerie Barbara Thumm, Berlin
• *Nam*, 2002
2 Inkjetprints, auf Alu kaschiert, 177 x 133 cm
Courtesy Galerie Barbara Thumm, Berlin; Frith Street Gallery, London

TOBIAS BERNSTRUP/PALLE TORSSON
Museum Meltdown, 1999
Computerspiel
Courtesy die Künstler; Galerie Andréhn-Schiptjenko, Stockholm

NIN BRUDERMAN
Warten auf Krieg, 1998/2003
DVD, Ton, 30 Min.
Courtesy Priska Juschka Gallery, New York

DAVID CLAERBOUT
Vietnam, 1967, Near Duc Pho, 2001
DVD, 3,30 Min.
Courtesy Galerie Johnen & Schöttle, Köln

GUY DEBORD
Blaise Pascal
Discours sur les passions de l'amour, Paris, 1934
Buch
Courtesy Sammlung Roberto Ohrt
• *Internationale lettriste*, Nr. 3, Paris, 1953
Zeitschrift, 42 x 30 cm
Courtesy Sammlung Roberto Ohrt
• *Axe d'eploration et échec dans la recherche
d'un grand passage situationniste*, 1953
Gemischte Materialien auf Leinwand,
46 x 38 cm
Courtesy Privatsammlung
• *La France seule*, Paris, 1954
Computerausdruck
Courtesy Sammlung Roberto Ohrt
• *Internationale lettriste*, Paris, 1954
Flyer, 9 x 13,5 cm
Courtesy Sammlung Roberto Ohrt
• *Labyrinth éducatif*, 1956
Manuskript im Kunstmuseum Silkeborg,
Dänemark
Computerausdruck
Courtesy Sammlung Roberto Ohrt
• *Guide psychogéographique de Paris*, 1957
Stadtplan, 60 x 74 cm
Courtesy Sammlung Roberto Ohrt
• *Naked City*, 1957
Druck, 48 x 33 cm
Courtesy Sammlung Roberto Ohrt
• *Internationale situationniste,
„Nouveau théâtre d'operations dans la culture"*, Paris, 1958
Flugblatt, 40 x 21 cm
Courtesy Sammlung Roberto Ohrt
• *Internationale situationniste, Nr. 1,*
Paris, 1958
Zeitschrift
Courtesy Sammlung Roberto Ohrt
• *Internationale situationniste*, Nr. 2,
Paris, 1958
Zeitschrift
Courtesy Sammlung Roberto Ohrt
• *Internationale situationniste*, Nr. 3,
Paris, 1959
Zeitschrift
Courtesy Sammlung Roberto Ohrt
• *Guy Debord, Asger Jorn
Mémoires*, Kopenhagen, 1959
Courtesy Sammlung Roberto Ohrt
• *Asger Jorn
Internationale situationniste, Critique de la politique économique*,
Paris, 1960
Broschüre
Courtesy Sammlung Roberto Ohrt
• *Internationale situationniste*, Nr. 4,
Paris, 1960
Zeitschrift
Courtesy Sammlung Roberto Ohrt
• *Internationale situationniste*, Nr. 5,
Paris, 1960
Zeitschrift
Courtesy Sammlung Roberto Ohrt
• *In girum imus nocte et consumimur igni*, 1978
Film/DVD, 87 Min.
Courtesy Sammlung Roberto Ohrt
• *Wir irren des Nachts im Kreis umher
und werden vom Feuer verzehrt*,
Berlin, 1985
Buch
Courtesy Sammlung Roberto Ohrt

• *Alice Becker-Ho, Guy Debord
Le Jeu de la Guerre*, Paris, 1987
Buch
Courtesy Sammlung Roberto Ohrt
• *Commentaires sur la Société du Spectacle*, Paris, 1988
Buch
Courtesy Sammlung Roberto Ohrt
• *In girum imus nocte et consumimur igni*, Leeds, 1991
Buch
Courtesy Sammlung Roberto Ohrt
• *In girum imus nocte et consumimur igni*, Paris, 1999
Buch
Courtesy Sammlung Roberto Ohrt

UROŠ DJURIĆ
Populist project
Hometown Boys
20 Ausgaben (April 1999 bis
November 2000)
Digitaldrucke, je 30,5 x 25,52 cm
Courtesy Uroš Djurić

ÖYVIND FAHLSTRÖM
World Map, 1972
Acryl und Tusche auf Vinyl (auf
Holz kaschiert), 91,5 x 183 cm
Courtesy Privatsammlung, New
York

PETER FEND
Evolution Beyond British Colonial-
Office Borders, 2003
8 Zeichnungen auf Landkarten,
Farbstift und Bleistift auf Doku-
mentenpapier, je 100 x 150 cm
Wandbeschriftung
Courtesy American Fine Arts, New
York

FODOR
Ohne Titel (Priština), 2002
Farbfotografie, 75 x 50 cm
Courtesy der Künstler
• *Ohne Titel (Priština)*, 2002
Farbfotografie, 75 x 50 cm
Courtesy der Künstler
• *Ohne Titel (New York, Manhattan)*,
2002
Farbfotografie, 50 x 75 cm
Courtesy der Künstler

RENÉE GREEN
Korean Slides, 1954/1997
Video, Farbe, Ton, 40 Min.
Courtesy Galerie Christian Nagel,
Köln
• *Partially Buried Continued*, 1997
Video, Farbe, Ton, 36 Min.
Courtesy Galerie Christian Nagel,
Köln

RICHARD HAMILTON
War Games, 1991/92
Scanachrom auf Kunststoffplane,
490 x 520 cm
Courtesy Sprengel Museum Han-
nover

KORPYS / LÖFFLER
World Trade Center, United Nations,
Pentagon, 1997
Super 8 auf DVD, 6,55 Min.,
4,30 Min., 3,10 Min.
Courtesy Galerie Meyer Riegger,
Karlsruhe; Galerie Schweins, Köln
• *Storyboard, Pentagon*, 2002
Zeichentusche auf Papier, 154 x
222 cm
Courtesy Meyer Riegger Galerie,
Karlsruhe; Galerie Schweins, Köln
• *Storyboard, World Trade Center*,
2002
Zeichentusche auf Papier, 154 x
222 cm
Courtesy Meyer Riegger Galerie,
Karlsruhe; Galerie Schweins, Köln
• *Storyboard, United Nations*, 2002
Zeichentusche auf Papier, 154 x
222 cm
Courtesy Meyer Riegger Galerie,
Karlsruhe; Galerie Schweins, Köln

KUDA.ORG
Safe Distance, 1999
DVD, Ton, Kopfhörer, 21 Min.
Production: US Air Force
Postproduction: kuda.org, Novi Sad

SIGALIT LANDAU
Barbed Hula, 2000
DVD, Farbe, Ton, 1,20 Min.
Courtesy Sigalit Landau

CHRIS MARKER (Christian
François Boche-Villeneuve)
Le 20 heures dans les camps,
(Primetime im Lager), 1994
DVD, Ton, Farbe, 27 Min.
Courtesy Les Films du Jeudi, Paris
• *Témoignage d'un Casque Bleu*,
(Gedanken eines Blauhelms), 1995
DVD, Ton, Farbe, 26 Min.
Courtesy Les Films du Jeudi, Paris

HANS-JÖRG MAYER
Go Go, 1985
Tempera auf Leinwand, 100x100 cm
Courtesy Ursula Rosarius
• *Heartbeat*, 1986
Pastellkreide und Öl auf Nessel,
120 x 120 cm
Courtesy Sammlung Karola Gräss-
lin, Köln

• *Ohne Titel*, 1986
Pastellkreide auf Nessel, 100 x
100 cm
Courtesy Sammlung Messner
• *Ohne Titel*, 1991
Farbfotografie, 94 x 140 cm
Courtesy Privatsammlung
• *Ohne Titel*, 1991
SW-Fotografie, 84 x 57 cm
Courtesy Sammlung Ioannis
Christoforakos, Athen
• *Ohne Titel*, 1991
Farbfotografie, 65 x 56 cm
Courtesy Galerie Christian Nagel,
Köln; Galerie Senn, Wien

GIANNI MOTTI
Landscape (Collateral Damage) 1,
2001
Farbfotografie, 69 x 87 cm
© AFP/Eric Feferberg/STF
• *Landscape (Collateral Damage) 2*,
2001
Farbfotografie, 100 x 80 cm
© AFP/Mladen Antonov/STF
• *Landscape (Collateral Damage) 3*,
2001
Farbfotografie, 69 x 87 cm
© AFP/Mladen Antonov/STF
• *Landscape (Collateral Damage) 4*,
2001
Farbfotografie, 69 x 87 cm
© AFP/Mustafa Hamud/PIG
• *Landscape (Collateral Damage) 5*,
2001
Farbfotografie, 87 x 69 cm
© AFP/Georgi Licovski/STF
• *Landscape (Collateral Damage) 6*,
2001
Farbfotografie, 69 x 87 cm
© AFP/Joel Robine/PIG
• *Landscape (Collateral Damage) 7*,
2001
Farbfotografie, 69 x 87 cm
© AFP/Georgi Licovski/STF
• *Landscape (Collateral Damage) 8*,
2001
Farbfotografie, 69 x 87 cm
© AFP/Eric Feferberg/STF
• *Landscape (Collateral Damage) 9*,
2001
Farbfotografie, 69 x 87 cm
© AFP/Mzwele/STF
• *Landscape (Collateral Damage) 10*,
2001

Farbfotografie, 69 x 87 cm
© AFP/Georgi Licovski/STF

ADI NES
Soldiers, Untitled 13, 2000
Farbfotografie, 90 x 90 cm
Courtesy Dvir Gallery, Tel Aviv
• *Soldiers, Untitled 16*, 2000
Farbfotografie, 90 x 90 cm
Courtesy Dvir Gallery, Tel Aviv
• *Soldiers, Untitled 17*, 1996
Farbfotografie, 90 x 130 cm
Courtesy Dvir Gallery, Tel Aviv
• *Soldiers, Untitled 18*, 1996
Farbfotografie, 90 x 90 cm
Courtesy Dvir Gallery, Tel Aviv

FRANZ NOVOTNY
*Die Stunde Null. Alteisenhändler
baut Atombunker*, ORF *(Panorama)*,
23. 6. 1971
Video, 20 Min.
Courtesy Österreichischer Rund-
funk, Wien

KLAUS POBITZER
Gunmen I lorenz
Computerzeichnung, Medium: HP
Tyvek mit UV-Proof Ink auf HP
Design Jet 5000,
730 x 300 cm
Courtesy Klaus Pobitzer, Wien
• *Gunmen V giorgio*
Computerzeichnung, Medium: HP
Tyvek mit UV-Proof Ink auf HP
Design Jet 5000,
730 x 300 cm
Courtesy Klaus Pobitzer, Wien
• *Woman Arailia*
Computerzeichnung, Medium: HP
Tyvek mit UV-Proof Ink auf HP
Design Jet 5000,
730 x 300 cm
Courtesy Klaus Pobitzer, Wien

OLIVER RESSLER
This is what democracy looks like!,
2002
Zweikanalvideoinstallation, 38 Min.
Courtesy Oliver Ressler

ANTONIO RIELLO
Angelika, 1999
Deutsche Handgranate, Mod. 34,
39 x 9 x 9 cm

Courtesy Galleria Astuni, Pietra-
santa
• *Laura*, 2000
Steyr-Sturmgewehr AUG, Kaliber
5,56 mm, 45 x 70 x 5 cm
Courtesy Galerie Voss, Düsseldorf
• *Olga*, 2000
Russisches Sturmgewehr, Kala-
schnikow AK 47, Kaliber 7,62 mm,
42 x 90 x 5 cm
Courtesy Galerie Böttcher, Berlin
• *Martha*, 2000
US-Handgranate, M12, 11 x 11 x
11 cm
Courtesy Privatsammlung, USA
• *Samantha*, 2000
US-Handgranate, M12, 11 x 11 x
11 cm
Courtesy Privatsammlung, Frank-
reich
• *Fanny*, 2001
US-Sturmkarabiner, CAR 15, Kali-
ber 5,66 mm, 40 x 80 x 4 cm
Courtesy Galleria Astuni, Pietra-
santa
• *Gloria*, 2001
US-Maschinenpistole, Ingram M11,
Kaliber 11,43 mm, 30 x 40 x 5 cm
Courtesy Galerie Torch,
Amsterdam
• *Lucy*, 2001
US-Handgranate, MK2, 11 x 11 x
11 cm
Courtesy Massimo & Mariapia
Vallotto, Italien
• *Allegra*, 2001
US-Handgranate, M26, 10 x 10 x
10 cm
Courtesy Privatsammlung, Groß-
britannien
• *Marion*, 2001
Japanische Handgranate, Mod. 50,
9 x 9 x 9 cm
Courtesy Collezione Meneguzzo,
Italien
• *Betty*, 2002
US-Sturmkarabiner, CAR 15,
Kaliber 5.66 mm, 40 x 80 x 4 cm
Courtesy Privatsammlung,
Italien
• *Hildegard*, 2002
US-Handgranate, M12, 11 x 11 x
11 cm
Courtesy Galerie Torch,
Amsterdam

• *Maria Theresa*, 2002
Uzi-Maschinengewehr, Kaliber
 9 mm, 40 x 50 x 6 cm
Courtesy Privatsammlung, Italien

MARTHA ROSLER
It Lingers (Es geht weiter), 1993
Installation, 300 x 350 cm
6 Farbfotografien, 6 SW-Fotografien, 1 Zeichnung, Kugelschreiber
auf Papier, 38 fotokopierte Landkarten
Courtesy Neue Galerie, Graz

COLLIER SCHORR
Swedish Soldier (Poster), 1997
Farbfotografie, 58 x 39,4 cm
Courtesy 303 Gallery, New York
• *Sven in the Field (Dressing)*, 1997
Farbfotografie, 48,3 x 48,3 cm
Courtesy 303 Gallery, New York
• *Herbert. Duty, Siebenbürgen*, 2001
SW-Fotografie, 15,9 x 12,7 cm
Courtesy 303 Gallery, New York
• *Herbert. Target, Siebenbürgen*,
2001
SW-Fotografie, 12,7 x 15,9 cm
Courtesy 303 Gallery, New York
• *Herbert. A Sentry (Off Duty),
Siebenbürgen*, 2001
SW-Fotografie, 15,9 x 12,7 cm
Courtesy 303 Gallery, New York
• *Andreas. POW (Every Good Sol-
dier Was a Prisoner of War)*, 2001
Farbfotografie, 99,1 x 72,4 cm
Courtesy Steven Wharton, New
York
• *Joachim. Cuff (Resister)*, 2001
SW-Fotografie, 15,9 x 12,7 cm
Courtesy 303 Gallery, New York
• *Steffen. Caught Barbarossastrasse*,
2001
Farbfotografie, 91,4 x 72,4 cm
Courtesy 303 Gallery, New York
• *Herbert. Weekend Leave (A Cons-
cript Rated T1), Kirschbaum*, 2001
Farbfotografie, 111,7 x 88,9 cm
Courtesy Mario Testino Collection
• *Joa*, 2002. SW-Fotografie, 17,8 x
14 cm
Courtesy 303 Gallery, New York

ERASMUS SCHRÖTER
• *Bunker VII*, 1990
Farbfotografie, 180 x 240 cm

Courtesy der Künstler
• *Bunker XVI*, 1992/2003
Farbfotografie, 120 x 150 cm
Courtesy der Künstler
• *Bunker XXIII*, 1990/2003
Farbfotografie, 120 x 145 cm
Courtesy der Künstler
• *Bunker XXVIII*, 1992
Farbfotografie, 120 x 160 cm
Courtesy der Künstler
• *Bunker XLV*, 1999
Farbfotografie, 120 x 150 cm
Courtesy der Künstler

NEDKO SOLAKOV
Wars, facsimile de machine de guerre, 1997
Holzrahmen, Spanplatte, Holz, Schnur, Leder, Metall, Feder, Nylon, 21 x 40 x 25 cm
Courtesy Collection FRAC Bourgogne
• *Wars, facsimile de machine de guerre*, 1997
Holzrahmen, Spanplatte, Holz, Schnur, Leder, Metall, Feder, Nylon, 10,5 x 30 x 20 cm
Courtesy Collection FRAC Bourgogne
• *Wars, facsimile de machine de guerre*, 1997
Holzrahmen, Spanplatte, Holz, Schnur, Leder, Metall, Feder, Nylon, 42 x 40 x 30 cm
Courtesy Collection FRAC Bourgogne
• *Wars, facsimile de machine de guerre*, 1997
Holzrahmen, Spanplatte, Holz, Schnur, Leder, Metall, Feder, Nylon, 21 x 40 x 20 cm
Courtesy Collection FRAC Bourgogne
• *Wars*, 1997
4 Farbfotografien, je 50 x 70 cm
Courtesy Collection FRAC Bourgogne
• *Wars 1*, 1997
Bleistift, Aquarell, Tinte, 19 x 28,5 x 1,5 cm
Courtesy Galerie Erna Hécey, Luxemburg
• *Wars 2*, 1997
Bleistift, Aquarell, Tinte, 19 x 28,5 x 1,5 cm

Courtesy Galerie Erna Hécey, Luxemburg
• *Wars 3*, 1997
Bleistift, Aquarell, Tinte, 19 x 28,5 x 1,5 cm
Courtesy Galerie Erna Hécey, Luxemburg
• *Wars 5*, 1997
Bleistift, Aquarell, Tinte, 19 x 28,5 x 1,5 cm
Courtesy Galerie Erna Hécey, Luxemburg
• *Wars 9*, 1997
Bleistift, Aquarell, 29 x 38 x 1,5 cm
Courtesy Galerie Erna Hécey, Luxemburg
• *Wars 12*, 1997
Bleistift, Aquarell, 29 x 38 x 1,5 cm
Courtesy Galerie Erna Hécey, Luxemburg
• *Wars 18*, 1997
Schwarze Tusche, 28 x 38 x 1,5 cm
Courtesy Galerie Erna Hécey, Luxemburg
• *Wars 21*, 1997
Schwarze Tusche, 28 x 38 x 1,5 cm
Courtesy Galerie Erna Hécey, Luxemburg
• *Wars 22*, 1997
Schwarze Tusche, 28 x 38 x 1,5 cm
Courtesy Galerie Erna Hécey, Luxemburg
• *Wars 26*, 1997
Sepia, weiße Tinte, Lavierung, 14 x 19 x 1,5 cm
Courtesy Galerie Erna Hécey, Luxemburg
• *Wars 27*, 1997
Sepia, weiße Tinte, Lavierung, 14 x 19 x 1,5 cm
Courtesy Galerie Erna Hécey, Luxemburg
• *Wars 34*, 1997
Sepia, weiße Tinte, Lavierung, 14 x 19 x 1,5 cm
Courtesy Galerie Erna Hécey, Luxemburg
• *Wars 35*, 1997
Sepia, weiße Tinte, Lavierung, 14 x 19 x 1,5 cm
Courtesy Galerie Erna Hécey, Luxemburg
• *Wars 36*, 1997
Sepia, weiße Tinte, Lavierung, 14 x 19 x 1,5 cm

Courtesy Galerie Erna Hécey, Luxemburg
• *Wars 37*, 1997
Sepia, weiße Tinte, Lavierung, 14 x 19 x 1,5 cm
Courtesy Galerie Erna Hécey, Luxemburg
• *Wars 41*, 1997
Sepia, weiße Tinte, Lavierung, 14 x 19 x 1,5 cm
Courtesy Galerie Erna Hécey, Luxemburg
• *Wars 46*, 1997
Weiße Tusche auf schwarzem Papier, 25 x 36 x 1,5 cm
Courtesy Galerie Erna Hécey, Luxemburg
• *Wars 47*, 1997
Weiße Tusche auf schwarzem Papier, 25 x 36 x 1,5 cm
Courtesy Galerie Erna Hécey, Luxemburg
• *Wars 51, Slogan*, 1997
Weiße Tinte auf schwarzem Karton, 37 x 55 cm
Courtesy Galerie Erna Hécey, Luxemburg
• *Wars 54, Slogan*, 1997
Weiße Tinte auf grauem Karton, 37 x 55 cm
Courtesy Galerie Erna Hécey, Luxemburg
• *Wars 55*, 1997
Weiße Tinte auf grauem Karton, 37 x 55 cm
Courtesy Galerie Erna Hécey, Luxemburg
• *I'll kill you …*, 1997
Öl auf Tafel, 23,5 x 32 cm
Courtesy Galerie Erna Hécey, Luxemburg
• *The Knight*, 1997
Öl auf Tafel, 32 x 23,5 cm
Courtesy Galerie Erna Hécey, Luxemburg
• *A romantic landscape with a dying warrior*, 1997
Öl auf Tafel, 27 x 22 cm
Courtesy Galerie Erna Hécey, Luxemburg
• *Coat of Arm*, 1997
Öl auf Leinwand, 71 x 59 cm
Courtesy Galerie Erna Hécey, Luxemburg

NANCY SPERO
Search and Destroy, 1987
Druck, Collage auf Papier, 31 x
315 cm
Courtesy Galerie Christine König,
Wien

HERWIG STEINER
57P1TextfieldsBattlefields, 2003
Computergenerierte Foliendruck-
montage (mehrlagig) auf Platte,
240 x 167 cm
Courtesy Herwig Steiner, Wien

WOLFGANG TILLMANS
Shay, 2002
Inkjetprint, 200 x 137 cm
Courtesy Galerie Daniel Buchholz,
Köln

PAUL VIRILIO
Bunker Archéologie, 1958–65/1993
2 x 5 SW-Fotografien im Passepar-
tout, je 70 x 100 cm
Courtesy Neue Galerie, Graz

STEPHEN VITIELLO
Winds After Hurricane Floyd,
1999–2002
Audio-DVD, 8,40 Min.
Farbfotografie, 152 x 107 cm
Courtesy der Künstler und The
Project, New York

WANG DU
Défilé (Parade), 2000
Mehrteilige Raumskulptur,
Kunstharz, Glasfaser, Acrylfarbe,
ca. 1500 x 200 x 300 cm
Courtesy Wang Du

ZHUANG HUI
*Group Photo of Military Camp
Officers of 51410 Army, 4th Artillery
Division, Beiyi County, Hebei Provin-
ce*, 1997
SW-Fotografie, 180°, 18,4 x 100 cm
Courtesy Sammlung Sigg

**BILDTEPPICHE AUS
AFGHANISTAN**
*Der Krieg zerstört die friedliche
Zeit beim Tee*
Teppich, Herkunft: quala-i Nau
(Provinz Badghis), 84 x 54 cm
Courtesy Hans Werner Mohm,
Wadern-Rathen
• *Gedenken für einen gefallenen
Märtyrer*
Teppich, Herkunft: vermutlich
Flüchtlingslager in Pakistan,
geknüpft von Turkmenen oder
Usbeken, 99 x 49 cm
Courtesy Hans Werner Mohm,
Wadern-Rathen
• *Kalaschnikow-Teppich*
Teppich, Herkunft: vermutlich
Flüchtlingslager in Pakistan,
geknüpft von Turkmenen oder
Usbeken, 91 x 60 cm
Courtesy Hans Werner Mohm,
Wadern-Rathen - Abbildung S. 19,
zweite von rechts
• *Löwen kämpfen gegen Panzer
und Helikopter*
Teppich, Herkunft: „Sakini" aus
Westafghanistan, 187 x 115 cm
Courtesy Hans Werner Mohm,
Wadern-Rathen - Abbildung S. 19,
rechts
• *Moschee und Lebensbaum in
Kriegszeiten*
Teppich, Herkunft: „Sakini" aus
Westafghanistan, möglicherweise
von Taymani geknüpft, 182 x 129 cm
Courtesy Hans Werner Mohm,
Wadern-Rathen
• *Kampfhubschrauber stoßen nach
Afghanistan*
Teppich, Herkunft: möglicherweise
turkmenische oder usbekische
Knüpfung in einem Flüchtlingsla-
ger in Pakistan, 76 x 62 cm
Courtesy Hans Werner Mohm,
Wadern-Rathen
• *Afghanistan – wie eine Faust mit
ausgestrecktem Daumen*
Teppich, Herkunft: möglicherweise
Knüpfung in einem Flüchtlingsla-
ger in Pakistan, 70 x 68 cm
Courtesy Hans Werner Mohm,
Wadern-Rathen
• *Krieg in allen Provinzen*
Teppich, Herkunft: möglicherweise

turkmenische oder usbekische
Knüpfung in einem Flüchtlings-
lager in Pakistan, 72 x 55 cm
Courtesy Hans Werner Mohm,
Wadern-Rathen - Abbildung S. 19,
zweite von links
• *Amanullah – ein Kämpfer für die
Unabhängigkeit*
Teppich, Herkunft: möglicherweise
aus Schindland (südl. von Herat,
von Taymani geknüpft) oder Nord-
westafghanistan, 148 x 87 cm
Courtesy Hans Werner Mohm,
Wadern-Rathen
• *Wir klagen die Russen an*
Teppich, Herkunft: vermutlich
turkmenische oder usbekische
Knüpfung in einem Flüchtlings-
lager in Pakistan, 132 x 87 cm
Courtesy Hans Werner Mohm,
Wadern-Rathen - Abbildung S. 19,
links

ILLUSTRIERTE MAGAZINE
Leslie's Weekly, Nr. 2274, 13.4.1899
Courtesy Archiv Robert Lebeck,
Berlin
• *Die Woche*, Nr. 33, 13.8.1904
Foto: C. O. Bulla
Courtesy Archiv Robert Lebeck,
Berlin
• *L' Illustration*, Nr. 3273, 11.3.1905
Foto: Victor Bulla
Courtesy Archiv Robert Lebeck,
Berlin
• *The New York Times Mid-Week
Pictorial, War Extra, Nr. 15*, 17.12.1914
Fotos: Paul Thompson
Courtesy Archiv Robert Lebeck,
Berlin
• *The New York Times Mid-Week
Pictorial, War Extra, Nr. 26*, 4.3.1915
Fotos: Paul Thompson
Courtesy Archiv Robert Lebeck,
Berlin
• *L'Illustration*, Nr. 3760, 27.3.1915
Fotos: J. C.
Courtesy Archiv Robert Lebeck,
Berlin
• *Le Miroir*, Paris, Nr. 150, 8.10.1916
Courtesy Archiv Robert Lebeck,
Berlin
• *L'Illustration*, Nr. 3904, 29.12.1917
Courtesy Archiv Robert Lebeck,
Berlin

• *VU*, Nr. 445, 23.9.1936
Fotos: Robert Capa, ein Foto
(rechts oben) von Georg Reisner
Courtesy Archiv Robert Lebeck,
Berlin
Regards, Nr. 141, 24.9.1936
Fotos: Robert Capa
Courtesy Archiv Robert Lebeck,
Berlin
• *Regards*, Nr. 153, I, 17.12.1936
Fotos: Robert Capa
Courtesy Archiv Robert Lebeck,
Berlin
• *Regards, Nr.* 153 II, 17.12.1936
Fotos: Robert Capa
Courtesy Archiv Robert Lebeck,
Berlin
• *Life,* Vol. 3, Nr. 2, 12.7.1937
Courtesy Archiv Robert Lebeck,
Berlin
• *Ken,* Vol. 1, Nr. 2, 21.4.1938
„Dying, Well or Badly"
Fotos und Text: Ernest Hemingway
Courtesy Archiv Robert Lebeck,
Berlin
• *Picture Post*, Nr. 10, 3.12.1938
„This is War!"
Fotos: Robert Capa
Courtesy Archiv Robert Lebeck,
Berlin
• *Signal,* F. Nr. 15, frz. Ausgabe, I,
1.11.1940
„Mit den Augen des Piloten … und
mit denen des ‚Opfers'"
Courtesy Archiv Robert Lebeck,
Berlin
• *Signal,* F. Nr. 15, dän. Ausgabe, II,
1.11.1940
Courtesy Archiv Robert Lebeck,
Berlin
• *Berliner Illustrierte Zeitung*, Nr. 1,
2.1.1941
Fotos und Text: Artur Grimm
Courtesy Archiv Robert Lebeck,
Berlin
• *Signal*, D. Nr. 12, dt. Ausgabe,
15.6.1941
Foto: Artur Grimm
Courtesy Archiv Robert Lebeck,
Berlin
• *Sept Jours, Lyon*, 26.10.1941
Fotos vom Dach des Hotel Natio-
nal: Margaret Bourke-White
Courtesy Archiv Robert Lebeck,
Berlin
• *Signal*, F. Nr. 4, frz. Ausgabe, 1944
„An Europas Grenzen"
Foto: Walter Frentz
Courtesy Archiv Robert Lebeck,
Berlin
• *Life,* Nr. 15, „Die letzte Runde",
9.4.1945
„Sticks and Bones"
Fotos: W. Eugene Smith
Courtesy Archiv Robert Lebeck,
Berlin
• *Life*, Vol. 29, Nr. 26, 25.12.1950
„Weihnachten in Korea"
Fotos: David Douglas Duncan
Courtesy Archiv Robert Lebeck,
Berlin
• *Life*, Vol. 58, Nr. 15, 16.4.1965
„Yankee Papa 13"
Fotos: Larry Burrows
Courtesy Archiv Robert Lebeck,
Berlin
• *The Sunday Times Magazine*,
24.3.1968
„Vietnam: Old Glory, Young Blood"
„This is how it is"
Fotos und Zitate: Donald McCullin
Courtesy Archiv Robert Lebeck,
Berlin
• *Life*, Vol. 67, Nr. 23, I, 5.12.1969
„Das Massaker von My Lai"
Fotos: Ronald L. Haeberle
Courtesy Archiv Robert Lebeck,
Berlin
• *Life*, Vol. 67, Nr. 23, II, 5.12.1969
„Das Massaker von My Lai"
Fotos: Ronald L. Haeberle
Courtesy Archiv Robert Lebeck,
Berlin

BIOGRAFIEN

A-1 53167
(ANÍBAL ASDRUBAL LÓPEZ)
(geb. 1964 / Guatemala)
2001 Premio des los Jóvenes Creadores, 49. Biennale von Venedig
Einzelausstellungen (Auswahl)
2002 *Hugo,* Placentia Arte contemporanea in Zusammenarbeit mit Prometeo Associazione per L'arte contemporanea, Piacenza; *Este Texto no Tiene Ningún Significado,* Espacio 0-27, Guatemala; *A-1 53167 Aníbal López,* Prometeo, Chiesa di San Matteo, Lucca; *La Distancia Entre dos Puntos,* Sol Del Río, Arte Contemporánea, Guatemala 2000 *Línea de 12.000 Puntos de Largo,* Monterrey, Mexiko; *Punto en movimiento,* Aktion im öffentlichen Raum, Guatemala 1999 *Significado,* Intervention im öffentlichen Raum (Kreuzung 9. Straße und 7. Avenida) 1997 *100% 50/50,* Sol Del Río Arte Contemporáneo, Guatemala; *The Americas Collection,* Guatemala
Gruppenausstellungen (Auswahl)
2002 *Do it,* Fundación Ars Teor/etica, San José, Costa Rica 2001 *Observatorio 2001,* MUVIM Valencia; *49. Biennale von Venedig,* Venedig; *Zonas Adyacentes,* Sol Del Río, Arte Contemporánea, Guatemala 2000 *7. Biennale von Havanna,* Havanna 1999 *Boceto,* Symposium, Museo de Arte Moderno de Guatemala 1998 *Sin Título,* Projekt, Guatemala 1997 *7th Gathering of Contemporary Latin American Writers and Visual Artists,* Providence, Rhode Island; *ARCO 97,* Madrid; *ES 97,* Salón Internacional de Estandartes, Tijuana 1996 *Hacia ARCO 1997,* Sol Del Río, Arte Contemporáneo, Guatemala

SERGEI BUGAEV AFRIKA
(geb. 1966 Novorossisk / Russland)
Lebt und arbeitet in St. Petersburg, Russland.
Einzelausstellungen (Auswahl)
2002 *Stalker 3,* I-20 Gallery, New York 2000 *Mir: Made in the XX Century,* I-20 Gallery, New York (Kat.) 1999 *Space Day* (mit Adam Bartos), Space Museum, St. Petersburg 1997 *Sergei Bugaev (Afrika), Rebus II: Works on Copper,* I-20 Gallery, New York (Kat.) 1995 *Sergei Bugaev Afrika, Krimania: Monuments, Icons, Mazafaka,* Österreichisches Museum für angewandte Kunst, Wien (Kat.) 1991 *Donaldestruction,* Project Artaud, San Francisco; Clocktower Gallery, New York; l'Espace Graslin, Nantes (Kat.) 1990 *Donaldestructio,* Lenin-Museum, Leningrad
Gruppenausstellungen (Auswahl)
2002 *Cutting Edge,* ARCO, Madrid 2001 *Biennale von Valencia,* Valencia (Kat.) 1999 *48. Biennale von Venedig,*Venedig; *New Acquisitions in Contemporary Art,* Staatliches Russisches Museum St. Petersburg 1997 *Kabinet,* Stedelijk Museum, Amsterdam (Kat.); *Red,* Staatliches Russisches Museum St. Petersburg 1995 *Cocido y Crudo,* Centro Nacional Cultural Reina Sofia, Madrid (Kat.) 1994 *The Third World War,* Stroganoff-Palast, St. Petersburg 1993 *Drawing the Line Against AIDS,* 41. Biennale von Venedig, Peggy Guggenheim Museum, Venedig; Guggenheim Museum, New York (Kat.) 1991 *Exhibition of Neo-Academis,* Lenin-Museum, Leningrad 1990 *In the Soviet Union and Beyond,* Stedelijk Museum, Amsterdam (Kat.); *The Work of Art in the Age of Perestroika,* Phyllis Kind Gallery, New York (Kat.) 1989 *The Green Show,* Exit Art, New York (Kat.); *The First North American Exhibition of the Friends of Mayakovsky Club,* Paul Judelson Arts, New York; *Soviet Art from Leningrad,* Bluecoat Gallery, Liverpool 1988 *Da Da Mayakovsky,* Dionysius Gallery, Rotterdam; *7 Independent Artists from Leningrad,* Young Unknowns Gallery, London; *Exhibition in Honour of the 95th Birthday of Mayakovsky,* Club NC/VC, Leningrad 1987 *Exhibition of the New Artists: Dedicated to the Closure of the Gallery ASSA,* Leningrad 1986 *New Forms: The New Artists,* Vodocanal Club, Leningrad; *Society of Experimental Art Exhibition,* Palast der Jugend, Kirov-Palast der Kultur, Leningrad 1982 *The New Artists,* Galerie ASSA, Leningrad

DEJAN ANDJELKOVIĆ (geb. 1958 Kraljevo / Serbien)
Studium der Malerei an der Akademie der bildenden Künste in Belgrad, Diplom.

JELICA RADOVANOVIĆ (geb. 1957 Dubrovnik / Kroatien)
Studium der Malerei an der Akademie der bildenden Künste in Belgrad, Diplom.
Das Künstlerduo arbeitet seit 1991 zusammen und lebt in Belgrad. Gemeinsam verwirklichten sie verschiedene Videoarbeiten.
Kontakt: symptom@eunet.yu
Ausstellungen (Auswahl)
2003 Gallery of Contemporary Plastic Art, Niš 2002 *Crossings, 10th Biennial of Visual Arts,* Gallery of Contemporary Art, Pančevo; *Balkan Konsulat proudly presents: Belgrade,* >rotor<, Graz; Nationalmuseum Kruševac 2001 *Dossier Serbien,* Akademie der bildenden Künste Wien; *Dosije Srbija,* Muzej 25. Maj, Belgrad; *The Dream of My Life,* National Art Gallery, Sofia (Radovanović) 2000 *Dossier Serbien,* Akademie der Künste Berlin 1999 *Video Art in Serbia,* Bitef-Theater, Belgrad 1998 *europartrain,* Amsterdam; *Project SIGNS,* BELEF, Belgrad; *The Body and the East,* Modern Gallery, Ljubljana 1996 *Off BITEF, Alter Image,* Cinema REX, Belgrad 1995 *A look at the wall,* Radio B 92, Belgrad; *Unbelievable,* Cinema REX, Belgrad 1994 *Experiences from Memory,* Nationalmuseum Belgrad; *The critics have chosen,* Kulturni Centar, Belgrad 1993 *Das geschlossene System,* Kunsthalle Krems; *Led Art,* Dom Omladine, Belgrad; *Neon garden,* Petrovaradinska Tvrdjava, Novi Sad

association APSOLUTNO (gegründet in Novi Sad / Serbien)
Zoran Pantelić (geb. 1966 Novi

Sad), Kunstakademie Novi Sad, Bildhauerei, Diplom 1995.

Dragan Rakić (geb. 1957), Kunstakademie Novi Sad, Malerei, Diplom 1997.

Bojana Petrić (geb. 1967), Universität Belgrad, Angewandte Sprachwissenschaft, Abschluss 1997.

Dragan Miletić (geb. 1970), San Francisco Art Institute, Institut für neue Medien, Diplom 1999.

Präsentationen, Ausstellungen, Lesungen (Auswahl)

2003 *ARF Strategy – Presentation*, Zentrum moderner Kunst Skopje **2002** *Manifesta 4*, Frankfurt/Main (Kat.); *Absolute Report*, Museum moderner Kunst Belgrad (Kat.) **2001** *Staff Infection*, New Nothing Cinema, San Francisco; *inSITEout*, Lothringer 13, München; *Zero_Absolute_The Real*, Galerie Marino Cettina, Umag; *Understanding the Balkans*, Zentrum moderner Kunst Skopje **2000** *Transmediale 2000*, Internationales Medienkunstfestival, Berlin; *Tech_nicks*, The Lux Gallery, London; *Hard Copy*, Office Gallery, San Francisco; *Hiroshima Art Document 2000*, Creative Union Hiroshima, Hiroshima; *Inside/Outside*, Galeria Zachęta, Warschau; *Dosije Srbija*, Akademie der Künste Berlin; *In/Out*, Pyramide und ICC Tirana **1999** *Reality Check*, CCA Belgrad und Free B92 Belgrad; *The War Room*, Intersection for the Arts Gallery, San Francisco **1998** Flaschenpost, Forum Stadtpark, Graz; *Independent Exposure*, Seattle Independent Film and Video Consortium, Seattle; *Focus Belgrad*, ifa-Galerie Berlin **1997** *production O.R.F.*, Secession, Wien; *44. Festspiele des Kurz- und Dokumentarfilms*, Belgrad; *Experimental Intermedia*, Gent **1996** *production B92*, Cinema REX, Belgrad

FIONA BANNER (geb. 1966 Merseyside / UK)
1986–1989 Studium am Kingston Polytechnic, London.
1991–1993 Goldsmiths College, London.

2002 Turner-Preis.
Fiona Banner ist von der schieren Unmöglichkeit fasziniert, Handlung und Zeit in geschriebener Form festzuhalten. Bekannt geworden ist sie durch ihre »wordscapes«, detailgetreue Nacherzählungen von Spielfilmen oder Ereignissen – häufig in Form von Textblöcken in Gestalt und Größe einer Kinoleinwand. Ihre Arbeiten sind in internationalen Sammlungen vertreten, u. a. im Metropolitan Museum of Art, New York, im Philadelphia Museum, in der Walker Art Gallery, Minneapolis, im Arts Council of England, in der Tate Gallery, London, und im Van Abbe Museum, Eindhoven.
Lebt in London.

Einzelausstellungen (Auswahl)

2002 Frith Street Gallery, London; *my plinth is your lap*, Neuer Aachener Kunstverein, Aachen; Dundee Contemporary Arts, Dundee **2001** *Arsewoman in Wonderland*, Galerie Barbara Thumm, Berlin; *Rainbow, 24/7*, Hayward Gallery, London **1999** *The Nam and Related Material*, Printed Matter, New York; *STOP*, Frith Street Gallery, London **1998** *Love Double*, Galerie Barbara Thumm, Berlin **1997** *The Nam – 1000 page all text flick book*, Frith Street Gallery, London; *Only the Lonely*, Frith Street Gallery, London

Gruppenausstellungen (Auswahl)

2003 *The Sky's the Limit*, Kunstverein Langenhagen **2002** *The Turner Prize Exhibition*, Tate Gallery, London; *Iconoclash – Beyond the Image*, Zentrum für Kunst und neue Medien, Karlsruhe **2001** *2. Berlin-Biennale*, Berlin **2000** *The Living End*, Boulder Museum of Contemporary Art, USA **1999** *Cinema Cinema*, Van Abbe Museum, Eindhoven **1998** *The Tarantino Syndrome*, Künstlerhaus Bethanien, Berlin **1997** *Urban Legends – London*, Staatliche Kunsthalle Baden-Baden; *Whisper & Streak*, Galerie Barbara Thumm, Berlin **1996** *Spellbound: Art and Film*, Hayward Gallery, London;

into the void, Ikon Gallery, Birmingham **1995** *Four Projects*, Frith Street Gallery, London; *General Release: Young British Artists*, Scuola di St. Pasquale, Biennale von Venedig

TOBIAS BERNSTRUP (geb. 1979 Göteborg / Schweden)
1993–1998 Königliche Akademie der bildenden Künste Stockholm.
Lebt und arbeitet in New York.

Einzelausstellungen (Auswahl)

2002 *Artissima*, Present Future, Cosmic Gallery, Turin; *Nekropolis*, Palais de Tokyo, Paris; *Re-Animate Me*, Performance/CD-Präsentation, Färgfabriken, Stockholm; *In the dead of night*, Monique Meloche, Chicago **2001** Performance, Sparwasser HQ, Berlin **2000** Performance, Bukowski's, Stockholm **1999** *Super Twins*, Galerie Axel Mörner, Stockholm; *Museum Meltdown*, Moderna Museet, Stockholm (mit Palle Torsson) **1998** Galerie Mejan, Stockholm; *Dancing Boulevard Café Symphony*, Galerie FC, Malmö

Gruppenausstellungen (Auswahl)

2003 *NOWN*, Wood Street Gallery, Pittsburgh **2002** *Biennale von Busan*, Metropolitan Art Museum, Busan; *Game Over City*, FRAC Champagne/Ardenne, Reims; *On the top of the world*, Giò Marconi, Mailand **2001** *9th Biennial of Moving Images*, Centre pour l'image contemporain, Genf; *Biennale von Tirana*, Tirana; *Monitor Vol. 1*, Gagosian Gallery, New York **2000** *And She Will Have Your Eyes ...*, Galerie Analix Forever, Genf; *The Standard Projection*, The Standard Hotel, Los Angeles; *Organizing Freedom*, Moderna Museet, Stockholm **1999** *A & E*, Chicago Project Room; *Art Forum Berlin*, Galerie Axel Mörner, Stockholm; *The Armory Show*, New York **1998** *7. Internationales Performance-Festival*, Ex Teresa Arte Actual, Mexiko Stadt; *Swedish Mess Arkipelag*, Nordiska Museet, Stockholm; *Nuit Blanche*, Musée d'Art Moderne de la Ville de Paris **1997** *Funny vs Bizarre*, Zentrum moderner Kunst Vilnius; Kunsthalle Riga **1996** *The Scream Arken*, Museum der modernen Kunst Kopenhagen

NIN BRUDERMANN

(geb. 1970 Wien)
Studium an der Universität Wien (Mag. phil.) und an der Akademie der bildenden Künste Wien (Dissertation bei Prof. Sloterdijk).
Schule für künstlerische Photographie, Wien.
1996/1997 Stipendium P.S. 1 MoMA – Contemporary Art Center, New York.
Lebt und arbeitet in Brooklyn, New York.

Einzelausstellungen/
Installationen

2003 Art Chicago Projects, Chicago **2000** Galerie Kunstbüro, Kunsthalle, Wien **1998** Galerie Urs Meile (mit Christoph Draeger), Luzern **1997** Clocktower Gallery (mit Christoph Draeger and Patrick Jolley), New York; Blau-Gelbe Galerie, Niederösterreichisches Landesmuseum, Wien **1996** Galerie CULT; Installation im Hof des Museumsquartiers, Wien

Gruppenausstellungen/
Screenings/Festivals/Fairs
(Auswahl)

2002 *Cool Times*, Priska Juschka Gallery, New York **2001** *Lite,* Roeblinghall, New York; *Garden built for you,* Smart Project Space, Amsterdam **2000** *Circles of Confusion*, Independent Film Network, Berlin **1999** *Mostra de Video Independent 2,* Centre de Cultura Contemporània, Barcelona; *2-4-6-H* (mit Norman Ohler), Softmoderne, Berlin; *Armaggedon Now!,* Kino Loge, Winterthur **1998** *Independent Film and Video Festival*, New York **1997** *Studio Artist Show*, P.S. 1 MoMA – Contemporary Art Center, New York; *World Fair Young Photography*, Ljubljana; *Not enough TV*, Moving Art Studio, Brüssel; *Kommerzbau*, Galerie Bernhard Schindler, Bern **1993** *Schaulust*, Galerie Hummel, Wien

Publikationen

artkrush, 2003

Almanac Smart Television, Amsterdam 1999
Videothek, Depot, Wien 1998
thing.net, 1998
aci.org, Austrian Cultural Institute New York, 1997

DAVID CLAERBOUT (geb. 1969 Kortrijk / Belgien)

1992–1995 Nationaal Hoger Instituut voor Schone Kunsten, Antwerpen.
1996 Rijksacademie van Beeldende Kunst, Amsterdam.
Lebt und arbeitet in Brüssel und Berlin.

Einzelausstellungen
(Auswahl)

2003 Galerie Hauser & Wirth, Zürich; Boijmans van Beuningen, Rotterdam **2002** Kunstverein Hannover (Kat.); Annet Geling Gallery, Amsterdam **2001** Galerie Johnen & Schöttle, Köln **2000** Micheline Szwajcer Gallery, Antwerpen; Nicole Klagsbrun Gallery, New York **1999** De vereniging, S.M.A.K., Gent **1998** Etablissement d'en Face, Brüssel **1997** Montevideo Gallery, Antwerpen; Argos, Kanal 20, Brüssel

Gruppenausstellungen (Auswahl)

2003 *War (What is it good for?)*, Museum of Contemporary Art Chicago; *Body Matters*, Museet for Samtidskunst, Oslo **2002** *Haunted by Detail*, De Appel, Amsterdam; *Teaser*, daad-galerie, Berlin **2001** Unreal Time Video, Korean Art Foundation, Seoul; *2. Berlin- Biennale*, Berlin (Kat.) **2000** *L'Opera, un chant d'Étoiles*, La Monnaie, Brüssel **1999** *Trouble Spot Painting*, MUHKA, Antwerpen **1998** *Intimate Strangers*, Gallery by Night, Christoph Doswald, Budapest **1997** *Prix de la jeune peinture belge*, Palais des Beaux-Arts, Brüssel **1996** *Tekeningen en projecten*, Montevideo Gallery, Antwerpen

Literatur

Kurt Vanbelleghem (Hg.), *David Claerbout: Video Works – Photographic Installations – Sound Installations – Drawings 1996–2002*, Brüssel 2002

GUY DEBORD (geb. 1931 Paris)

Debord wuchs während des Zweiten Weltkriegs in Südfrankreich auf, wo er 1951 während der Filmfestspiele in Cannes mit den Lettristen in Kontakt kam; noch im selben Jahr ging er nach Paris. Sein erster Film *Hurlements en faveur de Sade* löste bei seiner Premiere im Juni 1952 einen Skandal aus; er bestand nur aus schwarzer und weißer Leinwand sowie langen Passagen ohne jeden Ton. Im Herbst 1952 gründete er mit Freunden die *Internationale Lettriste,* die sich ab 1954 mit der Zeitschrift *Potlatch* in die künstlerische Auseinandersetzung einmischte. Sie formulierte einen großen Teil des Programms, das 1957 bei der Gründung der *Internationale Situationniste* angenommen wurde.
Mit Asger Jorn publizierte Debord die bedeutenden Künstlerbücher *Fin de Copenhague* (1957) und *Mémoires* (1958/59). Die *Internationale Situationniste* war 1957 bis 1961 die einflussreichste Künstlerbewegung ihrer Zeit und wurde in den folgenden Jahren unter dem Einfluss Debords zu einer der radikalsten Organisationen innerhalb der Bewegung, die den wilden Generalstreik vom Mai 1968 herbeiführte. 1967 erschien Debords wichtigstes Buch *La Société du Spectacle*, 1973 – ein Jahr nach der Auflösung der *I. S.* – der gleichnamige Film. 1978 realisierte er seinen letzten Kinofilm *In girum imus nocte et consumimur igni.* Bis zum Ende der achtziger Jahre veröffentlichte er nur wenige Texte, darunter das *Kriegsspiel* (1987).
Die *Commentaires sur La Société du Spectacle* von 1988 nehmen das Ende des Ost-West-Konflikts vorweg. Das Buch *Panegyrikos* von 1993 machte Debord – wie schon seinen Film von 1978 – zu einer ungewöhnlichen Antwort auf die Legendenbildung um sein Leben. Er schrieb eine Lobrede auf sich selbst. Sein einziges Werk fürs Fernsehen – *Guy Debord, son art et*

son temps – wurde in Paris in der Woche angekündigt, in der die gesamte Öffentlichkeit sich mit Nachrufen auf ihn beschäftigte. Aufgrund jahrzehntelangen, exzessiven Alkoholkonsums unheilbar erkrankt, hatte Guy Debord sich am 30. November 1994 das Leben genommen.

Literatur
Shigenobu Gonzalves, *Guy Debord ou la beauté du négatif,* Paris, 2002
Roberto Ohrt, *Das große Spiel,* Hamburg, 1999
Roberto Ohrt, *Phantom Avantgarde,* Hamburg/New York, 1997

UROŠ DJURIĆ
(geb. 1964 Belgrad / Serbien)
Studium der Kunstgeschichte (Diplom 1992) und der Malerei in Belgrad (Diplom 1998).
Djurić war in den frühen achtziger Jahren Teil der Belgrader Punk-Bewegung (Urban Guerrilla) und gründete gemeinsam mit Stevan Markuš 1989 die Autonomistische Bewegung, die die unabhängige Kunstszene belebte. 1994 veröffentlichten Djurić und Markuš das *Manifest Autonomizma.*
Kontakt: autonomy@b92.net

Ausstellungen (Auswahl)
2003 *Blut & Honig – Zukunft ist am Balkan,* Sammlung Essl, Klosterneuburg bei Wien **2002** *God Loves the Dreams of Serbian Artists,* 2META Gallery, Bukarest; *The Stray Show,* Julia Friedman Gallery / Thomas Blackman Associates, Chicago; *Balkan Konsulat proudly presents: Belgrade,* ›rotor‹, Graz; *Speak to the Man on the Street / Reconstructions (4. Biennale von Cetinje),* Cetinje **2001** *Personal – Political,* Cankarjev Dom, Ljubljana; *The Real, The Desperate, The Absolute,* Forum Stadtpark, Graz; *The Collection,* MUMOK Stiftung Ludwig, Wien; *Escape, 1. Biennale von Tirana,* Nationalgalerie und Chinesischer Pavillon, Tirana **2000** *Populist Project Tour 2000,* Behemot Gallery, Prag; *Inside / Outside,* Galeria Zachęta, Warschau; *Marcel Du-*

champ & After Duchamp, Gallery 1900–2000, Art/31/Basel; *L'Autre moitié de l'Europe: Réalité sociale / Existence / Politique,* Jeu de Paume, Paris **1999** *Populist Project,* ATA – Zentrum moderner Kunst, Sofia; *Jardin de Eros,* Centre Cultural Tecla Sala, L'Hospitalet, Barcelona **1998** *Non-objective Autonomism,* Museum moderner Kunst Belgrad **1995** *Unbelievable – Neverovatno: Amsterdam – Beograd,* Radio B 92 – Cinema REX, Belgrad **1993** *Belgrade,* De Marco European Art Foundation, Edinburgh **1992** *Une Image de la Peinture Actuelle de Belgrade,* ImmoArt Gallery, Antwerpen

ÖYVIND FAHLSTRÖM (geb. 1928 São Paulo / Brasilien, gest. 1976 Stockholm)
1939 Übersiedlung nach Schweden, Studium der Archäologie und Kunstgeschichte an der Universität Stockholm.
1961 Übersiedlung nach New York.

Ausstellungen (Auswahl)
2001/2002 *Öyvind Fahlström. The Complete Graphics, Multiples and Sound Works,* BAWAG Foundation, Wien, *Öyvind Fahlström. Another Space for Painting.* MACBA, Barcelona; Baltic Centre for Contemporary Art, Gateshead (Kat.) **1997** *documenta X,* Kassel **1996** *Die Installationen,* Kölnischer Kunstverein, Köln **1995** Centre Culturel Suédois, Paris; Uppsala Konstmuseum, Uppsala; *Die Installationen,* Gesellschaft für aktuelle Kunst, Bremen **1994** *Every way in is a way out,* Thomas Nordanstad Gallery, New York **1993** *Graphics & Works on Paper,* Feigen Incorporated, Chicago; Sidney Janis Gallery, New York **1992** IVAM/Centre Julio González, Valencia **1991** Aurel Scheibler, Köln **1990** Arnold Herstand & Co., New York; Galerie Baudoin Lebon, Paris **1989** Galerie Ahlner, Stockholm **1988** Olle Olsson-huset, Hagalund, Solna **1987** Arnold Herstand & Co., New York **1985** Boibrino Gallery, Stockholm **1984** Arnold Herstand & Co., New York **1983** *Paintings, Dra-*

wings, Constructions, Walker Art Center, Minneapolis **1982** Sidney Janis Gallery, New York; The Solomon R. Guggenheim Museum, New York **1981** Stella Polaris Gallery, Los Angeles **1980** Musée national d'art moderne, Centre Georges Pompidou, Paris; Museum Boymans Van Beuningen, Rotterdam **1979** Moderna Museet, Stockholm **1978** Drawings, Sharon Avery/Redbird, New York **1977** Galerie Baudoin Lebon, Paris **1976** Sidney Janis Gallery, New York; *The Complete Graphics and Multiples,* Galerie Ahlner, Stockholm **1975** Galerie Alexandre Iolas, Paris **1974** Foster Gallery, University of Wisconsin, Eau Claire; Galerie Buchholz, München; Galleria Multhipla, Mailand **1973** Sidney Janis Gallery, New York; Moore College of Art Gallery, Philadelphia **1971** Sidney Janis Gallery, New York **1969** Sidney Janis Gallery, New York; University of Minnesota, Minneapolis; Middlebury College, Vermont; Edinboro State College, Pennsylvania; University of Georgia, Museum of Art, Athens; University of Texas, Art Museum, Austin; Sacramento State College, California; Galerie Rudolf Zwirner, Köln **1967** Sidney Janis Gallery, New York **1966** 33. Biennale von Venedig **1964** Cordier & Ekstrom, New York **1962** Galerie Daniel Cordier, Paris **1959** Galerie Daniel Cordier, Paris; Galerie Blanche, Stockholm **1955** Galerie Aesthetica, Stockholm **1954** Eskilstuna Konstmuseum, Eskilstuna **1953** Galleria Numero, Florenz

PETER FEND (geb. 1950 Ohio / USA)
1973 BA am Carleton College, Minnesota.
Peter Fend gründete 1980 die Ocean Earth Construction and Development Corporation.
Lebt und arbeitet in New York.

Ausstellungen (Auswahl)
2003 *Persian Gulf/Gulf of California Parallel Projects,* GPS, Palais de Tokyo, Paris; *Dublin Impact: Dublin Bay Basin and Its Impact,* Kunstpro-

jekt für die Region Dublin **2002** *Ökonomien der Zeit*, Museum Ludwig, Migros-Museum, Zürich (Kat.) ; *Ars Electronica*, Linz (Kat.); *Large-scale basin charts, with algae-to-gas displays*, Stroom, Den Haag **2001** *Sea Change*, Spacex, Rockford Art Museum; *Big Deal – Energy Technology for the Americans,* Nikolai Fine Art, New York **2000** *Ecologies*, Smart Museum, Chicago **1996** *Chernobyl Solutions*, Steffany Martz Gallery, New York **1995** *Landkraft*, Palais Thurn und Taxis, Bregenz **1994** *Startbahn Österreich*, Galerie Metropol, Wien **1993** *Ocean Earth: For a World Which Works*, Neue Galerie am Landesmuseum Joanneum, Graz; *Oil-Free Corridor*, Aperto, Biennale von Venedig; *Strategie Globale*, FRAC Poitou-Charentes, Angoulême **1992** *documenta IX: Ocean-basin flags for the world,* Kassel; *Beach Party Deutschland*, Galerie Esther Schipper, Köln; *Site Simulator/Tivat Bay*, American Fine Arts, New York **1991** *Ocean basin installations, with satellite imagery in video for each basin*, Kunstraum Daxer, München; American Fine Arts, New York; Hôpital Éphémère, Paris **1990** *City of the Dead*, Galerie Tanja Grunert, Köln; *Kleine Fragen,* Galerie Christian Nagel, Köln **1989** *Compilation of the War*, American Fine Arts, New York **1988** *BODY – Head of Persian Gulf proposal*, American Fine Arts, New York **1987** *documenta VII*, Kassel **1980** *World Space: Political Economies After Oil*, Peter Nadin Gallery, New York

GYULA FODOR (geb. 1953 Dorog / Ungarn)
Als künstlerischer Fotograf Autodidakt. Davor verschiedene Ausbildungen und Jobs, u. a. Dreher, Hochseematrose, Maschinenbauingenieur, Leichenträger, Fuhrunternehmer.
»In Fodors Bildern erscheinen Räume und Szenarien, die zweifellos der Wirklichkeit entstammen, im Irrealen verortet. Diese Bilder entziehen sich scheinbar der Zeitlichkeit, möglicherweise sind sie dem Halluzinatorischen der Erinnerung (Roland Barthes) noch verwandt, ihr Potential und ihre Faszination liegen aber vor allem in der Tatsache, daß die Bilder zugleich transzendieren, was sie sichtbar machen. [...] Alle Bilder Fodors erzeugen neue Bilder im Kopf, es sind ›kritische‹ Bilder, Bilder, die nach anderen Bildern fragen.« (Cathrin Pichler)
Gyula Fodor lebt seit seiner Flucht aus Ungarn im Jahr 1981 in Wien und ist seit 2000 als freischaffender Künstler tätig.
Kontakt: fodorfoto@utanet.at
Ausstellungen (Auswahl)
2003 *Zugluft*, im Rahmen der Messe *Kunst Zürich* **2002** *Zeichen-Sprache*, Galerie Grita Insam, Wien; *Frieden weltwärts*, Institut für Friedensforschung Schlaining; Galerie atrium-ed-arte, Wien (Einzelausstellung) **2001** Collegium Hungaricum Wien (Einzelausstellung)
Veröffentlichungen im Rahmen der Reihe *museum in progress,* in der Zeitung *Der Standard* und in *Camera Austria* Nr. 80 (Dezember 2002)

RENÉE GREEN (geb. 1959, Cleveland / Ohio)
1979–1980 School of Visual Arts, New York.
1981 Radcliffe Publishing Procedures Course, Harvard University.
1981 Wesleyan University, BA.
1982, 1984 Parsons School of Design.
1989–1990 Whitney Independent Study Program.
1997-2003 Professur Akademie der Bildenden Künste, Wien
Lebt und arbeitet in Santa Monica und Barcelona.
Einzelausstellungen (Auswahl)
2002 *Phases + Versions*, Portikus, Frankfurt/Main **2000** *Shadows and Signals*, Fundació Antonio Tàpies, Barcelona (Kat.) **1999** *Between and Including*, Secession, Wien (Kat.) **1996** *Certain Miscellanies*, Stichting de Appel, Amsterdam; *Partially Buried*, Pat Hearn Gallery, New York **1995** *Miscellaneous,* DAAD-Galerie, Berlin **1994** *Taste Venue*, Pat Hearn Gallery, New York **1993** *World Tour*, Museum of Contemporary Art Los Angeles **1992** *Import/Export Funk Office*, Galerie Christian Nagel, Köln
Gruppenausstellungen (Auswahl)
2002 *documenta XI*, Kassel (Kat.) **2001** *Love Supreme*, La Criée Centre d'Art Contemporain, Rennes **1996** *a-drift*, Bard College, New York (Kat.); *Handmade Readymades*, Bertha and Karl Leubsdorf Gallery, Hunter College, New York **1995** *Architectures of Display*, Architectural League of New York und Minetta Brook, New York; *Das Ende der AvantGarde: Kunst als Dienstleistung*, Kunsthalle der Hypo-Kulturstiftung, München **1994** *Temporary Translations*, Sammlung Schuhmann, Deichtorhallen, Hamburg **1993** *Whitney Museum of American Art Biennial,* New York (Kat.) **1992** *True Stories*, Institute of Contemporary Art London **1990** *Out of Site*, P.S. 1 MoMA – Institute of Contemporary Art, Long Island City, New York
Bibliografie (Auswahl)
Page Project, in: Metropolis M, Amsterdam, Oktober 1994
After the Ten Thousand Things, Stroom, Den Haag 1994
Camino Road, Museo Nacional Centro de Arte Reina Sofia, Madrid 1994
Inventory of Clues, Taking a Normal Situation ..., MUHKA, Antwerpen 1993

RICHARD HAMILTON (geb. 1922, London)
1938–1940 und 1946–1947 Royal Academy Schools, London.
1948–1951 Slade School of Art, London.
Lebt und arbeitet in London und Northend Farm Henley on Thames.
Einzelausstellungen (Auswahl)
2003 *Introspectiva*, MACBA, Barcelona; Musuem Ludwig, Köln (Kat.) **2001** *Polaroid Portraits*, Ikon Gallery,

Birmingham; *Imaging Ulysses*, Cankarjev Dom Galerija, Ljubljana; Kunsthalle Tübingen; British Museum, London; Irish Museum of Modern Art, Dublin **1998** *New Technology and Print Making*, Alan Cristea Gallery, London; Galerie Barbara Thumm, Berlin; Akademie der bildenden Künste Wien; Nishimaura Gallery, Tokio; Studio Marconi, Mailand; Milton Keynes Gallery, Milton Keynes; *Subject to an Impression*, Kunsthalle Bremen **1991** *Richard Hamilton*, Anthony D'Offay Gallery, London; *Richard Hamilton*, Fruitmarket Gallery, Edinburgh **1983** *Images and Process*, Tate Gallery, London (Kat.) **1973** *Richard Hamilton*, Solomon R. Guggenheim Museum, New York (Kat.) **1971** *Richard Hamilton: Prints and Multiples*, Stedelijk Museum, Amsterdam **1969** *Richard Hamilton: Swinging London '67, People, Graphics 1963–68*, Robert Fraser Gallery, London

Gruppenausstellungen (Auswahl)
2001 *Les Années Pop,* Centre Georges Pompidou, Paris (Kat.) **1988** *The Readymade Boomerang: Certain relations in 20th century art*, Biennale von Sydney, Sydney; *Marcel Duchamp et/en Richard Hamilton*, Galerie des Beaux-Arts, Brüssel; *High & Low: Modern Art and Popular Culture*, The Museum of Modern Art, New York; *The Independent Group: Postwar Britain and the Aesthetics of Plenty*, ICA, London **1988** *This is tomorrow today*, Institute for Art and Urban Resources, New York **1987** *The International Art Show for the End of the World Hunger*, Artists to End Hunger, Inc., New York; *Beuys zu Ehren*, Städtische Galerie im Lenbachhaus, München **1976** *Pop Art in England: Beginnings of a New Figuration*, Kunstverein Hamburg; Galerie im Lenbachhaus, München; York City Art Gallery, York **1969** *documenta IV*, Kassel **1956** *This is Tomorrow*, Whitechapel Art Gallery, London
Preise
1999 Großer Preis von Ljubljana

1993 Goldener Löwe von Venedig **1969** John Moores Art Prize, London **1960** William and Norma Copley Foundation Prize for Painting

ANDRÉE KORPYS (geb. 1966 Bremen / Deutschland)
MARKUS LÖFFLER (geb. 1963 Bremen / Deutschland)
1989–1993 Fachhochschule für Fotografie und Film, Bielefeld.
1993–96 Hochschule für Gestaltung/ZKM, Medienkunst, Karlsruhe.
1997–1998 Akademie Schloss Solitude, Stuttgart, Stipendium Video/Film.
Leben und arbeiten in Bremen und Berlin.

Einzelausstellungen
2002 Galerie Meyer-Riegger, Karlsruhe **2000** Kunstverein Graz; Kunsthalle Nürnberg (Kat.); Kunstverein Heilbronn; Künstlerhaus Bremen (mit Achim Bitter) **1999** Galerie Meyer-Riegger, Karlsruhe; Galerie Otto Schweins, Köln **1998** Gartenlaube, Stuttgart/Stammheim; Kreutzer & Stutzig, Berlin **1997** Galerie Cornelius Hertz, Bremen; Akademie Schloss Solitude, Stuttgart (mit Achim Bitter) **1996** Galerie Otto Schweins, Köln; Galerie Vorsetzen, Hamburg **1995** Kunstverein Bremerhaven **1992** Kunst-Werke Berlin
Gruppenausstellungen
2003 *M_ARS*, Neue Galerie am Landesmuseum Joanneum, Graz (Kat.) **2002** *Ökonomien der Zeit*, Museum Ludwig Köln; Akademie der Künste Berlin; Migros-Museum, Zürich (Kat.); *Economy & Art*, Deichtorhallen, Hamburg (Kat.) **2001** *Casino 2001*, SMAK, Gent (Kat.); Galerie Otto Schweins, Köln **2000** *Das Gedächtnis der Kunst*, Schirn, Frankfurt/Main (Kat.); *Neues Leben,* Galerie für zeitgenössische Kunst Leipzig (Kat.); *8e Biennale de l'image en Mouvement*, Centre pour l'image Genf (Kat.); *Die Beute*, Künstlerhaus Bethanien, Berlin; *Grenzgänge (ars viva 99/00)*, Kunstverein Freiburg im Marienbad **1999** *Real Crime*, Forum Stadtpark, Graz; *Grenzgänge (ars viva 99/00)*, Casino

Luxemburg – Forum d'art contemporain; Kunsthaus Dresden; Städtische Galerie für Gegenwartskunst Leipzig; *Surprise VI,* Kunsthalle Nürnberg; Centre genevois de gravure contemporain, Genf; *German Open – Gegenwartskunst in Deutschland*, Kunstmuseum Wolfsburg (Kat.) **1998** Lux Cinema, London; Projektraum Bethanien / Schloss Solitude, Stuttgart; Städtische Galerie Delmenhorst **1996** *Discord*, Kunstverein Hamburg **1994** Städtische Galerie Bremen, Förderpreis **1991** Forum junger Kunst, Kunsthalle Kiel; Museum Bochum; Kunstverein Wolfsburg

KUDA.ORG (gegründet 2000 in Novi Sad / Serbien)
Das Medienstudienzentrum kuda.org, die erste Einrichtung ihrer Art in Jugoslawien, ist ein nicht gewinnorientierter Verband von Künstlern, Theoretikern, Medienleuten und Forschern im Bereich Informations- und Kommunikationstechnologien. Die Organisation befasst sich mit kritischen Ansätzen im Hinblick auf den Gebrauch und Missbrauch dieser Technologien und betont bei ihrem Aufbau der Netzwerkgesellschaft kreative Impulse, die ein Umdenken fördern. kuda.org ist eine Content-Provider-Plattform für neue kulturelle Strategien, Produktionen im Bereich Medienkunst und gesellschaftliche Entwürfe. In einer Epoche der Informationsüberflutung fördert kuda.org mediale Bildung und digitale Ökologie und initiiert Diskussionen über zahlreiche Fragen rund um mit elektronischen Medien operierende Kunst und sich neu entwickelnde kreative Verwendungsmöglichkeiten von Technologie.
http://kuda.org/e_kuda_info.htm

SIGALIT LANDAU (geb. 1969, Jerusalem / Israel)
1990–1995 Studium an der Bezalel Academy of Art and Design in Jerusalem.

1994 Cooper Union, New York.
1998 Artist-in-Residence im Rahmen des Programms der Sammlung Hoffmann, Berlin.
Lebt und arbeitet in Jerusalem.

Ausstellungen (Auswahl)

2002 *Video Installation*, Ikon Gallery, Birmingham **2001** *Spunky*, Exit Art Gallery, New York; *Installation*, Thread Waxing Space Gallery, New York; Museum of Modern Art Saitama, Japan **2000** *Angel of History*, Herzlia Museum Jerusalem; *Bauchaus / Somnabulin*, Kunstverein Heidelberg; *Project Somnambulin*, Spacex Gallery, Exeter **1999** *The Natives are Restless – New Work UK*, Chisenhale Gallery, London; *Tales of the Sand*, Fruitmarket Gallery, Edinburgh **1998** *Ninety Years of Israeli Art: A Selection from the Joseph Hackmey – Israel Phoenix Collection*, Tel Aviv Museum of Art **1997** *Resident Alien II (Biennale von Venedig)*, Israelischer Pavillon, Venedig; *Resident Alien I (documenta X)*, Kassel **1996** *Resident Alien I*, Herzlia Museum of Art Tel Aviv; *The Event Horizon*, Irish Museum of Modern Art, Belfast; *Voorwerk 5,* Witte de With Center for Contemporary Art, Rotterdam **1995** *Temple Mount*, The Israel Museum, Jerusalem **1994** *Transit*, ArtFocus 94, Tel Aviv

CHRIS MARKER (Christian François Boche-Villeneuve, geb. 1921 Neuilly-sur-Seine / Frankreich)

Chris Marker war Schüler von Jean-Paul Sartre (1937–1939). Nach einem kurzen Philosophiestudium gehörte er während des Krieges der Résistance an. Nach 1945 arbeitete er als Schriftsteller, Fotograf und Lektor. 1952 drehte er seinen ersten Film. – Chris Marker lebt zurückgezogen in Paris, gibt keine Interviews, weigert sich, Fotos von sich zu veröffentlichen und hat nichts gegen die Legenden, die über ihn im Umlauf sind.

Filmografie (Auswahl)

2000 *Une journée d'Andreij Arsenovitch* **1998** *Immemory* **1996** *Level Five* **1995** *Silent Movie; Témoingna-* ge d'un Casque Bleu **1994** *Bullfight/Okinawa; Les 20 heures dans les camps* **1993** *Le Tombeau d'Alexandre; Der letzte Bolschewik; Slon-Tango* **1992** *Le Facteur sonne toujours Cheval; Azulmoon; Coin fenêtre* **1990** *Détour Ceauşescu; Photo Browse; Théorie des ensembles; Berlin; Berliner Ballade; Getting Away With It; Zapping Zone* **1989** *L'Héritage de la chouette* **1988** *Bestiaire; Eclats; Spectre; Tokyo Days; Les Pyramides bleues* **1986** *Tarkovsky; Hommage à Simone Signoret* **1985** *AK; Christo; Matta* **1984** *2084: video clip pour une réflexion syndicale et pour le plaisir* **1983** *All by Myself* **1982** *Sans soleil; Essay* **1981** *Junkopia* **1978** *Quand le Siècle a pris formes; Viva el Presidente* **1977** *Le Fond de l'air est rouge* **1975** *La Spirale; La batalla de Chile; On vous parle de Flins* **1974** *La solitude du chanteur de fond; Puisqu'on vous dit que c'est possible; Les Deux Mémoires* **1973** *L'Ambassade; Kashima Paradise* **1972** *Vive la baleine; La grève des travailleurs de Lip* **1971** *Le Train en marche; Le moindre geste; El primer año* **1970** *La bataille des dix millions; Les Mots ont un sens; Die Kamera in der Fabrik; Carlos Marighela* **1969** *Jour de tournage; L'aveu; Le Deuxième procès d'Artur London; Classe de lutte; Sochaux; L'ordre régle à Simcaville; On vous parle de Brésil* **1968** *A bientôt j'espère; La Sixième face du Pentagon; Six Cinetracts* **1967** *Loin du Viêtnam; Le Cœur des pierres; Rhodiaceta* **1966** *Si j'avais quatre dromadaires; Rotterdam-Europort; Le Volcan interdit* (Koautor) **1965** *Le Mystère Koumiko; La Brûlure de mille soleils* **1963** *A Valparaíso; Liberté* **1962** *La Jetée* (veröffentlicht 1964)*; Le Joli mai* **1961** *¡Cuba Sí!* **1960** *Description d'un combat* **1959** *Les Astronautes; Django Reinhardt* **1958** *Lettre de Sibérie; Des Hommes dans le ciel; La Mer et les jours* (Koautor)*; Le Siècle a soif* **1957** *Le Mystère de l'atelier 15* **1956** *Dimanche à Pékin; Les Hommes de la baleine; Toute la mémoire du monde* **1955** *Nuit et brouillard* (Regieassistenz) **1952** *Olympia 52*

HANS-JÖRG MAYER (geb. 1955 Singen / Deutschland)
Lebt und arbeitet in Berlin.

Einzelausstellungen (Auswahl)

2002 *MAYERus – Letzte Tage*, neugerriemschneider, Berlin (Gemeinschaftsarbeiten mit Michel Majerus); *Vague Vanity*, Galerie Gabriele Senn, Wien; *L'amour, la mort et la mer*, Galerie Christine Mayer, München **2001** *Trost*, Galerie Christian Nagel, Köln; *Picknick*, Galerie Giti Nourbakhsch, Berlin **1999** Galerie Gabriele Senn, Wien; *Le Terrain Vague*, Galerie Giti Nourbakhsch, Berlin **1997** Galerie Christian Nagel, Köln; *Hanswurstiade*, Galerie Hammelehle und Ahrens, Stuttgart **1994** Galerie Bleich-Rossi, Graz **1993** Galerie Christian Nagel, Köln; Nordanstad Gallery, New York **1992** Chicago International Art Exposition, Stand Galerie Christian Nagel **1991** Jack Hanley/Transavantgarde Gallery, San Francisco (mit Michael Krebber, Joseph Zehrer); Kunstraum Daxer, München (Kat.) ; Galerie Christian Nagel, Köln **1990** Galerie Bleich-Rossi, Graz; Standard-Graphik, Köln **1987** *Sweet*, Galerie Daniel Buchholz, Köln **1985** *Blitzen Vixen & Harry*, Galerie und Lager Rudolf Zwirner, Köln **1984** *Blumen ohne Duft*, Galerie Rüdiger Schöttle, München **1983** *Blaue Bohnen Baby,* Galerie Rüdiger Schöttle, München **1981** Galerie Wittenbrink, Regensburg

Gruppenausstellungen (Auswahl)

2003 *Malerei II Ausstellung Nulldrei Deutschland*, Galerie Christian Nagel, Köln **2002** *Hossa – Arte Alemán del 2000*, Centro Cultural Andratx, Mallorca **2001** *Museum unserer Wünsche*, Museum Ludwig Köln; *Sport in der zeitgenössischen Kunst*, Kunsthalle Nürnberg **1999** *Malerei*, INIT-Kunsthalle, Berlin; *Einigkeit und Recht und Freiheit*, Martin-Gropius-Bau, Berlin **1998** *Tell Me a Story*, Magasin – Centre D'Art Contemporain, Grenoble **1996** *Models of Manipulatory*, Soros Center of Contemporary Arts, Ljubljana

1995 *Pittura/Immedia*, Malerei in den 90er Jahren, Neue Galerie und Künstlerhaus, Graz; Kunsthalle Budapest, Budapest **1994** *Europa '94*, Munich Order Center, München; *Fußball WM/Karaoke*, Portikus, Frankfurt/Main **1993** *Frauenkunst – Männerkunst*, Kippenberger Kunstverein, Museum Fridericianum, Kassel **1990** *The Köln Show*, Köln **1988** Galerie Daniel Buchholz, Köln; Kunstverein München **1987** *Der reine Alltag*, Galerie Christoph Dürr, München **1982** *Prestigeobjekte für die gehobene Mittelschicht*, Galerie Rüdiger Schöttle, München

GIANNI MOTTI (geb. 1958 / Italien)
Lebt und arbeitet in Genf.
Einzelausstellungen (Auswahl)
2003 Centre pour l'image contemporaine, Genf **2002** *Capital Affair*, Lehmhaus, Zürich **2001** Swiss Institute, New York **2000** Kunsthalle Bern; Galerie Artra, Mailand **1999** Galerie Analix, Genf **1998** Villa Arson, Nizza **1997** Nice Fine Art, Nizza; MAMCO, Genf; Centro de Arte Espacio Vacío, Bogotá **1996** Galerie Analix, Genf **1995** Centre d'art Neuchâtel; Galerie Analix, Genf; Le Magasin, Grenoble; Centro de Arte Espacio Vacío, Bogotá **1994** Low Bet, Genf **1992** Galerie Andata/Ritorno, Genf **1988** Kunstfabrik, Potsdam
Gruppenausstellungen (Auswahl)
2002 *Manifesta 4*, Frankfurt/Main (Kat.) **2001** *Queen's Guard*, Courtauld Institute of Art, London **2000** *Transfert*, Biel; Neues Kunstmuseum Luzern; 7. *Architekturbiennale von Venedig; Let's be friends*, Migros-Museum, Zürich; *Bruit de fond*, Centre National de la photographie, Paris; *The Overexcited Body*, Palazzo Arengario, Mailand; *Meydey*, Centre d'art Neuchâtel **1999** *Expander 01*, Jousse Seguin, Paris **1998** *P.O. BOX*, Moderna Museet, Stockholm; Serpentine Gallery, London; Le Nouveau Musée, Villeurbanne; Centre National de la photographie, Paris; *Andere sichten*, Kunsthaus Zürich; *Technocultu-*

re, Fri Art, Freiburg; *Videostore!*, Bricks + Kicks, Wien **1997** *Version Originale*, Musée d'art contemporain Lyon; Projektraum Zürich **1996** *Motti '96*, MAMCO, Genf; *Autoreverse 2*, Le Magasin, Grenoble; *Departure Lounge*, Clocktower, New York **1995** *Snow Job*, Forde, Genf; Art & Public, Genf

ADI NES (geb. 1966, Kiryat Gat / Israel)
1989–1992 Studium der Fotografie an der Bezalel Academy of Art and Design, Jerusalem.
1996–1997 Sivan Computer School, Tel Aviv.
Adi Nes' Fotografien, die auf den ersten Blick als reine Dokumentation erscheinen mögen, artikulieren eine sorgfältig inszenierte Distanz zur eigenen Nation.
Lebt und arbeitet in Tel Aviv.
Ausstellungen (Auswahl)
2002 *Mother Tongue*, Museum of Art Ein Harod; *Adi Nes: Photographs*, Museum of Contemporary Art San Diego **2001** *Recent Photographs*, Tel Aviv Museum of Art; *Rethinking – Contemporary Art from Israel*, ifa-Galerie, Bonn, Stuttgart und Berlin **1999** *Award Winners of the Education, Culture and Sport Minister's Prize for Artists in the Visual Arts*, Künstlerhaus Tel Aviv **1998** *After Rabin: New Art from Israel*, The Jewish Museum New York; *Bamot – Art from Israel*, Jüdisches Museum Wien; *Condition Report – Photography in Israel Today*, The Israel Museum Jerusalem **1997** *The Israelis – Four Foremost Israeli Photographers Define the Israeli Citizen*, School of Visual Art Beer-Sheva **1994** *90-70-90*, Tel Aviv Museum of Art **1993** *Jewish Gay Life*, im Rahmen der Präsentation der Gewinner der Anglo-Israeli Photographic Awards, Akehurst Gallery, London, und Künstlerhaus-Galerie Jerusalem

FRANZ NOVOTNY (geb. 1949 Wien)
Studium an der Akademie der bildenden Künste Wien bei Josef

Mikl. Franz Novotny begann als Drehbuchautor, arbeitet seit 1967 als freiberuflicher Regisseur, seit 1971 fürs Fernsehen. Neben Fernseh- und Kinofilmen produziert er auch Werbespots. 1995 gründete er gemeinsam mit Karin Novotny die »Novotny & Novotny Filmproduktion«. Seit 1999 forciert er die Zusammenarbeit mit Filmproduktionen in Serbien und Bosnien-Herzegowina.
Franz Novotny lebt und arbeitet in Wien.
Avantgardistisches Frühwerk
1968–1971 *Destro, Novatschek, Exekution, Schlachthaus*
Arbeiten für den ORF
ab 1971 *Der letzte Statist, Stunde Null, Nagl Maly, Portrait Josef Mikl, Utopie in neun wirklichen Bildern, Der schöne große Alexander, Lügensänger, Damenwahl, Orsolics-Passion, Das Stück mit dem Hammer, Bakunin, Scheitern in Wien, Pluhar-Show, Karneval in Kuba, Notizen aus einer Kleinstadt, Migenes-Show*
Spielfilmregie
2001 *YU*. Drama **1999** *Nachtfalter*. Drama **1994** *Exit II – verklärte Nacht*. Komödie **1988** *Die Spitzen der Gesellschaft*. Melodram **1982** *Die Ausgesperrten*. Melodram **1979** *Exit – nur keine Panik*. Komödie **1977** *Staatsoperette*. Musikalische Komödie
Preise
Löwe Cannes Bronze, Clio Award New York, Berliner Klappe, 1. Preis Genfer Militärfilmfestival, Schweizer Werbepreis, mehrere Goldene Veneri des Creativ-Clubs Austria, drei österreichische Staatspreise, Goldene Verdienstmedaille der Stadt Wien

KLAUS POBITZER (geb. 1971, Schlanders / Italien)
1995–2000 Studium an der Akademie der bildenden Künste Wien: Malerei und Grafik, Bildhauerei.
Kontakt:
oo0o00o0oo@oo0o00o0oo.com
Ausstellungen (Auswahl)
2003 *Don Giovanni*, nach der Oper

von W. A. Mozart, Lacandonna, Wien; *Globalica*, Teilnahme an der Internationalen Medienkunst-Biennale in Wroclaw, Polen; *Operation Figurini*, Wien; *Zugluft*, Gaststatt Wien, Zürich, Moskau; *Panorama 03*, Bozen **2002** *ooOoOOoOoo*, Stadtturmgalerie Innsbruck und Installation an der Nordfassade der Universitätsklinik in Innsbruck; *bin jagen*, Galerie Annie Gentils, Antwerpen; *Room of friends*, Installation in der Bibliothek von Schloss Schlandersburg, Italien **2001** *le cup*, Event im Cybergolfclub Wien; *one of two things that go together*, Kunsthalle 8, Wien; *natura calling kwan*, Ausstellung und Symposium, Damtschach, Kärnten; *Lange Nacht der Museen*, Installation im Atrium des Leopold-Museums, Wien; *ICI ET MAINTENANT*, Espace Nord à Tour et Taxis, Brüssel; *gefesselt – entfesselt*, Galeria Zachęta, Warschau; *27. Österreichischer Grafikwettbewerb*, Preis der Südtiroler Landesregierung **2000** *magottn*, Altes Obstmagazin, Schlanders; *der Bote*, Kasino Schwarzenbergplatz, Wien; *positionen*, Semper-Depot, Wien **1999** *jars I*, Kunstcentrum Sittard, Holland; *Stop smoking, start cooking*, Galería de la Panadería, Mexiko Stadt; *Videokunst in den Alpen*, Palais Taxis, Innsbruck; *der traum, il sogno, le rêve*, Künstlerauswahl und Organisation, Schloss Goldrain **1998** *ichnogramm*, Galerie Museum, Bozen; *weekend*, Damtschach, Kärnten **1997** *Demontage*, Wien; *Selbstmordperformance* (mit Double Giovanni), Semper-Depot, Wien **1996** *Zeitschnitt 96 – Aktuelle Kunst aus Österreich,* Kunstraum Innsbruck; *Junge Grafik*, Semper-Depot, Wien

OLIVER RESSLER (geb. 1970 Knittelfeld / Österreich)
1989–1995 Hochschule für angewandte Kunst Wien.
2002 internationaler\medien\kunst\preis, ZKM, Karlsruhe.
Oliver Ressler arbeitet an Ausstel-

lungen, Projekten im Außenraum und Videos zu gesellschaftspolitischen Themen wie Rassismus, ökonomische Globalisierung, Gentechnologie und Formen des Widerstands.
Lebt und arbeitet in Wien.

Einzelausstellungen und Projekte (Auswahl)
2002 *This is what democracy looks like!,* Plattform, Berlin **2001** *Dienstleistung: Fluchthilfe*, Kunstraum Lüneburg (mit M. Krenn) **2000** *Nachhaltige Propaganda*, Künstlerhaus Bethanien, Berlin; *The global 500*, TRUCK – Centre for Contemporary Art, Calgary **1999** *The global 500*, Galerie Stadtpark, Krems **1998** *geGen-Welten: Widerstände gegen Gentechnologien,* Forum Stadtpark, Plakatserie, Graz **1997** *Institutionelle Rassismen*, Kunsthalle Exnergasse, Wien, Plakatobjekt vor der Wiener Staatsoper (mit M. Krenn)

Ausstellungsbeteiligungen (Auswahl)
2003 *Banquete – Metabolism and Communication*, Palau de la Virreina de Barcelona; Centro Cultural del Conde Duque, Madrid; *real*utopia – Zeitgenössische Kunst im öffentlichen Raum*, ›rotor‹ und Kulturhauptstadt Graz 2003 **2002** *x-lands / extended*, Forum Stadtpark, Graz; *Exchange & Transform*, Kunstverein München und Stadtraum München; *Empire/State: Artists Engaging Globalization*, Whitney Museum of American Art, New York (mit D. Thorne) **2001** *Videonale 9*, Bonn **2000** *Modell, Modell …,* Neuer Kunstverein Aachen; *World-Information.Org*, Centre Brussels 2000, Brüssel; ›hers‹, Steirischer Herbst, Graz (Kat.)

Videofestivals und -präsentationen (Auswahl)
2001–2003 *Diagonale – Festival des österreichischen Films,* Graz **2003** *Transmediale*, Berlin; Slought Foundation, Philadelphia; Hallwalls, Buffalo **2002** *Contemporary Film and Video*, Moderna Museet, Stockholm; *Internationaler Medienkunstpreis*, Fernsehausstrahlungen in

SWR, ARTE, SF DRS, TV Slovenija (1. Preis) **2001** *Duisburger Filmwoche*, Duisburg; *New York Int'l Independent Film & Video Festival*, New York

ANTONIO RIELLO (geb. 1958, Jerusalem / Israel)
1981 Abschluss des Studiums der Chemie und Pharmazie an der Universität von Padua.
1985–1995 Studium der Kunstgeschichte (Cooper Union, New York), Theologie (Pontificia Università Gregoriana, Rom) und Architektur (IUAV, Venedig).
1990 Stipendium der Pollock-Krasner Foundation, New York.
Von Anfang an konzentriert sich Riellos künstlerisches Augenmerk auf die »dunkle Seite« der zeitgenössischen italienischen Gesellschaft. Zu den Lieblingsthemen seiner morbiden Erkundungen zählen Prostitution, Hard Sex, Kriminalität, schmutzige Machinationen, »schnelles Glück«, Mafiageschichten, die Diskriminierung von Frauen und Kindern sowie Gewalt in der Familie. Im Gefolge Erwin Panofskys hält Riello »Ambiguität« für die »symbolische Form« der heutigen Kunst.
Lebt und arbeitet in Maróstica (Italien) und Amsterdam.
Kontakt: antonioriello@tiscalinet.it

Einzelausstellungen (Auswahl)
2003 Italian Cultural Institute, London; Galleria Nuova Icona, Venedig **2002** Galleria Astuni, Pietrasanta; Kunstverein Zwickau, Zwickau **2001** Studio Ercolani, Bologna; Galerie Mitterand, Genf; Torch Gallery, Amsterdam; Galerie Voss, Düsseldorf; Galleria Nuova Icona, Venedig; Galerie Paula Böttcher, Berlin **2000** Galerie Frank, Paris; Museo d'Arte Paolo Pini, Mailand; Torch Gallery, Amsterdam; Galleria Nuova Icona, Venedig **1998** ARGE Kunst, Bozen; Perugia; Padua **1997** Artra, Mailand **1996** Il Ponte, Rom **1995** Stadtgalerie, Stuttgart

Gruppenausstellungen (Auswahl)
2003 *Kids are us*, Galleria Civica

Arte Contemporanea, Trient; *Melting Pot*, Palazzo delle Papesse, Siena; *Italian Scene*, Vanessa Buia Gallery, New York **2002** *Glass Way*, Museo Archeologico Aosta; *Laboratorio Materiale*, Galeria Astuni, Fano **2001** *B&B*, Aktionsforum Praterinsel, München; *Biennale Tirana*, Tirana; *The Pretty Show*, Ricco/Maresca Gallery, New York **2000** *Blondies & Brownies*, Torch Gallery, Amsterdam; *welcHome*, Palazzo Esposizioni, Rom; *Futurama*, Museo Arte Contemporanea Pecci, Prato **1999** *MW & CS*, W 139, Amsterdam; *Artbeat*, MTV-Salara, Bologna **1998** *Taboo*, Business Design Center, London; *Va Pensiero,* Promotrice Belle Arti, Turin; *Arte Italiana*, Kunstverein Kiel, Kiel **1997** *Officina Italiana*, Galleria Arte Moderna, Bologna **1996** *Panorama emergente*, Flash Art Museum, Trevi; *Concettualismo Ironico Italiano*, Freiburger Kunstverein, Freiburg; *XII Quadriennale*, Rom **1995** *Das Spiel in der Kunst*, Neue Galerie, Graz

MARTHA ROSLER (geb. Brooklyn / New York)
1965 BA am Brooklyn College der City University of New York.
1975 MA an der University of California in San Diego.
Lebt und arbeitet in New York.
Einzelausstellungen (Auswahl)
2002 *Spacing the Line: Performativity and Passage Zones,* Akademie der bildenden Künste Leipzig; *Photo Exhibition*, Gorney Bravin + Lee, New York **2000** *Hors Champ: Agenda Caravanes,* Präsentation (mit Peter Boggers); Centre Georges Pompidou, Paris **2000–1998** *Martha Rosler: Positionen in der Lebenswelt,* Generali Foundation, Wien (Kat.) ; Ikon Gallery, Birmingham; Institut d'Art Contemporain, Villeurbanne; MACBA, Barcelona; Nederlands Foto Instituut, Rotterdam; The New Museum, New York; The Institute of Contemporary Photography, New York **1999** *OOPS! Or, Nobody Loves a Hegemon*, Galerie Christian Nagel, Köln **1998** *In the Place of the Public,* Flughafen Frankfurt/Main, Museum für moderne Kunst Frankfurt/Main; *Martha Rosler: INIT,* Kunsthalle Berlin **1997** *Transitions and Digressions,* Jay Gorney Modern Art, New York **1996** *Everyday Objects: Videotapes by Martha Rosler,* Art Gallery of Ontario, Toronto **1992** *If You Lived Here: Homelessness and Housing in St. Louis,* Installation im Rahmen der Ausstellung *Green Acres: Neo-Colonialism in the U.S.,* Washington University Gallery of Art, St. Louis **1991** *Bringing the War Home – Photomontages from the Vietnam War Era*, Simon Watson, New York **1990** *Housing Is a Human Right,* Museum of Modern Art, Oxford
Gruppenausstellungen (Auswahl)
2003 *Rapture: Art's Seduction by Fashion since 1970*, Barbican, London **2002** *Photo Exhibition*, Gorney Bravin + Lee, New York; *Shopping*, Schirn, Frankfurt/Main; Tate Liverpool; *Personal and Political: The Women's Art Movement 1969–75*, Guild Hall, East Hampton, New York **2001** *Double Life: Identität und Transformation in der zeitgenössischen Kunst*, Generali Foundation, Wien; *Transposition*, London Film Festival, London **2000** *The Wounded Diva: Hysteria, Body, Technology in 20th Century Art*, Kunstverein München, Städtische Galerie im Lenbachhaus, München; Siemens-Kulturprogramm, München; Galerie im Taxispalais, Innsbruck; Staatliche Kunsthalle Baden-Baden; *The Cool World: Film & Video in America 1950–2000, Part II: 1970–2000*, Whitney Museum of American Art, New York **1999** *Dream City*, Kunstraum München; *The American Century, Part II: 1950–2000*, Whitney Museum of American Art, New York **1998** *Idea de lugar: Videos sobre Latinoamérica*, Museo Nacional Centro de Arte Reina Sofía, Madrid; *Fast Forward: Trade Marks*, Kunstverein Hamburg **1997** *Surveying the First Decade: Video Art and Alternative Media in the United States*, San Francisco Museum of Modern Art; American Museum of the Moving Image, New York **1996** *Inside the Visible*, Institute of Contemporary Art Boston; National Museum of Women, Washington; Whitechapel Gallery, London; Art Gallery of Western Australia, Perth **1995** *Public Information: Desire, Disaster, Document*, San Francisco Museum of Modern Art **1984** *Content: A Contemporary Focus*, Hirshhorn Museum, Washington **1983** *Whitney Biennial*, Whitney Museum of American Art, New York **1982** *documenta 7*, Kassel **1981** *Erweiterte Fotografie*, Secession, Wien **1980** *Public Disclosure: Secrets from the Street*, San Francisco Museum of Modern Art **1979** *Whitney Biennial*, Whitney Museum of American Art, New York

COLLIER SCHORR (geb. 1963 New York)
1986 School of Visual Arts, New York.
Lebt und arbeitet in Brooklyn, New York.
Einzelausstellungen (Auswahl)
2002 Consorcio Salamanca **2001** 303 Gallery, New York **2000** Emily Tsingou Gallery, London **1999** 303 Gallery, New York; Georg Kargl, Wien; *Neue Soldaten*, Partobject Gallery, North Carolina **1998** *Archipelago: New Rooms*, Stockholm Kultur 98, Stockholm **1997** 303 Gallery, New York **1995** Galerie Drantmann, Brüssel **1994** 303 Gallery, New York **1991** 303 Gallery, New York **1990** Standard-Graphik, Köln; 303 Gallery, New York **1988** Cable Gallery, New York
Gruppenausstellungen (Auswahl)
2001 *American Tableaux*, Walker Art Center, Minneapolis; *Chick Clicks*, ICA Boston; *Uniform. Order and Disorder*, P.S. 1 MoMA – Contemporary Art Center, New York (Kat.) **2001** *Settings and Players: Theatrical Ambiguity in American Photography*, White Cube, London (Kat.) **2000** *Photography Now: An*

International Survey of Contemporary Photography, Contemporary Arts Center New Orleans; *Presumed Innocent*, capcMusée d'art contemporain de Bordeaux; *Prepared,* Galerie Georg Kargl, Wien; *Lightness*, The Visual Arts Gallery, New York; *29th International Film Festival*, Rotterdam **1999** *Foul Play*, Thread Waxing Space, New York; *From the Corner of the Eye*, Stedelijk Museum, Amsterdam (Kat.); *Collier Schorr and Larry Clark*, Galleri Index, Stockholm **1995** *Images of Masculinity*, Victoria Miro Gallery, London; *La Belle et la Bête*, Musee d'Art de la Ville de Paris; *Campo*, Venedig **1994** *In The Fields*, Margo Leavin Gallery, Los Angeles **1993** *The Subject of Rape*, Whitney Museum of Art, New York; *Über Leben*, Bonner Kunstverein, Bonn; *Songs of Innocence, Songs of Experience*, Whitney Museum at the Equitable Center, New York **1991** *New Work by Gallery Artists*, 303 Gallery, New York; *Gulliver's Travels*, Galerie Sophia Ungers, Köln; *In the Beginning*, Cleveland Center for Contemporary Art, Cleveland **1989** *Erotophobia*, Simon Watson Gallery, New York **1988** *A Drawing Show*, Cable Gallery, New York; *Collier Schorr, Brenda Miller, Svetlana Kapanskaya*, Cable Gallery, New York **1987** 303 Gallery, New York; Galerie Hufkens, Brüssel

Literatur

Roberta Smith, *Quick as a Shutter – Group Shows Shatter Conventional Wisdom*, in: New York Times, 6. Juli 2001

Photo Shoot, Vogue Hommes International, Herbst/Winter 2001/2002

Documents, Nr. 19, 2000, Cover und S. 63

Ilka Becker, *Einblendung: Körper, Atmosphärik und künstlerische Fotografie*, in: Imageneering, Jahresring 47, Köln 2000, S. 185ff

Katy Siegel, in: Artforum, November 1999, S. 141 f.

Artist Project, in: Documents, Nr. 16, 1999, S. 17–37

Holger Kistenmacher, *From the Corner of the Eye,* in: Kunstforum, Okt-

ober–Dezember 1998, S. 459–461

Jan Avgikos, *Collier Schorr at 303 Gallery,* in: Artforum, Mai 1997, S. 110

Roberta Smith, in: New York Times, 28. Februar 1997

ERASMUS SCHRÖTER (geb. 1956 Leipzig / Deutschland)

1977–1982 Studium der Fotografie an der Hochschule für Grafik und Buchkunst in Leipzig.

1986 Stipendium für zeitgenössische deutsche Fotografie der Alfried-Krupp-von-Bohlen-und-Halbach-Stiftung, Essen.

1990 Arbeitsstipendium des Kunstfonds Bonn.

1992 European Photo Award.

Schröter arbeitete als freier Fotograf in Leipzig, verließ 1985 die DDR und übersiedelte nach Hamburg. Er veröffentlichte in renommierten Zeitschriften (*Stern, Spiegel, Art, Zeit-Magazin, Tempo, FAZ*). Ab 1990 beschäftigte er sich intensiv mit lichtinszenierter Fotografie und verwirklichte die Projekte BUNKER, LAUBEN, PHOENIX, WAFFEN und FLORA.

Lebt und arbeitet seit 1997 in Leipzig.

Kontakt: schroeterschroeter@t-online.de

Einzelausstellungen (Auswahl)

2002 DANN-Galerie, Berlin; *Schröter + Schröter*, Kunsthalle Erfurt; UH Galleries, University of Hertfordshire; Städtisches Museum Zwickau; Midland Art Center, Birmingham; Galerie Kleindienst, Leipzig **2001** Kunsthalle Gießen; Kunstsammlung Tumulka, München; Goethe-Institut Thessaloniki **1999** Galerie Kleindienst, Leipzig **1997** Galerie Kleindienst, Leipzig **1996** Galerie Barlach Halle K, Hamburg

Gruppenausstellungen (Auswahl)

2002 *Wahnzimmer Deutschland*, Museum der bildenden Künste Leipzig, Folkwang-Museum Essen; *Without Consent*, Centre d'Art Neuchâtel; *Five by Five*, Hirschl Contemporary Art Gallery, London **2000** *Generation of Transition – Contemporary Photography from*

Leipzig, ArtScan Gallery, Houston, Texas; *Because there was a fire in my head*, South London Gallery **1999** *Projekt Licht*, Neuer Sächsischer Kunstverein Dresden **1997** *Water, the Renewable Metaphor*, Museum of Art, University of Oregon; *Mental Images*, Mois de la Photo, Montreal; *Discoveries of the Meeting Place*, Fotofest, Houston, Texas; *Standort Deutschland*, Museum Morsbroich, Leverkusen **1996** Projekt *Phoenix*, Gasometer Oberhausen

NEDKO SOLAKOV (geb. 1957 Cherven Briag / Bulgarien)

Studium an der Akademie der bildenden Künste in Sofia.

1981 Diplom in Wandmalerei bei Prof. Mito Ganovski.

1985–1986 Studium am Nationaal Hoger Instituut voor Schone Kunsten in Antwerpen.

1992–1993 Arbeitsstipendien für Zürich und Österreich (KulturKontakt, Wien).

1994–1995 Arbeitsstipendium der Philip Morris Foundation für das Künstlerhaus Bethanien, Berlin.

2001–2002 Arbeitsstipendien für Stockholm (IASPIS) und Japan (CCA Kitakyushu).

Nedko Solakov bedient sich für seine geistreich-ironischen Rauminstallationen des traditionellen Mediums der Malerei. Er hat eine eigenständige und facettenreiche Handschrift entwickelt und mit einer Mischung von Witz und Ernst, Klarheit und Komplexität, Präzision und Phantasie eine unverwechselbare Position in der Kunst der 1990er Jahre erobert.

Einzelausstellungen (Auswahl)

2003 *Negotiations*, Dvir Gallery, Tel Aviv; *Romantic Landscapes with Missing Parts*, Espacio Uno, Museo Nacional Centro de Arte Reina Sofia, Madrid (Kat.) **2002** *Romantic Landscapes with Missing Parts*, Neuer Berliner Kunstverein, Berlin; Ulmer Museum, Ulm (Kat.); *20. 10. 2001*, Galerie Erna Hécey, Luxemburg **2001** *A (not so) White Cube*, P.S.

1 MoMA – Contemporary Art Center, New York **2000** *Squared Baroque – Baroqued Square*, Portikus, Frankfurt/Main (Kat.) **1999** *»......«*, ATA Center for Contemporary Art, Sofia (Kat.) **1997** *Wars*, Galerie Erna Hecey, Luxemburg; *Somewhere (under the tree)*, Deitch Projects, New York **1993** *Their Mythological Highnesses*, Ata-Ray Gallery, Sofia **1992** *Neue Arche Noah*, ifa-Galerie, Berlin (Kat.)

Gruppenausstellungen (Auswahl)

2003 *Export – Import. Contemporary Art from Bulgaria*, Sofia City Art Gallery, Sofia (Kat.); *Durchzug/Draft*, Kunsthalle Zürich (Kat.) **2002** *Propositions*, Galerie Erna Hecey, Luxemburg; *2000+ Arteast Collection*, Cifte Amam Art Gallery, Skopje (Kat.); *Reconstructions*, 4. Biennale von Cetinje, Cetinje (Kat.); *Frenetic Interferences – Memory/Cage Editions*, The New Museum of Contemporary Art, New York **2001** *Marking the Territory*, Irish Museum of Modern Art, Dublin (Kat.); *Loop – Alles auf Anfang*, Kunsthalle der Hypo-Kulturstiftung, München; P.S. 1 MoMA – Contemporary Art Center, New York (Kat.); *49. Biennale von Venedig – Plateau of Humankind*, Venedig (Kat.) **2000** *Bricolage?*, FRAC Bourgogne/Musée des Beaux- Arts, Dijon (Kat.); *46. Internationales Kurzfilm-Festival Oberhausen* (Kat.); *Video Positive 2000: The Other Side of Zero*, FACT, Liverpool (Kat.) **1996** *Enclosures*, The New Museum of Contemporary Art, New York (Kat.) **1995** *Orient/ation*, 4. Biennale von Istanbul (Kat.); *Club Berlin – Kunst Werke*, 46. Biennale von Venedig **1993** *Aperto'93*, Biennale von Venedig (Kat.) **1992** 3. Biennale von Istanbul (Kat.)

NANCY SPERO (geb. 1926, Cleveland / Ohio)

1945–1949 Studium an der Fine Arts School des Art Institute of Chicago.

1949–1950 Studium an der Ecole des Beaux-Arts Paris.

1996 Hiroshima Art Prize.

Nancy Spero begann in den Jahren der Vorherrschaft der abstrakten Kunst in den USA in den 1960er Jahren als politisch engagierte figurative Künstlerin zu arbeiten. Abseits vom Mainstream der New Yorker Kunstwelt artikuliert sie in eigenwilliger Bildsprache die für sie brennenden Themen: Vietnamkrieg, Entfremdung, Gewalt gegen Frauen. Ihre gegenständliche Bildsprache zeigt eindringlich die Zusammenhänge zwischen Zerstörung, Macht, Sexualität und Unbewusstem auf.

Lebt und arbeitet in New York.

Ausstellungen (Auswahl)

2001 Vancouver Art Gallery; *Open Ends: Contemporary Art 1960–2001*, The Museum of Modern Art, New York **2000** *Biennale von Kwangju*, Art and Human Rights Section Korea; *The American Century, Art and Culture, Part II: 1950–2000*, Whitney Museum of American Art, New York **1998** *Nancy Spero*, Crown Gallery, Brüssel; *Black and the Red III*, Galerie Montenay-Giroux, Paris; Ikon Gallery, Birmingham; *Leon Golub/Nancy Spero*, Museo Jacobo Borges, Caracas; *Contemporary Art: The Janet Wolfson de Botton Gift*, Tate Gallery, London **1997** *Figured*, Associated American Artists, New York; *documenta X*, Kassel; *Art in Chicago 1945–1995*, Museum of Contemporary Art Chicago **1996** *Deformations: Aspects of the Modern Grotesque*, The Museum of Modern Art, New York **1995** *After Hiroshima*, Hiroshima City Museum of Contemporary Art; *A Cycle in Time*, Residenzgalerie, Salzburg; *Feminin – Masculin, Le Sexe de l'Art*, Centre Georges Pompidou, Paris **1993** *Torture of Women, The First Language, The Hours of the Night*, National Gallery of Canada, Ottawa **1992** *Codex Artaud*, The Museum of Modern Art, New York **1991** *Works on Paper 1981–1991*, Salzburger Kunstverein, Künstlerhaus Salzburg **1990** *The Decade Show*, Museum of Contemporary Hispanic Art New York; *Nancy Spero: Bilder*

1958–1990, Haus am Waldsee, Berlin; Bonner Kunstverein, Bonn **1988** *Alive – Survive*, Kampnagelfabrik Hamburg **1988** MOCA Los Angeles **1986** Biennale Sydney **1983** Rhona Hoffman Gallery, Chicago

HERWIG STEINER (geb. 1956 / Österreich)

Studium der Geschichte an der Universität Wien.

Studium der Architektur an der Akademie der bildenden Künste Wien bei Prof. Gustav Peichl; Bildhauerdiplom bei Prof. Bruno Gironcoli.

»[...] Vor der bewussten Wahrnehmung beginnt in der Vorauswahl aus dem Impulsüberschuss schon die Herrschaft der Präformation. Alles Reflexive, jede Positionierung ist schon ein Danach – ihr unterworfen. [...] Aus dem Abstraktionsprozess vom Diskurs zum ›Texthaften‹ destilliert sich jene Machtwirklichkeit, die die Kultur durchzieht.« (Herwig Steiner)

Lebt und arbeitet in Wien.

Kontakt: Steiner_Herwig@gmx.at, Telefon und Fax: +(43/1) 545 81 35

Einzelausstellungen (Auswahl)

2003 *Propaganda Series*, Indian Habitat Center, New Delhi **2002** *Textfields/Battlefields: Discourses – Yugoslavia*, Muzej Istorije Jugoslavije, Belgrad **2001** *PRE-PRINTS*, Kunsthalle.tmp Steyr; *Paradise/Paradise*, Academy of Fine Arts New Delhi; *SOPHOKLES, ÖDIPUS, NASO MEET MÜNCHHAUSEN*, Fassadengroßleuchtbild, Wien **2000** *PRE-PRINTS*, Königliche Nepalesische Akademie, Bhanubhakta Hall, Katmandu **1998** *ATTRAPPEN*, In Situ Gallery, Aalst, Belgien **1994** *Color Studies*, Espai Lucas, Valencia **1991** Niederösterreichisches Landesmuseum, Wien

Gruppenausstellungen (Auswahl)

2000 *Positions of Recent Austrian Painting*, Installation, Academy of Fine Arts Calcutta **1999** *LINKS, SCHILDERKUNST IN EXTREMIS*, Art Centre Sittard, Provinciehuis

Maastricht **1998** *PRIX DE PEINTU-RE*, Montrouge/Paris; *Des Eisbergs Spitze /Museum auf Abruf*, Kunsthalle Wien **1997** *Posiciones del Arte Austriaco Actual*, Sala Parpalló, Valencia **1996** *Attitudes*, Galeries Jonge Kunst, Knokke, Belgium; *A Pascual Lucas*, Espai Lucas, Valencia **1993** Akademie für angewandte Kunst, Heiligenkreuzerhof, Wien; *Konfrontationen*, MUMOK Sammlung Ludwig und Museum des 20. Jahrhunderts, Wien; *Ideas – Imágenes – Identidades*, Centro Cultural Tecla Sala, Hospitalet, Barcelona **1992** *Surface Radicale*, Grand Palais, Paris; *Individual Positions – Young Austrian Artists*, Los Angeles **1990** Kunstzentrum Krakau; Nationalgalerie Bratislava; Kunstverein Erfurt; Fészek Galeria, Budapest; Modern Gallery (Museum of Contemporary Art) Ljubljana **1989** *In Context*, Nationalmuseum Belgrad **1987** *Jeune Peinture*, Grand Palais, Paris

WOLFGANG TILLMANS

(geb. 1968 Remscheid / Deutschland)
1990–1992 Studium am Bournemouth and Poole College of Art and Design, England.
1998–1999 Gastprofessur im Fachbereich Freie Kunst an der Hochschule für bildende Künste Hamburg.
2000 Turner Prize, Tate Britain, London.
2003 Professur an der Städelschule in Frankfurt/Main.
Lebt und arbeitet in London.

Einzelausstellungen(Auswahl)

2003 *View From Above*, Louisiana Museum of Modern Art, Humlebaek, Dänemark; *if one thing matters, everything matters*, Tate Britain, London (Kat.) **2002** Regen Projects, Los Angeles; Maureen Paley, Interim Art, London; *Lights (Body),* Andrea Rosen Gallery, New York **2001** Andrea Rosen Gallery, New York **2000** *Blushes*, Fig 1, London **1999** *Soldiers – The Nineties*, Ars Futura, Zürich; Andrea Rosen Gallery, New York; Interim Art, London; Neuer Aachener Kunstverein; *Saros*, Galerie Daniel Buchholz, Köln; Galerie S.a.l.e.s., Rom; Regen Projects, Los Angeles; *Part 1: Recent Works / Part 2: Concorde,* Wako Works of Art, Tokyo **1998** *Fruciones*, Museo Nacional Centro de Arte Reina Sofía, Madrid **1997** *Hale-Bopp*, Art Cologne, Galerie Daniel Buchholz, Köln; *I Didn't Inhale,* Chisenhale Gallery, London; Galerie S.a.l.e.s., Rom **1996** *Wer Liebe wagt, lebt morgen*, Kunstmuseum Wolfsburg (Kat.); *Faltenwürfe*, Galerie Daniel Buchholz, Köln

Gruppenausstellungen (Auswahl)

2003 *M_ARS - Kunst und Krieg,* Neue Galerie am Landesmuseum Joanneum, Graz (Kat.) **2002** *Moving Pictures*, Solomon R. Guggenheim Museum, New York; *Remix: Contemporary Art & Pop,* Tate Liverpool (Kat.); *Sensationen des Alltags*, Kunstmuseum Wolfsburg **2001** *Uniform – Order and Disorder*, Stazione Leopolda, Florenz **2000** *Turner Prize Exhibition*, Tate Gallery, London; *Apocalypse: Beauty & Horror in Contemporary Art,* Royal Academy of Arts, London; *Protest and Survive*, Whitechapel Art Gallery, London; *Deep Distance – Die Entfernung der Fotografie*, Kunsthalle Basel; *Lost*, Ikon Gallery, Birmingham **1999** *Can You Hear Me? – 2nd Ars Baltica Triennial of Photographic Art,* Stadtgalerie Kiel; Kunsthalle Rostock; *Vision of the Body: Fashion or Invisible Corset*, Kyoto Museum of Modern Art und Museum of Contemporary Art Tokyo **1998** *Berlin/Berlin*, Berlin-Biennale für zeitgenössische Kunst, Berlin; *From the Corner of the Eye*, Stedelijk Museum, Amsterdam; *Fast forward Image*, Kunstverein Hamburg **1997** *Projects*, Irish Museum of Modern Art, Dublin **1996** *New Photography #12*, The Museum of Modern Art, New York; *a/drift: Scenes from the Penetrable Culture*, Bard College Center for Curatorial Studies, Annandale-on-Hudson, New York; *Shift,* Haus der Kulturen der Welt, Berlin

PALLE TORSSON (geb. 1970 Stockholm / Schweden)

1993–1999 Studium an der Königlichen Akademie der bildenden Künste in Stockholm.
1996 Besuch der Schule für zeitgenössische Kunst in Stockholm.
1995 HdK Berlin.
1990–1993 Studium der Geistesgeschichte und Ästhetik an der Universität Uppsala.
Lebt und arbeitet in Stockholm.

Einzelausstellungen

2002 *Sam*, Tokyo Games, Palais de Tokyo, Paris **2001** *Pippi Examples*, (zensurierte) Videoarbeit, in Bon Nr. 2 publiziert **1999** *Minus Porn*, Galerie Andréhn-Schiptjenko, Stockholm; *Museum Meltdown*, Moderna Museet, Stockholm (mit Tobias Bernstrup) **1998** Galerie Mejan, Stockholm **1997** *Bazaar*, Y-1, Stockholm; *Ass Videos – Smart Show Goes Sea,* Stockholm–Helsinki

Gruppenausstellungen (Auswahl)

2002 *Game Over City*, FRAC Champagne-Ardenne, Reims; Moskauer Kunstmesse, Moskau **2001** *Internationales Medienkunst-Festival Kiew*, Zentrum moderner Kunst Kiew; *Connivence (Biennale von Lyon),* Musée d'art contemporain Lyon; *Présence Balte*, Metronom, Barcelona **2000** *Viva Scanland*, Catalyst Arts, Belfast; *All You Need is Love*, Latznia, Danzig; *Armory Show*, New York **1999** *Museum Meltdown*, Moderna Museet, Stockholm; *Non Stop Video Club*, Museum moderner Kunst Ljubljana **1998** *Pakkhus*, Momentum, Moss; *Peepshow*, Stockholm; *ArtGenda Retro*, Stadtgalerie Kiel; *Peepshow,* Stockholm; *Enter*, Kulturhuset Stockholm **1997** *Mobile TV*, Le Consortium, Dijon; *The Male of the Species*, MUU Gallery, Helsinki (mit Tobias Bernstrup); *Funny vs Bizarre*, Zentrum moderner Kunst Vilnius, Kunsthalle Riga **1996** *The Scream Arken*, Museum der modernen Kunst Kopenhagen; *Love All*, Färgfabriken, Stockholm; *Breaking Eyes*, Nordisches Kunstzentrum Helsinki und Färgfabriken, Stockholm **1995** *The*

Gallery Project, Kunstakademie Stockholm

PAUL VIRILIO (geb. 1932 Paris)
Emeritus der École Spéciale d'Architecture Paris, deren Rektor er von 1968 bis 1998 war. Wurde nach Veröffentlichung seiner ersten philosophischen Essays 1973 Herausgeber der Reihe *Espace Critique* bei den Editions Galilée. 1987 Grand Prix National de la Critique. 1990 wurde Virilio lehrplanverantwortlicher Direktor am Collège International de Philosophie unter Jacques Derrida. Seit 1992 Mitglied der mit Sozialbauprojekten befassten französischen Kommission HCLD, der Louis Besson vorsitzt.
Paul Virilio ist ein Essayist, der sich vor allem mit Fragen des Städtebaus und den strategischen Konsequenzen neuer Technologien beschäftigt. Er hat zahlreiche Bücher und Beiträge in französischen und internationalen Zeitschriften veröffentlicht. Für die Fondation Cartier pour l'art contemporain hat er an mehreren Ausstellungen mitgearbeitet, deren erste, *La Vitesse*, 1991 in Jouy-en-Josas gezeigt wurde. Bereits 1975 hat er die im Pariser Museum für angewandte Kunst gezeigte Bunkerarchäologie-Ausstellung mit vorbereitet.
Lebt in La Rochelle.
Bibliografie (Hauptwerke)
Fahren, fahren, fahren … , Berlin, 1978
Geschwindigkeit und Politik. Ein Essay zur Dromologie, Berlin, 1980
Der reine Krieg. Ein Gespräch, Berlin, 1984
Ästhetik des Verschwindens, Berlin, 1986
Die Sehmaschine, Berlin, 1989
Krieg und Kino. Logistik der Wahrnehmung, Frankfurt/Main, 1989
Bunker-Archäologie, München, 1992
Revolutionen der Geschwindigkeit, Berlin, 1993
Fluchtgeschwindigkeit. Essay, München, 1996
Krieg und Fernsehen, Frankfurt/Main 1997

Ereignislandschaft, München, 1998
Information und Apokalypse / Die Strategie der Täuschung, München, 2000
Die Kunst des Schreckens, Berlin, 2001
Ground Zero, London, 2002

STEPHEN VITIELLO (geb. 1964 New York)
Lebt und arbeitet in New York.
Einzelausstellungen
2002 El Projecto, New York; Apex Art, New York; Engine 27, New York **2001** Diapason, New York **2000** Texas Gallery, Houston
Gruppenausstellungen (Auswahl)
2002 *Unknown Quantity*, Cartier Foundation, Paris; *Chinati* (The Ice Factory & The Locker Plant), Marfa, Texas; *Open House*, Smack Mellon, Brooklyn; *The 2002 Whitney Biennial*, Whitney Museum of American Art, New York; *The LP Show*, Andy Warhol Museum, New York **2001** Queens Museum of Art, Flushing, New York; *Crossing the Line*, Exit Art, New York; P.S. 1 Clocktower Gallery, New York; *National / Int'l. Studio Program Exhibition,* Whitney Museum of American Art, New York; *BitStreams;* Akademie der bildenden Künste Peking; *Electronic Arts Program*, Cheekwood Museum of Art, Nashville **2000** *The Project,* New York; P.S. 1 MoMA – Contemporary Art Center; L.I.C., New York; *Greater New York*, Tang Museum, Saratoga Springs; *Scenes of Sounds*, Postmasters Gallery, New York; *Hole Space,* Smack Melon, Brooklyn **1999** Musée d'art contemporain Lyon; *Musiques en Scene*, World Trade Center, New York
Preise
2001 Penny McCall Award, Penny McCall Foundation **1999** Independent Radio and Sound Art Fellowship, Jerome Foundation/Media Alliance
Stipendien
2002/2003 The Space Program, Marie Sharpe Walsh Foundation, New York **2002** Engine 27, New York **2000/2001** P.S. 1 National/

International Studio Program, New York **1999** World Views, Lower Manhattan Cultural Council at the World Trade Center, New York **1996** Harvestworks A.I.R. Program, New York
Internetprojekte (Auswahl)
2001 San Francisco Museum of Modern Art, Walker Art Center, ZKM: *Sound Archive 7.01–7.31.01 (*http://crossfade.walkerart.org) **2000** Dia Center for the Arts, New York: *Tetrasomia* (www.diacenter.org/vitiello)
Diskografie (Auswahl)
2001 *Bright and Dusty Things*, New Albion Records; *17:48 from the Texas Gallery*, Texas Gallery **1996** *Chairs Not Stairs*
Bibliografie (Auswahl)
Ute Thon, *Neuer Blick nach innen*, in: Art, Mai 2002
Hella Boschmann, *Man kann die Twin Towers noch hören*, in: Die Welt, 25. Juni 2002
James Trainor, *Stephen Vitiello*, in: frieze, Mai 2002
Holland Cotter, *Spiritual America – From Ecstatic to Transcendent,* in: New York Times, 8. März 2002
Stephen Vitiello, *Music from the 91st floor – The View from Downtown*, in: The Wire, November 2001
Paulo Herkenhoff, *Stephen Vitiello,* P.S. 1 MoMA – Contemporary Art Center 2001
Amy Herzog, *Stephen Vitiello*, in: Greater New York, CD-ROM, P.S. 1 MoMA –Contemporary Art Center 2000
Lynne Cooke, *Interview mit Tony Oursler, Stephen Vitiello und Constance De Jong,* in: Tony Oursler, Katalog Kunstverein Hannover 1999

WANG DU (geb. 1956 Wuhan / Provinz Hubei, China)
1981–1985 Vorstand des Instituts für Kunstgeschichte und -theorie an der Akademie der bildenden Künste Kanton.
1985–1990 Professor der bildenden Künste am Institut für Architekturgeschichte und -theorie der Polytechnischen Universität Südchinas.

1986 Mitbegründer und Präsident des »Salons südchinesischer Künstler«.

1989 Teilnahme an der Demonstration für demokratische Verhältnisse in Kanton. Im September verhaftet und eingesperrt.

1997–1999 Unterricht am Institut für bildende Kunst der Universität Paris VIII.

1998–1999 Professur an der l'Ecole Supérieure d'art von Brest.

Lebt und arbeitet seit August 1990 in Paris.

Ausstellungen (Auswahl)

2001 *Luxe populaire*, Le Rectangle, Centre d'art de la Ville de Lyon; *Réalité jetable*, Galerie Rodin, Seoul; Le Consortium, Dijon **2000** *Défilé (Parade)*, Deitch Projects, New York; *The Sky is the Limit (Biennale von Taipeh)*, Taiwan **1999** d'APERTutto, Biennale von Venedig; *Cities on the Move 5*, Hayward Gallery, London **1998** *Cities on the Move 3*, P. S. 1 MoMA – Contemporary Art Center, New York **1997** *Uncertain Pleasure – Chinese Artists in the 1990s*, Art Beatus Gallery, Vancouver; *Soap*, Museum Voor Volkenkunde, Rotterdam; *Cities on the Move*, Secession, Wien **1994** *Relique*, Galerie Anne de Villepoix, Paris (Einzelausstellung) **1991** Galerie Jacob, Paris **1989** *Chine / Avant-garde*, Nationalmuseum für bildende Kunst Peking **1981–1985** Jahresausstellungen, Akademie der bildenden Künste Kanton **1977–1980** Jahresausstellungen, Ausstellungshaus der Provinz Hubei **1976** Museum von Wuhan, Provinz Hubei

Literatur (Auswahl)

Pierre Bal-Blanc, *Wang Du magazine*, Design mental, Paris 2001

Henry Tsang, *Uncertain Pleasure*, Asia Pacific, Februar 1999

Cities on the Move, Ausstellungskatalog, Secession, Wien 1996 (mit Texten von Hou Hanru und Hans Ulrich Obrist)

Art contemporain, Itinéraires 95, Municipalité de Levallois 1995

Hou Hanru, *Wang Du*, Purple Prose, Nr. 9, 1994

ZHUANG HUI (geb. 1963 Yumen / Provinz Gansu, China)
Lebt in Peking.
Kontakt:
ursmeile@galerieursmeile.ch

Einzelausstellungen (Auswahl)

1999 *Revelation Series III: Falling Apart Together*, Canvas, International Art Gallery, Amsterdam **1992** *Solo Installation*, Luoyang, Provinz Henan, China **1988** *Oil Paintings by Zhuang Hui*, Luoyang, Provinz Henan, China

Gruppenausstellungen (Auswahl)

2002 *1. Triennale von Guangzhou*, Kunstmuseum Guangdong, China; *Kaleidoscope – Latest Works by Contemporary Chinese Artists*, Art Beatus Gallery, Vancouver; *Art & Economy*, Deichtorhallen, Hamburg **2001** *Hot Pot – Chinese Contemporary Art*, Kunstnernes Hus, Oslo; *Take Part I*, Galerie Urs Meile, Luzern; *Next Generation*, Loft Gallery, Paris **2000** *Woman as Subject*, Court Yard Gallery, Peking; *From Inside of the Body*, ISE Art Center, New York **1999** *Missing Link – Menschenbilder in der Fotografie*, Kunstmuseum Bern; *dAPERTutto, 48. Biennale von Venedig*, Venedig; *The First Fukuoka Asian Art Triennial*, Asian Art Museum Fukuoka, Japan; *Salt of the Earth*, Court Yard Gallery, Peking **1998** *8 x*, Galerie Urs Meile, Luzern; *Internationale Fototriennale Esslingen*, Galerie der Stadt Esslingen; *Confusion – with the Future*, Amsterdam; *7 Contemporary Chinese Artists*, Nikolas Sonne Fine Arts, Berlin **1997** *Kunstmesse Basel*; *Zeitgenössische Fotokunst aus der Volksrepublik China*, Kunstverein Berlin; *Chinese Video and Photography*, Max Protetch Gallery, New York **1996** *Visual Art Week*, Kunstverein und Kunsthaus Hamburg **1995** *Chinese Avant-Garde Art Materials*, Tokio **1994** First *New Artwork Concepts*, Hanmo, Peking **1993** *Flint*, Louyang, Provinz Henan, China **1992** *To Serve the People*, Luoyan, Provinz Henan, China

BILDNACHWEIS

Alle Abbildungen von Tobias Bernstrup, David Claerbout, Öyvind Fahlström, Richard Hamilton und Andrée Korpys © VBK WIEN, 2003

Courtesy und 303 Gallery, New York
S. 141-143
AFP/Mladen Antonov/STF
S. 121
AFP/Eric Feferberg/STF
S. 120
AFP/Georgi Licovski/STF
S. 119
Courtesy American Fine Arts, New York
S. 97
Dejan Andjelković und Jelica Radovanović, Belgrad
S. 67-69
Galerie Andréhn-Schiptjenko, Stockholm
S. 79
association APSOLUTNO, Novi Sad
S. 71, 73, 75
Courtesy Galerie Daniel Buchholz, Köln
S. 157
Condé Nast Publications, New York
S. 93
Design Mental Paris/Fotos Stephen Rault
S. 163-165
Uroš Djurić, Belgrad
S. 89-91
Courtesy Dvir Gallery, Tel Aviv
S. 123-125
Courtesy Les Films du Jeudi, Paris
S. 113
Gyula Fodor, Wien
S. 99
Courtesy Galerie Erna Hécey, Luxemburg/Foto Patrick Muller
S. 149-151
Sonja Hugentobler
S. 22
Courtesy I-20 Gallery, New York
S. 65
Courtesy Galerie Johnen & Schöttle, Köln
S. 83
Courtesy der Künstlerin und Priska Juschka Gallery, New York
S. 81

Courtesy Georg Kargl, Wien
S. 95
Courtesy Galerie Christine König, Wien/Foto Stefan Olah, Wien
S. 152-153
Courtesy kuda.org, Novi Sad
S. 109
Sigalit Landau, Tel Aviv
S. 111
Robert Lebeck, Berlin
S. 33, 35
Courtesy Galerie Urs Meile, Luzern
S. 167
Sammlung Messner, Graz
S. 117
Courtesy Galerie Meyer Riegger, Karlsruhe und Galerie Schweins, Köln
S. 105-107
Hans Werner Mohm, Wadern-Rathen
S. 19
Courtesy der Künstlerin und Galerie Christian Nagel, Köln
S. 101
Courtesy Galerie Christian Nagel, Köln
S. 116
Courtesy Neue Galerie, Graz
S. 139, 159
Courtesy Anthony d'Offay, London
S. 103
Roberto Ohrt, Hamburg
S. 85, 87
Courtesy der Künstler und ORF, Wien
S. 127
Klaus Pobitzer, Wien
S. 129
Courtesy El Projecto, New York
S. 161
Courtesy Prometeo Associazione Culturale per l'Arte Contemporanea, Lucca
S. 61-63
Erasmus Schröter, Leipzig
S. 145-147
Courtesy Galerie Senn, Wien
S. 166
Foto Margherita Spiluttini, Wien
S. 131
Herwig Steiner, Wien
S. 155
Courtesy Galerie Barbara Thumm, Berlin
S. 77
Galerie Torch, Amsterdam
S. 137

Massimo & Mariapia Vallotto, Italien
S. 135
Galerie Voss, Düsseldorf
S. Riello (erste Doppelseite, 26/2)
Brigitte Winkler, Wien
S. 22

Falls die Kunsthalle trotz intensiver Recherchen nicht alle Inhaber und Inhaberinnen von Urheberrechten ausfindig machen konnte, ist sie bei Benachrichtigung gerne bereit, Rechtsansprüche im üblichen Rahmen abzugelten.

TEXTNACHWEIS

Der Abdruck der Texte erfolgt mit freundlicher Genehmigung von:

Eric Alliez und Anton Negri, *Frieden und Krieg*, in *Lettre*, Nr. 59, IV/02: © Lettre International Berlin.
Jean Baudrillard, *Hypothesen zum Terror*, in: *Lettre*, Nr. 56, I/02: © Lettre International Berlin.
Martin van Creveld, *Die Zukunft des Krieges*: © Gerling Akademie-Verlag, München 1998.
Tom Holert und Mark Terkessidis, *Entsichert*: © Verlag Kiepenheuer & Witsch, Köln 2002.
Michael Ignatieff, *Virtueller Krieg*: © Rotbuch Verlag, Hamburg 2001.
Mary Kaldor, *Alte und Neue Kriege*: © Suhrkamp Verlag, Frankfurt 2000.
Herfried Münkler, *Die neuen Kriege*: © Rowohlt Verlage, Reinbeck bei Hamburg 2002.
Paul Virilio, *Bunker-Archäologie*. Aus dem Französischen von Bernd Wilczek: © Carl Hanser Verlag, München – Wien 1992.
Paul Virilio, *Krieg und Fernsehen*. Aus dem Französischen von Bernd Wilczek: © Carl Hanser Verlag, München – Wien 1993.

KATALOG:

Herausgeber: Kunsthalle Wien, Gabriele Mackert, Gerald Matt, Thomas Mießgang

Redaktion: Thomas Mießgang, Sigrid Mittersteiner
Text- und Bildrecherche: Sigrid Mittersteiner
Lektorat: Wolfgang Astelbauer, Birgit Trinker
Übersetzungen: Wolfgang Astelbauer, Roger Buergel

© für diese Ausgabe: KUNSTHALLE Wien 2003; Steidl Verlag, Göttingen 2003
© für die Texte bei den Autoren, für die Abbildungen siehe Fotonachweis, für die Zitate siehe Textnachweis
© VBK, Wien 2003: Tobias Bernstrup, David Claerbout, Öyvind Fahlström, Richard Hamilton, Andrée Korpys

Gestaltung: Steidl Design / Claas Möller
Herstellung, Scans, Druck: Steidl Verlag, Düstere Straße 4, D-37073 Göttingen
Tel. ++49(0)551-49 60 60   Fax ++49(0)551-49 60 649
info@steidl.de   www.steidl.de
ISBN 3-88243-879-7
Printed in Germany

AUSSTELLUNG:

Kunsthalle Wien, 23. Mai bis 21. September 2003

Kuratoren: Gabriele Mackert, Thomas Mießgang
Kuratorische Assistenz: Sigrid Mittersteiner
Produktionsleitung: Martina Berger
Presse, Marketing: Claudia Bauer
Sponsoring: Nina Kaltenbrunner
Kunstvermittlung: Claudia Ehgartner

Ausstellungsarchitektur: Walter Kirpicsenko, Alexander Klose
Bauleitung: Monika Trimmel, werkraum ZT-OEG, Wien
Technik: Ramón Villalobos-Kröll, Paul Lehner
Transporte: hs art
Restauratoren: Ursula Brandl-Pühringer, Andreas Gruber, Sascha Höchtl

Die Kunsthalle Wien ist die Institution der Stadt Wien für moderne und zeitgenössische Kunst und wird durch die Kulturabteilung MA7 unterstützt.

Direktor: Gerald Matt
Geschäftsführung: Bettina Leidl
Leitende Kuratorin: Sabine Folie

HP unterstützte Klaus Pobitzer

Die Israelische Botschaft, Wien, unterstützte Sigalit Landau